Pour l'humour de Dieu

SIM | *ŒUVRES*

Sim

Pour l'humour de Dieu

Éditions J'ai lu

AVERTISSEMENT
EN FORME DE PRIÈRE

Depuis que mes parents m'ont appris qu'il existait un être suprême appelé Dieu, j'ai toujours eu peur de lui. Chaque fois que j'ai fait une bêtise — et Dieu sait si j'en ai fait —, j'ai redouté l'addition qui me sera présentée le jour où je vais m'étrangler avec le dessert.

J'imagine qu'au moment de régler la note je n'aurai jamais assez de fric pour payer mes gourmandises terrestres et que je serai envoyé en enfer pour grivèlerie. J'ai dû faire tellement de taches sur la nappe qu'aucun pressing céleste ne sera capable de lui rendre le blanc Bonux. Je me vois, parfois, assis sur le barbecue du diable, en train de me faire rôtir l'arrière-train pendant que d'immondes cuisiniers me piquent les cuisses avec des tringles à brochettes. Quand je ne suis pas pessimiste, je me vois au Purgatoire, avalant des tonneaux d'huile de foie de morue et des barils d'ipéca pour mieux vomir la bile de mon âme perverse.

En gros : j'ai la trouille ! Surtout quand je pense à toutes ces menaces que l'on m'a faites depuis ma tendre enfance. La colère et la vengeance divines m'ont toujours effrayé. Comment se fait-il que les dieux soient aussi irascibles ? Depuis que je recherche le mien — qui, entre nous, m'apparaît encore le plus abordable —, je n'en ai pas trouvé un seul qui possédât le calme propre à son état. Il n'y a rien de plus susceptible qu'un dieu de l'Olympe ou de plus goinfre qu'une idole de Papouasie. Quand on pense que Jupiter renversa son pauvre père, Saturne, et le chassa du Ciel pour s'emparer du Paradis, ça fait froid dans le dos ! Quant aux déesses, n'en parlons pas. J'en ai connu qui étaient de vraies mangeuses d'hommes et pour lesquelles on a inventé les tables de sacrifices qui furent, certainement, à l'origine des premiers buffets campagnards gratuits.

Il y a aussi les sectes qui se fabriquent des patrons à leurs mesures. Les dieux vivants sont encore plus déroutants que les grands P.-D.G. des religions homologuées car ils sont visibles. Je dois reconnaître que c'est quand même « le pied » de pouvoir leur serrer la main et de fumer un joint avec eux en écoutant les Rolling Stones. L'apôtre qui a fait une belote avec le Christ de Montfavet n'a pas dû manquer d'atouts et la sœur qui s'est fait sauter par Moon dans la Rolls divine a dû être ravie si elle s'est retrouvée en sainte.

En ce qui me concerne, j'ai toujours préféré ne pas copiner avec mes supérieurs. Bien que je me permette de tutoyer Dieu, j'ai toujours gardé une certaine réserve dans mes relations avec lui. Déjà, lorsque j'étais militaire, je n'ai pas éprouvé le besoin d'aller dîner chez le ministre de la Guerre. Quand on se connaît trop, on a tendance à se manquer de respect. Regardez ce curé de la télévision qui se bourre de pâtes dans sa sacristie et qui répond à Dieu la bouche pleine. Vous me direz : « Oui, mais c'est des Panzani ! » Ça n'est pas une raison valable car les œufs frais n'excusent pas tout.

Malgré la peur que me provoque ce fameux rendez-vous inscrit sur l'agenda du Très-Haut, je serais assez satisfait de comprendre enfin comment ça marche. Les explications qui m'ont été données jusqu'à maintenant ne me suffisent pas. Je veux bien faire confiance mais les mystères m'ont souvent donné des sentiments de frustration. Surtout la fois où ma sœur n'a jamais pu retrouver le nom du père du bébé qu'elle nous avait ramené d'Italie et qui m'a valu la plus belle paire de claques de ma vie. Je venais à peine de faire ma première communion et, voulant tirer ma frangine d'embarras, j'ai puisé dans les enseignements du catéchisme en disant à mon père que le Saint-Esprit était peut-être mon beau-frère.

Je suis certain qu'il y a des explications à tout. Un jour, j'aurai le mode d'emploi en français et tout m'apparaîtra très simple ou très compliqué. J'apprendrai enfin pourquoi on est sur terre et pourquoi on se tape sur la gueule entre deux mots d'amour. S'il n'y a personne pour me répondre, je ne m'en formaliserai pas car je n'aurai plus la faculté de poser des questions. Mais j'avoue que, dans ce cas désespéré, l'escroquerie serait monumentale pour ceux qui investissent dans la félicité de l'au-delà. Les banques suisses nous donnent un parfait exemple de cette pratique avec les comptes numérotés. Combien de clients y ont planqué leur pognon pour en profiter plus tard. Beaucoup se sont retrouvés dans le trou avec leurs codes secrets en laissant leur héritage aux Helvètes.

Si j'ai la chance de voir comment l'Eternel gère son entreprise, je serai le plus heureux des esprits. Si, après avoir payé mon billet de croisière, je peux voir la passerelle du Commandant, ma petite âme sera la plus belle pour aller danser. A condition que le bateau ne prenne pas l'eau !

Parfois, je me demande si tout va bien là-haut. Quand on voit ce qu'il se passe sur terre, un sentiment de doute peut nous envahir. Dieu a-t-il encore la majorité gouvernementale ? Depuis la nuit des temps, il est contré par une forte opposition qui rêve de s'emparer du pouvoir.

Je ne suis pas impatient d'aller jeter un coup d'œil sur les installations du Paradis car j'ai encore du travail à faire chez moi. Il faut que je répare le robinet de la salle de bains, que j'aille acheter du pain, une tranche de jambon pour ce soir, que je fasse changer les pneus de ma voiture et que j'envoie des roses à ma femme qui est restée sur la Côte d'Azur. Ah ! J'oubliais : il faut que je prenne mes médicaments.

Il faut aussi que j'écrive ce bouquin dans lequel Dieu sera mon héros. Je veux tout de suite rassurer ceux qui auraient une certaine appréhension quant aux propos que je pourrais tenir et aux débordements auxquels je pourrais me livrer. Il y aura, bien sûr, quelques esprits chagrins qui verront un manque de révérence dans le moindre de mes mots alors qu'une soumission totale pourra se lire entre mes lignes. Si leur mécontentement chronique les pousse à l'inquisition, je leur dirai que le Grand Architecte a aussi dessiné les plans du rire.

N'ayez crainte, mes frères, je ne tiens pas à risquer ma place dans la tribune d'honneur et je peux vous assurer que notre Père à tous possède un Esprit plus sain que le nôtre. Malgré ma modestie bien connue, je ne suis pas loin de penser qu'il sera le premier à lire ce livre et qu'il me le fera dédicacer lorsque nous nous rencontrerons. Je lui réserve ma plus belle signature. Pour l'humour de Dieu. Amen.

1

Je suis mort il y a un an. Dix ans peut-être. Ou mille ans. Je ne m'en souviens pas.

Le temps passe si vite ici que les années ou les siècles n'ont aucune importance. Le seul détail que je me rappelle, c'est que j'ai oublié de prendre mes médicaments et qu'un soir j'ai piqué du nez dans mon verre de cognac. Ma femme était encore sur la Côte d'Azur où elle finissait la décoration d'un petit appartement que nous venions d'acheter. Je regardais un film à la télé et l'écran est brusquement devenu noir. J'ai d'abord cru à une panne de secteur mais une lumière intense a inondé le salon et une explosion a retenti dans ma tête. Je ne sais plus ce qui s'est passé ensuite.

Lorsque j'ai repris conscience, j'ai pensé que le cognac m'avait donné un petit coup de pompe et que je m'étais endormi devant les informations de onze heures. Il n'y avait plus aucune lumière dans la pièce et le silence était total. Voulant changer les plombs qui se trouvaient dans la cuisine, j'ai quitté mon fauteuil en cherchant les meubles de la main. Je n'ai trouvé que du vide. Aucun mur n'était là pour me servir de repère. La panique est arrivée presque aussitôt et je me suis mis à courir dans tous les sens en appelant au secours quand une voix a chuchoté à mon oreille :

— Taisez-vous, je vous en prie. Ce n'est qu'un mauvais moment à passer.

Je poussai un cri de frayeur en essayant de retrouver le lampadaire de l'entrée pour m'en faire une massue. Plusieurs voix s'élevèrent en même temps dans des styles différents :

— Silence, vous n'êtes pas tout seul !

— La ferme, y a des gens qui dorment !

Il y eut alors un concert de vociférations, de reproches et même de menaces. J'ai cru un moment que la télé s'était remise en marche toute seule. Quand le bruit cessa, j'étais pétrifié, incapable de faire un mouvement. J'entendis à nouveau la première voix au creux de mon oreille :

— Calmez-vous et venez près de moi. Je vais vous dire ce qu'il vous arrive.

J'ai pensé que j'étais en train de rêver. C'était certainement un cauchemar comme j'avais l'habitude d'en faire depuis mes maux d'estomac. L'idée que j'étais devenu somnambule m'a même effleuré. J'ai eu peur d'être arrivé au milieu d'une partouze dans l'appartement d'à côté pendant mon sommeil.

— Vous venez de mourir d'un infarctus, reprit la voix, rassurante.

Je fis un bond en hurlant, ce qui provoqua de nouvelles imprécations.

— Quoi ? Il faut appeler un docteur tout de suite !

— C'est pas la peine de crier, les vivants ne vous entendent plus. D'ailleurs vous n'êtes plus sur terre.

— Où suis-je ? bégayai-je, paralysé par une stupeur facile à comprendre.

La voix se fit plus douce pour me donner quelques explications rudimentaires qui ne calmèrent pas du tout mon angoisse :

— Vous êtes au centre de triage 2024 spécialisé dans le traitement des morts subites. Tous ceux qui meurent brusquement sont dirigés ici dans la seconde qui suit et c'est ce qui explique les cris d'étonnement que poussent les nouveaux arrivants.

A peine avais-je entendu la fin de la phrase qu'un hurlement dont je n'étais pas l'auteur se fit entendre à deux pas de moi. La voix me renseigna aussitôt.

— C'est un accidenté de la route. Il vient de rentrer dans un platane.

Le type criait de plus en plus fort :

— Ma moto ! Je veux retrouver ma moto ! J'ai encore quinze traites à payer !

Le bruit était intolérable et je me surpris à réclamer le silence avec les autres occupants du centre de triage. Quand le calme revint, la voix était toujours à mes côtés.

— La mort subite est la plus difficile à assimiler car les gens n'y sont pas du tout préparés. Pendant quelques instants ils pensent qu'ils sont encore en vie. Je suis là pour vous informer de votre nouvel état.

Ainsi j'étais mort ! J'avais ramé pendant cinquante-six ans sur une galère qui venait de se planter sur un récif. Pendant toute une vie, j'avais amassé des souvenirs, des sous et des emmerdements. J'avais fait des dettes, des enfants et des bêtises. Je m'étais cru invincible et j'avais des projets pour cent ans renouvelables. J'avais une femme, des amis, une maison de campagne et voilà que je venais de me rendre coupable d'une formidable impolitesse. Je m'étais tiré comme un lâche sans prévenir personne et en laissant le lait sur le feu.

Je trouve que les morts ont un manque total de savoir-vivre. Certains ont parfois la délicatesse de tomber malades pour préparer le terrain. Dans ce cas, la famille a le temps de s'habituer, de voir venir le jour J. On peut faire les comptes, établir des bilans, trouver des combines pour que l'Etat laisse quelques fringues aux héritiers, embrasser les siens. Bref, on a le temps de balayer la maison avant de refermer la porte. Mais, si le départ se fait en catastrophe, je n'hésite pas à affirmer que le défunt se comporte en parfait gougnafier.

Que doit-on penser d'un homme qui laisse les siens dans la misère et le désespoir parce qu'il a mis les doigts dans une prise de courant ? Que dire d'une femme qui abandonne son foyer parce qu'elle a glissé sur la savonnette qui vient de tomber du bidet ? Je ne parle pas des exemples de lâcheté collective concernant les accidents d'avion, de chemin de fer, d'autocar et autres transports en commun. Les guerres nucléaires auront le grand avantage d'éliminer tout le monde en même temps et il n'y aura donc plus personne pour pleurer quelqu'un.

— Il faut prévenir ma femme, dis-je.

— Elle le sera demain, précisa la voix. Votre corps va passer la nuit dans la position où vous l'avez laissé. Du reste, vous n'allez pas tarder à le voir.

Un petit point lumineux apparut devant moi. On aurait dit une sorte de lumière liquide comme celle que produisent les gouttes d'eau irisées par le soleil. La tache brillante s'élargit de plus en plus mais, autour d'elle, le noir était encore complet et m'interdisait de voir l'endroit dans lequel je me trouvais. J'avais l'impression de regarder par le trou d'une serrure. Tout à coup, je me vis. Un brutal zoom en avant me livra ma dépouille en gros plan.

C'était moi, ça ? Cette chose ridicule, écroulée dans

son fauteuil, avait l'un des côtés du visage sur la table et tenait encore un cigare entre les doigts. Le verre de cognac était renversé et l'alcool coulait goutte à goutte sur le tapis. Si le cigare était éteint, la télé était toujours allumée. La publicité battait son plein. Des tas de faux jetons me conseillaient une nouvelle lessive, des biscottes, un livret de Caisse d'épargne et des couches-culottes. Les yeux grands ouverts sur mon verre vide, j'avais l'air de me foutre éperdument de tout ce qui aurait pu améliorer ma vie. La lumière s'éteignit d'un coup sec, faisant disparaître à jamais ce corps que j'avais trimbalé pendant tant d'années.

Le noir était revenu dans le centre de triage. Mon amie la voix était toujours là.

— Maintenant, vous allez faire connaissance avec les lieux. Un autre centre de triage va prendre le relais pour accueillir les nouveaux décédés pendant que nous procédons aux formalités d'enregistrement.

La musique fut d'abord presque imperceptible puis, insensiblement, elle monta dans un crescendo accompagné d'une clarté rose qui éclaira les alentours. Rien, sur terre, n'était comparable à cet endroit dont les limites semblaient indéfinies. Des nuages verticaux et mouvants ressemblaient à des murs mobiles qui s'éloignaient ou se rapprochaient selon les inflexions de la musique. Un ciel, d'un bleu que je n'avais jamais vu, réunissait les nuages roses pour faire une voûte immense. J'avais l'impression d'être au milieu d'une gigantesque salle qui aurait eu les dimensions d'un des cañons du Colorado. Des millions de petits feux se déplaçaient au ras du sol avec une intensité lumineuse qui faisait penser à des diamants posés sur un tapis de velours noir.

Je restai muet devant un tel spectacle.

— Tournez-vous, fit la voix que j'avais oubliée.

Alors là, bonsoir la poésie et mes amitiés à madame votre mère! J'avais devant moi une femme entre deux âges et deux liftings loupés. Aussi maigre qu'un piquet de tente, elle portait, sur la tête, une salade défraîchie qui devait lui servir de cheveux. Elle avait un œil au beurre noir et des dents qui auraient fait reculer un cheval.

— Je suis votre conscience, dit-elle en ayant l'air de s'excuser.

Je ne la voyais pas si moche, ma conscience. Durant mon vivant, chaque fois que je pensais à elle, j'avais plutôt tendance à la voir aussi sexy que Sylvia Kristel. En plus, elle était loin d'être une emmerdeuse. Elle m'a laissé en paix toute ma vie sauf le jour où j'ai voulu bousiller mon prof de math pour une histoire de zéro et la fois où j'ai tenté d'explorer de force le sous-sol d'une copine de vacances.

— Je connais votre existence comme ma poche, continua la traîtresse. Inutile de passer en revue les erreurs que vous avez commises sur terre, cela prendrait trop de temps. Vous êtes affecté à la section 204 du Purgatoire A où vous allez vous rendre avec les âmes de la colonne de gauche. Pour l'instant, vous allez attendre dans la salle d'embarquement numéro 3. Un ange accompagnateur viendra vous chercher.

Ma conscience disparut définitivement dans un nuage de fumée verdâtre et je vis beaucoup plus nettement les détails qui m'entouraient. Sur ma gauche, en effet, une longue colonne de petits feux brillants avançaient en sautillant pour passer une porte marquée du chiffre 3. De toute évidence il s'agissait des âmes de mes compagnons d'infortune et je devais avoir la même apparence. Résigné, je pris la queue de la file.

C'était très curieux. Je ne ressentais aucun regret, aucune émotion. J'étais plutôt bien car mes maux d'estomac ne se faisaient plus ressentir et je n'avais aucune envie de fumer ces cigarettes qui étaient sans doute responsables de ma présence ici. Ne possédant plus de corps, il fallait que je m'habitue à faire clignoter ma propre lueur pour avancer. Les saccades que j'imprimais instinctivement à ma brillance me permettaient de gagner du terrain.

Derrière la porte, il y avait une salle beaucoup moins grande et plus conventionnelle. Les murs étaient couverts de casiers minuscules dans lesquels se trouvaient déjà des tas de petites lumières. La colonne avançant au pas — si l'on peut dire —, j'eus le temps d'observer comment les âmes prenaient place dans leurs alvéoles. Pour ceux du bas, aucun problème. Les lumières s'y logeaient facilement. En revanche, ceux du haut étaient plus difficiles à atteindre et les petits feux se propulsaient verticalement pour retomber sur le sol. Je pris place au milieu de cette myriade de feux follets et, visant un casier vide, je pris mon élan pour percuter mon voisin qui venait de s'élancer dans la même direction. Nous retombâmes tous les deux, côte à côte.

— Et les codes, papa, c'est fait pour qui ? me dit-il. Je viens déjà d'avoir un accident de voiture, ça suffit comme ça !

Je m'excusai en reprenant ma place au milieu des lucioles qui continuaient leur ballet lumineux. Au bout de deux ou trois essais, je pus me loger dans l'un des casiers supérieurs. Aucun bruit de conversation n'était perceptible. On entendait plutôt une sorte de bourdonnement comme celui des abeilles autour de leurs ruches, mais je comprenais parfaitement toutes les paroles qui m'étaient personnellement adressées. L'âme qui logeait dans le casier à la droite du mien se pencha hors de la cloison qui nous séparait.

— Bonjour, me dit-elle en scintillant légèrement. Ça surprend, n'est-ce pas ? Vous êtes mort de quoi ?

— Cigarettes, whisky et p'tites pépées. Et vous ?

— En nettoyant mon fusil de chasse la veille de l'ouverture.

Tous nos voisins directs se mêlèrent à la conversation. Sans doute éprouvaient-ils le besoin de montrer à quel point la vie est dérisoire, parfois fragile et souvent idiote.

— Moi, c'est ma cocotte-minute. Elle m'a éclaté dans la figure quand j'ai voulu voir si le poulet était cuit.

— Moi, je me suis penché au balcon pour dire au revoir à ma femme et je suis tombé du cinquième.

— Moi, j'ai ramassé des champignons.

— Moi, j'étais la femme du type qui s'est penché au balcon. Il m'est tombé dessus.

Les exemples de décès imbéciles ne manquaient pas. Comme dit la sagesse populaire : on est vraiment peu de chose ! Il est déplorable de voir que certains grands hommes aux destins fabuleux terminent leur vie en glissant sur une peau de banane. On se demande si Dieu ne s'amuse pas à nous balancer des pots de fleurs sur la tête sans consulter nos références. Arrêter un génie en plein élan en lui faisant un croche-pied ne relève pas d'une grande civilité. Quand on se souvient qu'un prix Nobel qui a découvert le radium, Pierre Curie, est mort à quarante-sept ans en se faisant écraser par un autobus, ça donne à réfléchir. Il est possible que les lois divines aient des raisons qui nous échappent.

Finalement, j'étais assez content d'être mort.

J'étais même heureux dans mon casier. Plus de soucis, plus de bobos, plus de chagrins, plus d'envies, plus d'impôts. Je me suis bien marré quand j'ai pensé à l'inspecteur du fisc qui était chez moi depuis trois mois pour vérifier mes tickets de métro et mes notes de blanchissage. La gueule qu'il a dû faire quand il m'a trouvé allongé sur mon lit, avec du persil dans les narines et un costume du dimanche que je n'avais pas déclaré dans mes signes extérieurs de richesse !

La musique s'estompa doucement et une voix de rêve caressa l'endroit où se trouvaient mes oreilles quand j'étais un homme. Je fus sous le charme en écoutant cette chaude voix de femme qui me rappelait les plaisirs de la chair. Malgré mon désir de faire le joli cœur, je m'abstins. Il est préférable de ne plus avoir envie de bricoler dans le sexe quand on a laissé sa boîte à outils au cimetière.

— Votre attention, s'il vous plaît ! Vous venez de terminer le temps de vie terrestre qui vous était alloué. Selon vos états signalétiques et de service, vous êtes dirigés vers le Paradis, pour les plus méritants...

Je jetai un coup d'œil envieux vers le mur d'en face. Sur environ un millier de casiers, quelques-uns seulement étaient occupés par des feux beaucoup plus brillants que les nôtres. Ils se mirent à danser comme des fous dès les paroles qui venaient d'être prononcées. Il y a des fayots partout.

— ... ceux dont l'existence n'est pas encore clairement définie seront dirigés vers le Purgatoire...

J'étais dans le tas. Ma conscience m'avait déjà informé. Nous clignotâmes par principe.

— ... enfin, ceux dont il vaut mieux ne pas parler et qui sont la honte de la condition humaine seront dirigés vers l'Enfer.

De vagues lueurs jaunâtres tentèrent de s'allumer dans le fond de la salle mais s'éteignirent aussitôt dans un bruit de pétards mouillés.

Tout à coup, éclata la *Missa solemnis*, la fameuse messe en ré de Beethoven. Tous les murs tombèrent comme château de cartes et le plafond s'envola dans les nuages. Je me sentis aspiré vers le firmament, prisonnier dans un astronef invisible qui me conduisait vers ce point d'interrogation qui fait tant réfléchir les hommes. J'avais envie de mettre mon âme à la fenêtre pour que le vent lui enlevât ses poussières. Quand on a la chance d'avoir un rendez-vous avec Dieu, il faut soigner sa présentation.

2

Louis XVI referma la porte du bistrot et s'approcha du comptoir.

— Salut, m'sieur Louis, fit le patron. Je vous sers un blanc sec, comme d'habitude ?

— Non, pas aujourd'hui, répondit Sa Majesté en déposant sa tête dans la corbeille à croissants. J'ai demandé une audience au Premier ministre et il me reçoit tout à l'heure.

Le patron prit délicatement la tête du monarque et la posa sur un torchon propre qu'il venait d'étaler sur le zinc.

— Faut pas mettre votre tronche dans le panier, m'sieur Louis, vous allez avoir encore des miettes plein les cheveux ! En plus, vous la foutez à l'envers. Moi, j'aime bien regarder les clients dans les yeux quand je leur parle. Qu'est-ce que je vous sers ?

— Donnez-moi un crème. Pour une fois que j'ai la

chance d'être reçu au palais, il faut que je garde mes esprits.

— Y a longtemps que vous avez fait votre demande d'audience ?

— Pas tellement, répondit Louis XVI. A peine une centaine d'années.

Avec la main droite, il prit la tasse que le patron venait de remplir et, de la main gauche, il fit pivoter sa tête sur le comptoir.

— Vous voyez comme c'est pratique, dit le roi. Je suis obligé de me faire boire comme un bébé.

Il introduisit le bord de la tasse entre les lèvres du royal visage qui, dès le contact, poussa un petit cri de douleur.

— Et je ne vous parle pas des taches et des brûlures, précisa-t-il.

Le patron regarda la tête avec commisération et dit, en épongeant le liquide renversé :

— Evidemment, c'est pas pratique. Vous croyez qu'ils vont vous laisser longtemps comme ça ?

Louis XVI eut un geste de découragement.

— D'après mes calculs, je crois que ma purge doit toucher à sa fin mais je n'en suis pas certain. C'est pour cette raison que j'ai demandé à voir le Premier ministre.

— Saint Pierre ? A votre place, j'aurais pas confiance. Faut vous méfier des socialistes, m'sieur Louis. Ils vous promettent le Paradis et on peut plus ouvrir la grille parce qu'ils ont vendu les clefs pour acheter de l'antirouille. Prenez mon cas : j'étais le créateur de la plus grande chaîne de restaurants de mon pays. Un jour, j'ai bouffé de ma cuisine et je suis mort d'une intoxication. Bien évidemment, on m'a tout de suite expédié au Purgatoire pour faire oublier les boutons que j'avais mis sur la gueule de mes clients. J'en ai pris pour trois siècles, en valeur terrienne bien sûr. Trois siècles à servir de la limonade pur sucre et des croissants au beurre. Je ne serais pas surpris que dans quatre cents ans je me retrouve derrière ce comptoir, encore victime de la lenteur administrative !

— Ne vous énervez pas, monsieur Morel, répliqua Sa Majesté. Nous avons tous commis des fautes et il nous faut les payer. Le Paradis est surpeuplé. J'ai entendu aux informations sacrées qu'ils allaient faire des travaux d'agrandissement.

Le patron s'envoya un petit coup de blanc pour faire passer sa colère.

— Surpeuplé, le Paradis ? interrogea-t-il. Ça m'étonnerait parce que des saint Vincent de Paul et des sainte Thérèse de Lisieux, y en a pas des masses. C'est pas ceux qui font le voyage sans escale qui vont bourrer le jardin d'Allah, croyez-moi.

— Dieu, pas Allah, rectifia Louis XVI.

— C'est la même chose, cher sire. Dieu a pris un pseudonyme pour s'assurer une autre clientèle. Vous croyez que Radiola c'est pas Philips ? Vous croyez que Ricard c'est pas Pernod ? Quand on veut avoir un monopole, il faut employer des arguments publicitaires différents selon les mentalités des clients auxquels on s'adresse. Mais, pour en revenir à la population du Paradis, j'ai pas l'impression que ça déborde.

Louis XVI fit boire à sa tête un peu de café au lait et lui essuya les lèvres avec un coin du torchon. Elle répondit au patron du bistrot :

— Vous oubliez, mon cher, que, lorsqu'on est au Paradis, on y reste. Et depuis Adam et Eve, bien que les places soient devenues payantes à cause de cette histoire de pomme, il a eu une extension démographique importante. En tous les cas, il me tarde de m'y installer car je suis lassé de porter ma tête sous le bras depuis 1793.

— Je reconnais qu' c'est pas drôle, m'sieur Louis, mais vous aussi vous devez payer vos conneries.

— Bien sûr, mais c'est avilissant. Je suis comme vous, condamné à apparaître au-dessous de ma condition humaine jusqu'à la rémission de mes péchés et obligé de me mêler au peuple qui m'a condamné : vos ancêtres, monsieur Morel ! L'ectoplasme que je suis doit porter sa tête comme une croix depuis qu'elle est tombée dans la sciure.

— Prenez un petit calva, ça va la remonter, dit le patron, attendri.

Louis XVI préféra ne pas répondre à ce mauvais jeu de mots. D'un coup sec, il détourna sa tête en direction du fond de la salle... De son regard, elle balaya le petit bistrot qui ressemblait à tous ceux de France et de Navarre.

Depuis que le roi déchu était arrivé au Purgatoire, il en avait vu des transformations dans ce modeste cabaret ! Depuis son époque, il avait pu remarquer l'évolution de la mode, de l'architecture, des arts, des mœurs, etc. Le Purgatoire était une réplique parfaite de la vie sur terre et toutes les mutations qui s'opéraient sur la planète originelle étaient reproduites ici même grâce à un papier carbone invisible. Les mauvaises actions des hommes telles que les guerres, les meurtres, les vols et l'exercice de la politique étaient automatiquement gommées par la polycopieuse de la haute direction. Dans cette vie expiatoire, plus aucun défaut n'entrait et, au fil d'un temps relatif qui ne se contrôlait pas, les âmes oubliaient leurs tares à force de patience et d'abnégation. Celles qui avaient eu les conditions sociales les plus élevées étaient rabaissées aux plus bas niveaux. Celles qui avaient commis des délits étaient condamnées à une sorte de remboursement posthume avec de très forts intérêts. Afin que les mortifications soient plus efficaces, les âmes reprenaient leur apparence humaine durant leur séjour dans les lieux du repentir.

Comme tous les gens célèbres, Louis XVI était reconnu par les autres purgatoriens. Au début, il avait beaucoup souffert de cette notoriété. Lors de son admission au Purgatoire, il avait retrouvé des gens restés un certain temps emprisonnés à la Bastille. Il était obligé de faire de grands détours pour éviter de les rencontrer sur le trottoir.

Un jour, alors qu'il prenait son bain hebdomadaire obligatoire au Spiritus lavatorium[1], il fit une erreur qui lui valut un blâme du gouvernement. La vapeur de la grande baignoire collective étant très dense, il se trompa de tête quand il voulut reprendre la sienne qu'il avait déposée dans le porte-savon. La visibilité était presque nulle dans ce sauna où près de deux mille personnes se côtoyaient en se lavant à tâtons. C'est dans la rue qu'il s'aperçut de son erreur. La tête qu'il portait sous le bras avait des soubresauts inhabituels. Louis XVI la mit devant lui et son corps eut un mouvement de recul. C'était celle de Robespierre qui le regardait avec des yeux effrayés. Comme un fou, il courut la rapporter au Spiritus lavatorium. Trouvant Robespierre, qui tentait de se débarrasser de la tête royale dans les vestiaires, il la lui arracha des mains. Il était temps car le tribun allait la glisser sournoisement dans le panier aux serviettes sales.

Le temps a passé. Il leur arrive parfois de se rencontrer et ils n'hésitent plus à se saluer. Ce qui

1. Le lavoir de l'esprit.

prouve que les lavages répétés adoucissent les tissus quand la trame est bonne.

Tous les gens arrivés ici par la faute d'une mort due à la violence, à l'imprudence, au suicide ou à toute autre forme de décès antinaturel étaient taxés d'une punition supplémentaire. Comme Louis XVI et Robespierre, il leur fallait subir leurs peines purgatorielles dans l'état où la mort les avait trouvés. Ces deux derniers devaient donc porter leur tête sous le bras. On pouvait aussi voir Henri IV avec son poignard dans l'estomac et Ravaillac qui marchait les jambes et les bras écartés. L'humiliation était renforcée par les positions ridicules d'une mort contre nature et le prix des péchés s'en trouvait fortement augmenté.

D'autres sortes de trépassés devaient également réparer de cette façon les préjudices qu'ils avaient causés à la morale. Le président Félix Faure, qui avait rendu le dernier soupir en chevauchant Mme Steinheil sur un sofa du palais de l'Elysée, était obligé d'aller faire ses courses en caleçon. On lui avait seulement permis de refermer sa braguette pour ne pas donner l'exemple de la débauche.

La honte qui rejaillissait sur les fautifs était évidente. Lorsque Félix Faure était entré au Purgatoire, les anciens n'avaient évidemment pas entendu parler de lui. Ils furent seulement un peu surpris de voir un président de la République sans pantalon. En revanche, ceux qui étaient arrivés plus tard connaissaient la raison de sa petite tenue et se moquaient ouvertement de lui. Il faut dire qu'il y avait de quoi : le pauvre chef d'Etat se trimbalait avec son haut-de-forme et sa redingote ornée de la Légion d'honneur, son écharpe tricolore et ses souliers vernis. Malheureusement, on voyait son caleçon ! Deux ou trois fois, il lui était arrivé de rencontrer le mari de Mme Steinheil qui, bien entendu, était au courant de son infortune. Le président strip-teaseur s'enfuyait alors à toutes jambes pour changer de trottoir, quitte à se faire écraser par les autobalayeuses et les aspiro-moteurs qui dépoussiéraient sans cesse les rues du Purgatoire.

C'est ainsi qu'il faillit entrer en collision avec Marat qui venait de griller un feu rouge en conduisant sa baignoire. Condamné à rester dans son eau savonneuse, il lui était quand même permis de se déplacer à l'aide de pédales qu'un ange mécanicien avait installées au fond de son tub. L'ami du peuple se faisait copieusement engueuler par les piétons pour qui il était un danger public. Le couteau qu'il avait dans la poitrine le gênait énormément pour conduire. A sa décharge, il faut souligner qu'un volant enduit de savon augmente les difficultés de la conduite.

La mort n'était pas plus rose pour Charlotte Corday qui devait éplucher les légumes de tous les restaurants du quartier à l'aide de son célèbre couteau vengeur. De temps en temps, elle faisait la causette avec Henri IV qui avait trouvé une planque comme portemanteau dans un salon de thé grâce au poignard qui dépassait toujours de son pourpoint.

Il est impossible de faire la description complète des célébrités coupables, pensionnaires du Purgatoire. Au milieu d'une foule d'inconnus, on pouvait remarquer l'évêque Cauchon qui faisait griller des saucisses à la Kermesse aux étoiles, sorte de « fête de l'Huma » où l'on parlait des droits de l'âme et du citoyen. On voyait la famille Borgia qui, avec la Voisin et la Brinvilliers, avait fondé une association d'intérêt public, la DDC (Défense du consommateur). Ponce Pilate tenait les lavabos à l'hôtel de

Judée et Judas était affecté au service des renseignements de la SNCF (Société nouvelle des cafteurs fauchés).

Une foule de pénitents anonymes évoluait autour de ces vedettes coupables. Les assassins de la route, avec un volant chauffé à blanc entre leurs mains. Les bourreaux d'enfants qui étaient gavés à la Blédine préparée par un ancêtre de Jacques Borel. Les infidèles qui étaient tenus en laisse par des chiens, etc., sans oublier les hommes politiques à qui l'on faisait des promesses qu'on ne tenait jamais.

Toute la lie de l'humanité semblait concentrée au Purgatoire mais il s'agissait d'une fausse impression. Les hommes étant capables du pire, il y avait l'Enfer pour les incurables. Les frontières de la grande chaudière étaient férocement gardées par les armées de Satan et il se révélait impossible de passer de l'autre côté du mur si la preuve de l'adhérence au parti luciférien n'avait pas été donnée sur terre.

Bref, cette antichambre du Paradis était une véritable base de transit pour les postulants à la félicité éternelle. Ils apprenaient à devenir meilleurs sous l'égide d'un gouvernement qui réduisait les inégalités en deux coups de cuiller à pot. La nationalisation de l'esprit était automatiquement faite à l'arrivée. La pensée, qui n'était plus une propriété privée, se trouvait aussitôt plongée dans le grand creuset de la réflexion universelle qu'on pouvait voir à l'Institut de recherche de l'âme, salle B.

C'était une énorme cuve dans laquelle bouillonnaient toutes les idées du monde. Une sorte de pot-au-feu — composé par des courants de pensée différents — cuisait lentement pour produire une vapeur qui refroïdissait dans un alambic. Le nectar ainsi obtenu proposait un mélange contenant des idéologies, des doctrines et des philosophies complètement opposées. Les pensées de Marx, de Saint-Simon fusionnaient avec celles de Meyer Rothschild, et Job avait mélangé ses globules spirituels avec ceux de Crésus. L'assaisonnement était fourni par l'audace des petits inventeurs du concours Lépine et le bon sens des hommes de la rue. Il ne restait plus qu'à enlever l'écume d'un bouillon raffiné que l'on expédiait dans une centrale de distribution.

Cette centrale était une sous-filiale des limbes. Elle était chargée de réintroduire dans le circuit des vivants les âmes des nouveau-nés qui étaient renvoyés dans les ateliers pour défaut de fabrication. Des ouvriers spécialisés effectuaient les réparations. Après injection de ce fameux sérum d'intelligence, les bébés étaient réexpédiés sur la terre par le canal que l'on connaît.

Après l'explication d'un procédé aussi perfectionné, on peut ne pas comprendre les erreurs encore commises par les hommes. Comment se fait-il qu'il y ait toujours tant d'imbéciles sur la planète ?

C'est que le traitement de la bêtise et de la méchanceté est l'un des plus difficiles à appliquer. Ces maladies sont congénitales et le vaccin de capacité est souvent altéré par la tuyauterie des parents. Il se produit alors un dépôt sur les chromosomes. Une dose infinitésimale d'imbécillité héréditaire suffit à compromettre l'équilibre cérébral de l'enfant. Les atteintes sont plus ou moins graves selon les individus et, si le nouveau-né s'est pris pour un rince-bouteilles, il peut arriver sur terre après avoir récupéré une lie provenant de plusieurs générations de nuisibles. Il aura, malheureusement, pendant sa vie entière, un comportement douteux qui pourra porter préjudice à la société. C'est la mort qui, à nouveau, permettra à son âme d'être encore plongée dans la cuve de réflexion pour une nouvelle purification. Petit à petit, et selon la fameuse théorie de la métempsycose, le nouvel esprit pourra repartir pour plusieurs expériences humaines. C'est, en somme, le principe de la machine à laver, programmée du prélavage des torchons jusqu'à l'essorage du linge délicat.

Pour certains spécimens souffrant de malfaisance opiniâtre, il faudra un grand nombre de cycles pour qu'ils parviennent à retrouver la pureté du lys. Ce n'est qu'après de minutieuses vérifications que les âmes complètement nettoyées seront expédiées vers le Paradis dans des emballages sous vide. Des escadrilles d'oies blanches sont chargées du transport sous la surveillance d'une brigade d'agents anti-redéposition formés dans une école d'azurants optiques et d'inhibiteurs de mousse.

Il se produit parfois une inversion totale dans le processus du tamisage. De temps en temps, un enfant peut naître de parents complètement tarés et posséder une qualité de vie exceptionnelle. On a vu (très rarement) un génie fabriqué par des alcooliques, une rosière dont la maman tapinait rue Saint-Denis et un curé engendré par des communistes. Lorsque cela arrive, il s'agit d'une erreur de filtrage au sortir de la cuve. Le bébé qui naît par suite de ce manque d'attention en sera quitte pour un tour gratuit. Son odeur de sainteté lui permettra de ne pas être contaminé par ses géniteurs pendant la période où il sera transvasé de son père à sa mère. Il aura simplement une enfance difficile devant le spectacle de parents inutiles et il se demandera ce qu'il fait dans une voiture qui loupe ses virages et dont l'embrayage patine.

Depuis la création de la Terre, certaines âmes n'en finissaient plus de redoubler leurs examens. Elles étaient renvoyées sans cesse à la case départ. Parfois, quelques autres étaient admises au Paradis en un temps record comme celles de MM. Vincent de Paul ou François d'Assise qui n'avaient fait que peu d'allers et retours. Ce privilège était dû à la qualité des composants de leurs esprits qui n'avaient pas eu besoin de plusieurs vies pour se débarrasser complètement de leurs défauts.

On pouvait, ainsi, rencontrer au Purgatoire des postulants à la jouissance définitive. Ils étaient reconnaissables à l'air béat qu'ils affichaient devant leurs camarades moins doués. Habitants des beaux quartiers, ils bénéficiaient d'un régime de faveur. Ils roulaient en Rolls et avalaient des nourritures spirituelles qui ressemblaient au caviar, qui avaient le goût du caviar mais qui n'étaient pas du caviar. Les âmes grises se contentaient de loger dans les HLM du périphérique et d'aller à pied, au Fast Food le plus proche, pour se taper des enseignements primaires qu'ils avaient beaucoup de mal à digérer.

Malgré les apparences, il ne s'agissait nullement d'une parodie de la vie. Si le Purgatoire avait emprunté les décors de la terre, c'était pour que ses pensionnaires se sentent moins dépaysés. Les hommes ont toujours été plus ou moins casaniers. M. Dupont, qui part en vacances dans sa caravane, a besoin de sa télé et Mme Dupont emporte sa friteuse en Belgique. Onassis avait reconstitué son grand salon, avec cheminée, sur son yacht. Ce qui lui permettait d'avoir un feu de bois à son escale de Dakar. En fin de compte, le Purgatoire n'était pas si désagréable et les petites habitudes terrestres faisaient office de pare-chocs. Mais, au-dessus de tous ces détails matériels, le promoteur des lieux avait eu une trouvaille géniale. Une idée lumineuse lui avait fait inventer un gigantesque aérociel qui vaporisait une substance tirée de la fleur de l'âge. Une odeur de jeunesse flottait dans l'air et chacun pouvait apprendre à devenir meilleur en respirant un parfum d'espoir.

3

Je ne peux pas évaluer le temps qu'il m'a fallu pour faire le trajet de la terre à cet endroit bizarre. Ma petite lumière ne clignotait presque plus lorsque je me suis retrouvé dans une grande cour pavée de miroirs fumés. La peur de tomber en panne d'accus me fit réclamer un électricien à haute voix.

— A moi ! J'ai un court-jus dans les batteries !

Un ange réprobateur s'approcha de moi.

— Calmez-vous, me dit-il. Regardez autour de vous. Vous êtes des milliers faisant partie du nouveau contingent. La lueur de vos âmes va s'éteindre pour faire place à l'image du corps que vous possédiez avant de mourir.

Il se recula pour s'adresser à tous ceux qui avaient fait le voyage avec moi :

— Ce corps sera illusoire. Il ne servira qu'à vous rappeler les défauts et les tares dont il souffrait quand vous étiez son maître. Ce n'est que le jour où vous aurez expié vos fautes qu'il disparaîtra à tout jamais. A ce moment, la lumière éternelle sera votre seule apparence.

Il y eut un mouvement de foule assez impressionnant. Chacun d'entre nous pouvait, en effet, sentir à nouveau son corps lui pousser entre les mains. Je tâtai mes cuisses avec avidité, touchai mon nez et mes oreilles, palpai mes joues en tirant la langue pour voir si elle était encore là. Quelques incrédules mirent la main aux fesses de leurs voisines pour en avoir le cœur net.

Bientôt, toutes les lumières disparurent et ce fut un spectacle unique qui s'offrit à mes yeux. Chaque nouveau mort était entièrement reconstitué. Malheureusement, il était dans la situation qui avait été la sienne au moment de son trépas. Ainsi l'on pouvait voir des noyés en maillot de bain, ruisselant d'eau et crachant des jets de liquide. Des suicidés au gaz tenant un réchaud dans leurs bras avec le tuyau dans la bouche. Des pendus avec leur corde autour du cou et sur laquelle les autres marchaient par mégarde. Des défenestrés se déplaçant sur les mains en faisant le poirier. Des électrocutés gênant tout le monde en exécutant une sorte de danse de Saint-Guy.

Muet de stupéfaction devant cette nouvelle cour des miracles, je portai la main à mon visage pour me frotter les yeux. C'est alors que mon cigare entra en collision avec mon nez et que je me brûlai atrocement. Dans un brusque mouvement de recul, je renversai le verre de cognac que je tenais de l'autre main. Le cigare tomba sur mon pantalon imbibé d'alcool et y mit le feu. C'est un noyé qui arrêta l'incendie en crachant un paquet d'eau de mer sur ma culotte.

Un vent de panique soufflait sur les défunts qui se débattaient avec leurs anciens problèmes. Les miens, je les connaissais parfaitement. J'avais été un alcoolique mondain constamment entre deux verres de whisky. Avec mes cigares, j'avais enfumé toute ma famille, mes appartements et mes poumons. Mon cœur n'avait pas supporté toutes ces émotions augmentées par la fatigue qu'il devait aux dames rencontrées au cours de mes voyages.

Un archange apparut au fond de la cour. D'un simple geste de la main, il ramena le calme dans l'assistance. Le silence revint, complet.

— Je me présente, dit-il d'une voix aussi chaude que l'été 76 qui me faisait dormir dans ma piscine. Mon nom est : Shkrriemplumstemilsbroukmbrzzz, mais on m'appelle Shkrr. Je fais partie de la haute hiérarchie des anges et j'ai le grade de capitaine.

Je vis en effet qu'il portait trois auréoles dorées au-dessus de la tête. Il s'avança vers nous en glissant comme un patineur sur les miroirs du sol. Son image se reflétant dans les glaces, j'avais l'impression de voir les deux visages de Lahire, le valet de cœur que j'ai beaucoup fréquenté durant mes parties de poker. Contrairement à ce dernier qui a l'air complètement abruti sur une carte à jouer, Shkrr était d'une grande beauté.

On m'a toujours dit que les anges n'avaient pas de sexe. Celui-là semblait réunir les avantages des deux différences constitutives de l'homme et de la femme. Il est indéniable que, sur terre, il aurait fait un triomphe dans les deux camps. Lorsque j'étais en pleine possession de mes moyens physiques, je l'aurais bien invité pour un week-end dans ma maison de campagne. A condition, toutefois, de mettre mon coq dans une cage. Mon crétin de gallinacé aurait été capable de lui manquer de respect à cause des petites ailes qu'il avait dans le dos.

L'archange me regarda avec pitié. Une gêne subite m'envahit en pensant qu'il avait deviné mes pensées. Il reprit la parole :

— Des informations vont vous être données par psychocommunication ou, si vous préférez, par télépathie. De cette façon, vous connaîtrez vos affectations dans la minute qui va suivre. Je vous demande de rejoindre vos différentes bases de patience dans la plus grande sérénité.

Avec un battement d'ailes, il s'éleva dans le ciel et disparut entre deux cumulus. Quand il passa au-dessus de moi, j'eus envie de lever les yeux pour voir si c'était une fille ou un garçon. Je n'eus pas le loisir de le faire car mon cerveau recevait déjà les indications promises. Un organe vocal semblant provenir d'un répondeur téléphonique me renseigna sur ce que je devais faire dans l'instant :

— L'appartement que tu habiteras pendant ton séjour ici s'appellera ta base de patience. Il est situé au n° 13 de l'impasse des Ivrognes. Tu y trouveras les premières consignes te concernant et tu attendras les ordres de l'autorité suprême. Dès le top sonore, qui va se faire entendre dans quelques secondes, tu te mettras en route vers ta résidence.

Il y eut un « bip » aigu indiquant la fin du message. J'assistai alors au démantèlement de cette armée de parias. Comme des automates, nous nous mîmes à marcher vers l'inconnu. Les uns partaient à droite, les autres à gauche. Malgré un service d'ordre qui semblait se faire de lui-même, quelques accidents de circulation se produisirent. Ceux qui étaient morts dans leur lit se déplaçaient à l'horizontale et provoquaient des embouteillages. Je reçus, ainsi, quelques coups de pied dans l'arrière-train de la part d'allongés que j'excusai aussitôt avec une bonté dont je fus le premier surpris. Un type, qui avait perdu la vie en se faisant écraser par un rouleau compresseur, rampait à plat ventre sur le sol. Il faillit se faire passer dessus, à nouveau, par un homme qui marchait à quatre pattes et qui portait une femme à califourchon sur son dos. Plus tard, j'appris qu'ils étaient morts tous les deux en même temps dans le bombardement d'une maison de rendez-vous de Beyrouth.

Après ces quelques incidents, je quittai la cour aux miroirs et, comme s'il s'agissait d'un chemin familier, je me rendis à l'adresse indiquée sans avoir besoin de demander ma route.

L'impasse des Ivrognes était située entre la rue des Obsédés et l'avenue des Cons. En m'y engageant, je vis que les rez-de-chaussée des immeubles n'étaient constitués que par des bistrots, des bars et des cafés-tabac. Je m'approchai du numéro 13. L'entrée était juste à côté d'un marchand de vins et spiritueux. Mon œil fut attiré par une pancarte collée sur la vitrine du magasin : ICI, ON NE SERT PAS LES ALCOOLIQUES.

Comme un enfant pris en faute, je voulus me débarrasser du verre de cognac que je tenais toujours de la main droite. Je le lançai dans le caniveau qui charriait un liquide rouge. Il rebondit en faisant des éclaboussures et vint se replacer tout seul dans ma main. Je venais de comprendre qu'il me fallait, comme les autres, afficher mes défauts pour mieux les combattre. Par conséquent, je ne m'étonnais pas que mon cigare fût toujours allumé en voyant que mon verre était plein. Ça n'allait pas être drôle !

Un homme titubant vint se planter devant moi en se retenant aux revers de mon veston.

— Salut, me dit-il dans un hoquet qui sentait le beaujolais village. Vous aussi vous avez forcé sur le picrate ?

— Non, lui répondis-je. Moi, c'était plutôt le whisky et le marc de Provence mais je ne me suis jamais trouvé dans votre état.

Il me lâcha pour aller s'appuyer contre la devanture du marchand de vins. De ses poches, il sortit deux bouteilles de douze degrés et les tendit vers moi.

— Vous voyez cette saloperie ? Je suis obligé de me trimbaler avec ça dans les fouilles. Pendant toute ma vie, j'en ai bu quatre litres par jour pour oublier que j'étais terrassier. Pendant que je faisais des trous avec ma pioche, le pinard en faisait dans mon estomac.

— Vous devriez arrêter de boire, lui conseillai-je.

— Je ne picole plus depuis que je suis là, hurla-t-il d'une voix avinée en se rattrapant de justesse à un réverbère. Ça fait trente ans aujourd'hui.

— Trente ans, répondis-je, étonné de le voir encore dans cet état. Vous deviez tenir une sacrée cuite !

— Je suis mort après avoir gagné le concours du plus gros buveur de bière à la fête de Maubeuge. Je m'en étais tapé trois litres sans respirer. C'est la mousse qui m'a étouffé. Vous avez l'impression que je suis bourré, hein ?

— Non, fis-je prudemment, vous êtes seulement un peu gai.

Une embardée involontaire le jeta contre moi. Je le rattrapai de justesse avant qu'il ne tombât. Plaçant ses mains autour de mon cou, il laissa aller sa tête sur mon épaule et se mit à pleurer.

— Je ne suis pas saoul, monsieur, bégaya-t-il entre deux sanglots. Je suis en train de payer ma facture au Grand Viticulteur de l'univers. Je ne suis pas gai, monsieur, je suis triste. Triste de me foutre la gueule par terre à chaque coin de rue sans avoir eu le plaisir de la dégustation. Vous savez ce qui coule dans ce caniveau ?

Il me montra du doigt le liquide rouge que j'avais remarqué dès mon arrivée.

— C'est un vosne-romanée 1929, monsieur ! Personne, dans l'impasse des Ivrognes, n'a le droit d'y toucher sous peine d'être expédié aux Enfers. Et croyez-moi, c'est pas là-bas que le bourgogne se conserve. La chaleur y est infernale !

Pendant que le type me parlait, je pensais à mon avenir dans le quartier. Tous ceux qui avaient plus ou moins fréquenté la dive bouteille étaient réunis dans cette impasse. J'étais heureux de ne pas faire partie des plus atteints et de pressentir que mes tentations seraient assez facilement surmontables.

Tout à coup, je vis trois hommes qui couraient au milieu de la chaussée. Ils portaient des shorts et des sahariennes de couleur kaki. Coiffés de casques coloniaux, ils brandissaient des fusils en bois en criant : « Pan ! Pan ! Pan ! »

— Qu'est-ce que c'est que ça ? ne pus-je m'empêcher de demander à l'ivrogne.

— Oh ! ceux-là, répondit-il gravement, ils sont morts dans une crise de délirium et ils chassent les rats qui grimpent aux murs de leurs immeubles. Ils sont à plaindre, croyez-moi. Je ne voudrais pas être à leur place.

Après avoir pris congé de lui, je me préparais à entrer dans le hall du n° 13 lorsqu'il me retint par le bras.

— Faites attention, me confia-t-il doucement, il y a parfois un éléphant assis sur les premières marches de l'escalier.

Mon appartement était petit mais confortable. Une entrée distribuait un living et une chambre. A la place de la salle de bains, il y avait une sorte d'armoire vitrée sur laquelle étaient installés des manettes et des boutons chromés. Une dizaine de cadrans, des voyants lumineux et des compteurs à aiguilles apparaissaient sur la porte blindée au tungstène. Il n'y avait pas de cuisine ni de water-closet.

En me rendant compte que la cuisine était absente, je pris subitement conscience de mon manque d'appétit. J'étais devenu un esprit, une sorte d'entité mal dégrossie qui n'avait plus besoin de nourriture. Il ne fallait pas s'étonner que les w.-c. ne fussent point présents. Par incidence, l'un ne va pas sans l'autre.

Dans le living, outre un petit mobilier simple et fonctionnel, se trouvait une sorte de régie comme on peut en voir dans les studios de télévision. Une console assez sophistiquée faisait face à une série d'écrans de contrôle. En examinant tout cela de plus près, je pus voir à quoi servaient ces différents appareils. L'écran n° 1 permettait de vérifier à tous moments l'état de son âme et d'en tirer les conséquences nécessaires. Je ne pus résister à la tentation. Après avoir lu attentivement le mode d'emploi déposé sur la console, je me coiffai d'un casque muni d'électrodes. J'appuyai sur le bouton correspondant et l'écran s'éclaira. Un poilu de la guerre de 14 apparut en plein milieu du cadre. Je crus avoir appuyé sur une mauvaise touche mais, au moment où j'allais effectuer une nouvelle manœuvre, le poilu me regarda droit dans les yeux et dit :

— Bonjour !

J'avais l'impression d'assister au journal télévisé de la première chaîne et de voir un Yves Mourousi qui serait passé sous un rouleau compresseur. Il continua sans attendre.

— Je suis ton âme. Blessée par ton manque de cœur, estropiée par ton orgueil, contaminée par tes pensées, je suis invalide à quatre-vingts pour cent. Regarde un peu les méfaits de ton égoïsme...

Des gros plans me montrèrent, successivement, le bras gauche du poilu qui se terminait par un moignon mal recousu et sa jambe droite dans un plâtre qui s'effilochait. Il portait un pansement autour du front et se déplaçait avec des béquilles.

— Tu m'as oubliée depuis longtemps, reprit mon âme. Au profit de ton corps, tu n'as plus pensé que j'étais l'essence même de ton être. Malgré cela, j'ai confiance en toi. Tu es ici pour apprendre à m'aimer, moi qui n'ai jamais cessé de le faire. Regarde : j'ai accroché sur ma poitrine les rares bons points de ta vie.

Un zoom fulgurant me montra trois médaillons qui pendouillaient sur la vareuse du poilu. Le premier contenait mon certificat de baptême, le deuxième mon extrait d'acte de mariage religieux et le troisième une recette de veau à l'indienne.

Persuadé qu'il y avait un défaut dans la réception de l'image, j'appuyai sur le bouton STOP.

L'écran n° 2 était destiné à la visualisation urbaine. Je fis donc connaissance avec l'ensemble du Purgatoire. Il ressemblait à une grande métropole peuplée de déséquilibrés qui se comportaient très sérieusement. Sur la terre, le phénomène est inverse. Les villes sont pleines de gens sérieux qui se comportent comme des déséquilibrés. Si je n'avais pas eu l'assurance de ma mort, je me serais cru à Paris. Les plans généraux me montraient une agglomération ultramoderne avec ses tours, ses buildings, ses boulevards, ses magasins, sa circulation, ses embouteillages. Un silence total régnait au-dessus de cette effervescence. Mes oreilles nouvelles reçurent cette quiétude comme un superbe cadeau. A part une certaine musique, j'ai toujours pensé que les bruits produits par l'homme étaient intolérables.

L'écran n° 3 me donna les informations célestes. J'appris ainsi que saint Pierre venait de quitter sa résidence du Paradis pour se rendre au Purgatoire. Le Premier ministre allait désigner les nouveaux élus parmi lesquels pourrait figurer Louis XVI qui venait de bénéficier d'une remise de peine. Un tremblement de ciel venait d'avoir lieu dans la constellation d'Orion. Un budget supplémentaire venait d'être voté par le ministère des Finances pour l'élargissement de la Voie lactée. La grève des compagnies aériennes se poursuivait sous la pression du syndicat des anges. Enfin, Dieu allait faire une allocution télévisée pour nous faire mieux comprendre les difficultés dans lesquelles il se trouvait.

Lorsque le journaliste fit part de cette nouvelle fracassante, je reçus comme un choc. J'allais enfin voir Dieu ! A quoi pouvait ressembler le Patron suprême, le Père de l'humanité, le Grand P.-D.G. de l'Univers ? De quoi allait-il parler ? J'eus, un moment, la vision fugace d'une allocution présidentielle. Je fis un mélange avec les visages des grands hommes d'Etat qui se superposaient dans ma mémoire. Dieu prenait subitement une morphologie qui ressemblait à un portrait-robot. Il avait le front du général de Gaulle, les yeux d'Adenauer et la bouche de Reagan. Mon imagination perturbée mélangea le tout et, comme à travers un kaléidoscope, je vis se former le visage entier de François Mitterrand. Après tout, il était fort possible que Dieu eût la figure de notre Zorro national. Lorsqu'on propose des lendemains qui chantent, il faut que le visage soit serein et la voix rassurante.

Je coupai le récepteur avant de me laisser tomber

dans l'unique fauteuil du living. Instinctivement, je voulus tirer une bouffée du cigare soudé à mes doigts. Je ne pus aspirer qu'un air horriblement vicié qui mit le feu à mes bronches, et une épouvantable quinte de toux me secoua. Pour calmer cet étouffement qui menaçait de projeter mes poumons sur la moquette, je portai à mes lèvres le verre de cognac. Ce fut l'apothéose. Une violente brûlure à l'estomac me fit faire un bond vertical en me catapultant hors du fauteuil. Plié en deux, crachant, toussant, pleurant, je me dirigeai vers la chambre à coucher. Je tombai à plat ventre sur le lit.

J'ai toussé longtemps, la face enfouie au creux d'un oreiller qui sentait l'hôpital. Entre deux spasmes, j'ai pensé aux conseils de mon médecin et aux inquiétudes de ma femme devant mes cendriers pleins de mégots. Des séquences d'émission de télé traversaient le brouillard de mes larmes et je revoyais Igor Barrère en reportage au centre anticancéreux de Villejuif. Lorsque je fus enfin calmé, je me raclai la gorge une dernière fois en me redressant sur les coudes. C'est alors que je compris qu'il y avait d'innombrables façons de mourir. Un petit crabe courait sur mon oreiller. Il s'était effacé pendant les derniers mois de ma vie pour laisser la priorité à mon infarctus. Par politesse, peut-être.

Le téléphone sonna. Un léger ultrason emplit ma base de silence et me fit oublier mon malaise. Qui pouvait bien m'appeler en ces lieux de retraite ? Il n'y avait que mon patron pour me retrouver dans les coins les plus perdus. Je me souviens d'une nuit où je perdais mon sang dans une rivière du Sud Vietnam, accroché à un tronc d'arbre qui dérivait vers un nid de mitrailleuses aussi jaunes qu'une brigade de cocus. Par miracle, j'avais été récupéré par un commando à deux cents mètres de l'ennemi.

Un sergent m'avait sauvé la vie en me pêchant dans l'eau avec son ceinturon. Je n'ai jamais compris comment l'agence avait su que j'étais en train de me faire recoudre la peau du ventre, sous une pluie torrentielle, au milieu des serpents, des moustiques, et de toutes ces saloperies inventées par la nature pour décourager les touristes en mal d'exotisme.

— Vous êtes Pierre Attier ? m'avait dit le toubib en lisant ma plaque d'identité. L'AFP vous réclame d'urgence. On a un message de votre employeur qui veut abréger vos vacances.

J'étais rentré à Paris, heureux d'avoir échappé à ces sauvages qui mettaient tellement de mauvaise volonté pour se laisser photographier. Heureux, surtout, d'avoir faussé compagnie à ce chirurgien militaire qui avait dû obtenir son permis d'opérer aux abattoirs de La Villette.

Le téléphone sonnait toujours. En m'approchant du combiné, j'eus l'impression que mon patron venait de passer l'arme à gauche et qu'il était devenu mon voisin de chambre à l'hôtel des allongés. « Papy » — comme on l'appelait — était un peu porté sur la minette fraîche. Peut-être avait-il poussé son ultime soupir au cours d'une séance d'ouvre-boîtes particulièrement difficile. Je décrochai le récepteur.

— Allô ! qui est à l'appareil ? dis-je dans un réflexe encore plus conditionné que l'air du living.

Une voix de rêve me fit regretter le temps où mon indice était à la hausse quand je spéculais sur les impressions auditives.

— Ne quittez pas, monsieur Attier. Le capitaine Shkrr voudrait vous parler.

Le capitaine Shkrr ? L'archange galonné qui m'avait accueilli sur le quai de l'au-delà ? Intrigué par ce coup de fil inattendu, je pris néanmoins patience en écoutant l'enregistrement-guimauve qui faisait paraître l'attente moins longue. Quelques messages publicitaires se faisaient entendre sur un fond musical.

— Ne quittez pas. Vous êtes en communication avec le COUAC : Centre d'orientation universelle de l'âme coupable... Nous recherchons votre correspondant... Si vous êtes déprimé, anxieux, lisez l'Evangile selon saint Matthieu... Ne quittez pas, je vous prie... Pour connaître des jours meilleurs, envolez-vous vers le bonheur. Retenez dès aujourd'hui votre place sur AIR-PARADIS !

— Allô ! monsieur Attier ?

C'était bien lui. Ou elle, je ne savais toujours pas. En écoutant les inflexions masculines et féminines de sa voix d'ange, je ne pus répondre qu'avec une certaine imprécision.

— Oui, monsieur. Ou madame, peut-être ?

— Ça n'a aucune importance, me répondit-il assez sèchement. Vous étiez bien reporter photographe à l'Agence française de presse ?

— Oui, mad..., oui, monsieur.

— Appelez-moi Shkrr, ça facilitera les choses.

Un fort bruissement d'ailes se fit entendre derrière moi. Je me retournai brusquement afin de parer au danger éventuel et je vis un énorme pigeon perché sur la barre d'appui de la fenêtre. A travers la vitre, l'oiseau me dit :

— N'ouvrez pas la fenêtre. Nous allons continuer à parler au téléphone. Je préfère prendre cette apparence car vous ne me paraissez pas débarrassé de vos anciens fantasmes. Tout faux mouvement envers ma personne risquerait de retarder votre rédemption.

Evidemment, vu sous cet angle, le plaisir de la consommation était nettement amoindri. Le pigeon ne m'a attiré qu'avec des petits pois en garniture. Shkrr avait vu juste.

— Le grand ordinateur vient d'établir votre acte de décès, reprit-il. Selon vos états de service sur terre, vous avez le profil de celui que nous recherchons depuis assez longtemps. Vous vous présenterez demain matin à dix heures précises au ministère de l'Extérieur. Saint Pierre vous recevra.

Stupéfait, je laissai tomber mon cigare sur le fauteuil et, voulant m'asseoir pour calmer mon émotion, l'horrible mégot mit le feu au fond de mon pantalon. Je me relevai en hurlant.

— Il y a de l'eau sur votre gauche, dit froidement le pigeon en se lissant les plumes du cou.

Après avoir traversé le living en laissant derrière moi un nuage de fumée noirâtre, j'ouvris la porte de l'armoire à toilette. Un puissant jet d'eau se déclencha tout seul et noya l'incendie de mon postérieur. Je revins vers le téléphone, trempé de la tête aux pieds. Mon cigare de malheur sauta du fauteuil et vint se replacer entre mes doigts. Shkrr reprit ses ordres :

— Votre profession et ce qui reste de vos qualités morales ont attiré l'attention de la Divine Autorité. Saint Pierre vous fera part de ses intentions à votre égard. En attendant, je vous conseille de faire un examen de conscience sur le lit analytique qui se trouve dans votre case de repos.

J'étais trop commotionné pour mettre de l'ordre dans une réponse quelconque. Dans un brouillard, je vis s'envoler le gros pigeon. Il laissa quelques plumes qui vinrent se coller aux carreaux de la fenêtre. Comme un automate, je rejoignis l'armoire aux jets d'eau. Mon corps n'était plus qu'une éponge imbibée et, malgré cela, le satané cigare était toujours allumé et le verre de cognac aussi plein qu'avant ! Téléguidé par je ne sais quelle volonté, je pus actionner une soufflerie d'air chaud qui me sécha en deux secondes. Quelques instants plus tard, je m'écroulai à nouveau sur le lit.

La lumière baissa instantanément pour créer une ambiance bleutée tandis qu'un chant de rossignol se faisait entendre dans la pièce. Allongé sur le dos, le calme revint dans ma pauvre tête et je sentis le sommeil me gagner peu à peu. Un écran géant s'illumina devant mes yeux et, au début d'un film en scope, je vis un enfant qui me ressemblait. Il me regarda en souriant et dit :

— Je vais te raconter ta vie.

L'un après l'autre, les tiroirs de ma mémoire se sont ouverts sous la main de ce petit garçon qui vieillissait au fil des images de mon existence. J'ai revu mes jeunes années en regrettant de les avoir vécues sans les avoir appréciées. Mes parents sont passés si vite pendant les premières séquences que je me demande maintenant s'ils n'ont pas existé uniquement pour m'apprendre à devenir un homme.

Cet adolescent effronté et un peu idiot qui prenait les poils de sa première barbe pour un brevet d'intelligence, c'était moi. Ce maladroit qui ne savait pas que les filles avaient des antennes plus perfectionnées que celles des garçons, c'était moi.

Quand madame la Vie m'a donné ma première gifle, le film a déraillé. Pendant l'interruption de l'image, les regrets sont arrivés pour me mouiller les yeux et, à travers une vision un peu floue, j'ai vu mon cinéma qui prenait de la vitesse. Devant ma femme qui se tenait à l'arrière-plan, mes enfants ont traversé l'écran à l'accéléré. Je me suis retrouvé tout seul, au milieu d'un désert, avec un Nikon qui pendait sur mon ventre.

Pourquoi ai-je quitté mes amis pour ne photographier que mes ennemis ? Pourquoi me suis-je transformé en voyeur au profit des journaux qui m'ont donné des fiches de paye contre des photos d'horreur ? J'aurais tant aimé faire le portrait d'un lapin au milieu d'un champ de pâquerettes ou celui d'un gosse qui joue aux billes dans le caniveau. Malheureusement, le bonheur se vend mal et j'ai vécu de la mort des autres. Pendant des années, j'ai appuyé sur le déclencheur de mon appareil en souhaitant que la souffrance soit bien nette et le sang bien rouge. D'Amérique du Sud à l'Afrique noire en passant par l'Algérie et le Moyen-Orient, j'ai ramené des premières pages en couleurs qui ont fait la joie des hebdomadaires à sensation. J'ai pris des bombes à l'instantané, des poignards fichés dans la poitrine des jeunes soldats, des enfants mutilés et des gens broyés sous des décombres. Tout cela sous le couvert d'une information objective et d'un reportage exclusif qui n'a jamais empêché que l'homme de la rue boive tranquillement son pastis au café du coin.

Parfois, j'ai retrouvé l'une de mes images dans la salle d'attente d'un dentiste. Certaines étaient vieilles de six mois. D'autres crimes plus frais avaient donné du renouveau à l'émotion et je ne ressentais plus rien à la vue d'un vieux charnier relégué sous la pile de revues. Mon petit abcès dentaire était plus important.

Grâce à la cruelle bêtise des hommes, je me suis payé des voyages fabuleux. Dans le monde de la presse, j'étais un photographe réputé pour son culot et sa disponibilité. On m'a envoyé partout où il se passait quelque chose d'important. L'entrée des chars russes chez un de leurs voisins ? Clic ! J'étais là. La révolution au Zimboudé central ? Clac ! J'étais là. Le feu dans un puits de pétrole au Sahara ? La guerre au Liban, en Iran, en Irak, aux Malouines, au Tchad ? Clic ! Clac ! J'étais encore là. L'assassinat de Kennedy, les attentats de Beyrouth, du Petit Clamart, de la rue Marbeuf ? Clic ! Clac ! J'étais presque là.

Pendant des années, je n'ai pas su où donner de l'objectif. J'ai pratiquement mitraillé tous les grands événements du siècle et, grâce à ma rapidité de déplacement, c'est tout juste si je n'étais pas présent avant que les faits ne se produisent. « Papy », mon patron de l'AFP, disait de moi :

— Si le pape éternue, Attier est capable de le photographier avant qu'il ne sorte son mouchoir !

Le film touchait à sa fin. Le petit garçon du début était devenu insensiblement ce type qui portait ma gueule avec lassitude. Encore une fois, je me revis devant ma télé que je regardais tous les soirs depuis que j'avais pris ma retraite anticipée. Un éclat d'obus dans le cou, des amibes tenaces et une balle dans le genou gauche m'avaient fait faire une récapitulation de carrière beaucoup plus tôt que prévu. L'AFP m'avait rangé au fond du garage et, depuis un an, je ne voyageais plus qu'à travers ma télé en couleurs en regardant les reportages des autres.

La dernière image me fit revivre l'infarctus qui m'avait fait mourir. Mon visage apparut sur l'écran après le mot « Fin ». Me fixant moi-même dans les yeux, je m'entendis parler :

— Voilà. Ta vie est finie. Tu viens de voir, en détail, les chemins de ton existence où tu as quelquefois planté de beaux arbres et semé de la mauvaise graine. Souvent, tu as laissé des roses se flétrir sous les ronces.

Bien sûr. Je n'avais été qu'un homme épris de lui-même, attentif à ses moindres désirs, inquiet à ses moindres maux. J'avais satisfait à tous mes plaisirs en ignorant plus ou moins que je volais ceux des autres. Comme tout le monde, l'égoïsme était entré en moi avec ma première bouffée d'air. Petit à petit, mon innocence avait été massacrée par mon expérience et l'enfant était devenu vieux sans avoir vu passer ses années. A mon tour, je pris la parole, questionnant mon propre visage :

— J'ai vraiment été moche ?

— Non, répondis-je en souriant. L'examen ne s'est quand même pas trop mal passé. Tu as la moyenne. A part quelques petits coups de coude pour te faire de la place, tu n'as jamais écrasé personne. Tes vols n'ont été que du chapardage. Si, de temps en temps, tu as picoré dans le poulailler des voisins, les autres coqs ne s'en sont jamais aperçus. Quand une poule couve un œuf de canard, il n'y a pas de scandale dans la basse-cour.

Je ne pus m'empêcher de rire. A part le cognac et les havanes, la femme a toujours été mon péché plus que mignon. Si j'ai toujours tenu la mienne bien au chaud au fond de mon cœur, combien d'autres se sont baladées à poil dans les courants d'air de mon bas-ventre ! Celles-là, je les prenais juste pour nettoyer les couloirs de ma libido. J'ai eu des servantes diplômées qui maniaient l'aspirateur comme des virtuoses, des reines du chiffon à reluire qui m'ont redonné l'éclat du neuf et des extra qui servaient à table avec bas noirs et tablier de dentelle. Je passerai sous silence certaines bonnes à tout faire qui ne décrochaient le téléphone qu'après la sonnerie ou qui voulaient alerter leur syndicat à la vue de mon piquet de grève.

A part ces défauts bien anodins, l'analyse de ma

vie ne me paraissait pas présenter de graves dangers. J'allais pouvoir me tenir debout devant saint Pierre sans avoir trop à rougir de ma conduite. Mon reflet me fit un signe de la main.

— Nous n'allons plus jamais nous revoir, fit-il. Je te laisse la facture...

Il regarda mon verre de cognac avec envie et baissa les yeux en poussant un soupir. Il me sembla l'entendre dire, imperceptiblement :

— J'aurais quand même bien fumé une pipe !

Outré, je le chassai de mon imagination en sautant du lit.

4

Dieu était dans une colère divine. Des deux mains, il empoigna les rebords de son bureau et le fit basculer en avant. Tous les dossiers tombèrent en cascade sur les dalles de marbre de l'immense cabinet de travail.

— Nom de Moi ! hurla-t-il, je ne peux pas prendre deux siècles de vacances sans qu'on fasse des bêtises pendant mon absence ! Je suis entouré de minables, d'incapables !

Il envoya un grand coup de pied dans l'encrier qui s'était renversé sur le sol. Sa longue robe s'étant accrochée au talon de sa chaussure, elle se déchira en faisant entendre un bruit regrettable.

— Et voilà ! fit Dieu dont le visage commençait à virer au rouge foncé. Quand on veut prendre une apparence humaine, on a des ennuis avec les accessoires. Et vous, qu'est-ce que vous faites là ?

C'est en se retournant brusquement vers le saint

qui faisait partie de ses nombreux secrétaires qu'il heurta du genou un lampadaire en bronze massif. Un cri de douleur s'échappa de son auguste gorge.

— Mon Vous, vous vous êtes fait mal ? demanda le secrétaire en aidant Dieu à s'asseoir sur son trône.

— Bon Moi de bon Moi ! répondit le Patron en se massant la rotule. Je suis bien content de ne pas être un homme. Ça ne doit pas être drôle d'être confronté tous les jours avec ces problèmes imbéciles qui font perdre un temps précieux.

En remettant le bureau sur ses pieds, le saint se permit une réflexion audacieuse.

— C'est pourtant Vous qui avez créé l'homme !

Dieu regarda son employé avec des yeux ronds.

— Moi ? Vous êtes sûr ?

— Certain. Vous avez fabriqué un prototype qui s'appelait Adam.

L'Eternel, dont le mal au genou s'était calmé, porta la main à sa barbe.

— Adam ? Qui c'est celui-là ?

— Le premier être humain, répondit le secrétaire, qui, à quatre pattes sur les dalles, remettait les dossiers en place. Vous lui avez même fait cadeau d'une femme en lui enlevant l'une de ses côtes.

Les sourcils froncés, Dieu semblait rassembler ses souvenirs avec peine. Il avait tant créé de choses depuis que lui-même s'était créé sans le vouloir, dans un accès d'auto-invention aigu. Il revoyait subitement cette nuit des temps où il n'était rien qu'un point d'interrogation auquel personne ne pouvait répondre. Son imagination débordante l'avait poussé à donner naissance à l'univers et aux innombrables galaxies qui s'enfuyaient de plus en plus en faisant éclater les limites de l'empire. Il avait fallu remplir tout ça avec de la vie à formes multiples, la faire évoluer dans des éléments différents et contrôler les mouvements de la matière. De combien d'êtres vivants était-il le Père ? Aucun chiffre connu ne pouvait en déterminer le nombre. Les espaces, les liquides, les solides étaient peuplés de tant d'idées compliquées qui, douées d'instinct ou d'intelligence, se mouvaient sous des apparences considérables. Des trucs à deux pattes avec une tête, des machins à deux têtes avec une patte, des choses sans pattes et sans têtes, des bidules à antennes, à pinces, à cornes, à nageoires, à ailes. Sans compter les folies insoupçonnées faisant partie de la nature des autres mondes. Dieu avait beau être un Dieu, il avait du mal à se souvenir de cet « Adam » dont on venait de lui parler.

— A quoi ressemblait ce... prototype ? demanda-t-il au secrétaire qui venait de lui tendre un calmant.

— On m'a toujours dit que vous l'aviez fait à votre image.

— A mon image ? Mais je ne ressemble à rien de connu ! C'est moi qui prends l'apparence de mes créatures quand le besoin s'en fait sentir. Qui vous a dit ça ?

— Ceux qui croient en Vous, précisa le saint.

— L'amour est aveugle, fit Dieu après avoir avalé son sédatif. Je n'ai eu aucune raison de faire l'homme à mon image car je n'aime pas les préférences. J'ai autant de considération pour un ver luisant ou une tortue de mer. Si j'avais fait preuve du sectarisme dont vous m'accusez, j'aurais devant vous une figure constante qui serait bien lourde à porter. J'aime beaucoup les marsupiaux. Vous me voyez en train de sauter devant vous, dans mon bureau ?

Le secrétaire eut du mal à cacher son sourire. En

effet, il voyait mal un kangourou créateur usant du droit divin.

— Evidemment, fit-il, ça ne serait pas dans la poche !

Le Père regarda son saint avec affection. Il semblait le découvrir pour la première fois.

— Excusez-moi, mais je vois tellement de monde que je n'ai pas encore fait attention à vous. Il y a longtemps que vous êtes à mon service ?

— Environ huit siècles. Je fais partie de votre première légion ministérielle. Je viens d'être affecté à la deuxième division de vos secrétaires de direction.

— Comment se fait-il qu'on ne vous ait pas présenté à Moi officiellement ?

Penaud, le secrétaire montra un bocal posé sur un autre secrétaire.

— Lorsque je suis entré dans votre bureau, vous n'y étiez pas encore. J'étais venu changer l'eau du poisson rouge.

— Quel est votre nom ?

— François d'Assise, répondit le saint.

— Ce..., comment l'appelez-vous ? Cet... Adam, à ma connaissance, n'a jamais existé. J'ai inventé l'homme en tant que micro-organisme et je l'ai placé en milieu marin. Ensuite, j'ai attendu que la mer monte pour qu'il puisse s'accrocher aux algues de la plage et, de fil en aiguille, il est devenu amphibien. Il a laissé tomber le plancton pour brouter du trèfle et il est devenu un sympathique pithécanthrope. Ensuite il est passé par le Neandertal et Cro-Magnon pour arriver jusqu'à Moi dans l'état où il se trouve aujourd'hui : un primate distingué qui mange des côtelettes d'agneau en faisant partie de la SPA et qui pratique le.baisemain sur une caisse de dynamite.

Le pauvre saint était ébahi. Il avait bien entendu parler de cette version scientifique sur les origines de l'homme. Sa déception faisait peine à voir.

— Mais alors, Adam, c'était pas vrai ? demanda-t-il comme un enfant qui découvre trois pères Noël aux Galeries Lafayette.

— Tumoi ! Vous n'avez pas compris que c'est une invention des curés ?

— Pourquoi ?

— Pour brouiller les pistes. Il faut qu'un homme ait la tête solide pour admettre qu'il a eu un têtard dans sa famille.

Cette dernière phrase consola un peu le brave saint François d'Assise, bien connu pour son amour des animaux. Il imagina son grand-père allongé sur une feuille de nénuphar et gobant des mouches pour sa grand-mère qui venait d'accoucher dans les roseaux.

La sonnerie d'un interphone mit fin à son rêve. Il se leva pour prendre la communication. Dieu était déjà plongé dans l'examen du premier dossier de la pile. Celui qui, notamment, avait provoqué cette colère qu'il avait oubliée avec saint François. Il fut consterné en voyant le résultat final des sondages sur le problème du travail. En données corrigées, il y avait une recrudescence de l'emploi qui marquait dix pour cent de hausse sur le siècle dernier. L'augmentation des offres de travail était due à la création de nouvelles entreprises que le gouvernement divin ne pouvait empêcher. Les fabriques d'auréoles se multipliaient comme par miracle, les marchands de fauteuils célestes avaient besoin d'employés pour tenir leurs magasins, on manquait de gonfleurs de cumulus et les jardiniers du Ciel ne savaient plus où donner de la binette. Dieu avait bien essayé d'endiguer ce phénomène dès les premiers symptômes mais ç'avait été en pure perte. Il fallait se rendre à l'évidence : il n'y avait pas assez de monde au Paradis.

Saint François mit fin à la méditation du Très-Haut.

— Le ministre de la Défense est arrivé. Il demande si vous pouvez le recevoir avant qu'il ne se rende à la conférence sur le désarmement dans la constellation du Bélier.

Le Créateur se leva. Une certaine lassitude pouvait se lire dans son regard bleu acier trempé. Il tourna son beau visage, buriné par le temps, vers la carte du ciel qui couvrait tout un pan de mur.

— Laissez-moi seul pendant cinq minutes. Ensuite, vous pourrez le faire entrer.

Après le départ du saint, Dieu poussa un soupir de soulagement. Il n'avait pas souvent l'occasion d'être seul et il lui fallait toujours composer devant les autres afin de préserver son image de marque. En vérité — il se le disait —, sa nature était beaucoup plus simple qu'elle n'en avait l'air. Courtisé par les élus, les saints, les béatifiés, les canonisés, les bienheureux, les papes, les évêques, les prêtres et toute une armée de fayots qui lui tapaient sur l'auréole, l'Eternel aimait la solitude.

Profitant du peu de temps qui lui restait avant l'arrivée de son ministre, il se fourra une tablette de chewing-gum dans la bouche et alla compulser la carte murale.

Dieu, qu'il était bel homme ! Un peu grand pour la hauteur du plafond car il avait revêtu, à la hâte, cette enveloppe humaine qu'il utilisait dans les situations importantes. Il avait l'air d'un colossal vieillard grec imaginé par Roger Peyrefitte. Aimant beaucoup le changement, malgré un conformisme dont les hommes l'avaient affublé, le Père changeait de peau avec plaisir selon les circonstances. Pour surveiller son espace aérien, par exemple, il se transformait en mouette ou en aigle, selon son humeur. Les autres oiseaux, ravis de voir que Dieu leur ressemblait, applaudissaient des deux ailes. C'est ainsi qu'il pouvait apparaître en utilisant toute la gamme morphologique de l'être vivant. De cette façon, il ne vexait personne et, de l'escargot à l'ornithorynque en passant par la poule d'eau, le Noir d'Afrique ou l'Esquimau du Groenland, sa forme était glorifiée par ceux qui possédaient la même. Mao Tsé-toung n'avait pas été trop dépaysé quand Dieu l'avait reçu au lendemain de sa mort sous l'aspect d'un Chinois assis en tailleur et mangeant le riz avec des baguettes. Géronimo avait été ravi de voir que les plumes du Grand Chef étaient plus belles que les siennes, et Martin Luther King comblé d'avoir enfin la preuve que le Patron était noir.

La raison pour laquelle personne n'avait pu voir la véritable face de Dieu était toute simple : il ne ressemblait à personne. Lorsqu'il prenait quelque repos dans la résidence qu'il avait conçue aux confins du cosmos, il se laissait glisser vers sa conformation initiale : une sorte de matière gélatineuse et translucide, agitée par des soubresauts dus à l'inimaginable courant électrique qui lui passait au travers. D'énormes explosions se faisaient entendre à l'intérieur de cette poche où le génie se réengendrait lui-même. Dieu avait conscience du peu de crédibilité qu'aurait présenté cette apparence. Aucun être doué de bon sens ne peut penser qu'une pile électrique possède une valeur morale. Si les paroissiens entraient dans une église pour adorer une batterie d'accus, il y aurait encore moins de fidèles qu'aujourd'hui. Ce qui n'est pas peu dire.

— Entrez, cria très haut le Très-Haut en répondant aux coups qu'il venait d'entendre en direction de la porte.

Le ministre de la Défense entra dans le bureau. C'était une superbe mangouste qui tenait un serpent dans sa gueule. Elle alla le déposer aux pieds du Seigneur qui fit un bond, manqua d'avaler son chewing-gum et hurla :

— Qu'est-ce que c'est que ça ? Vous ne savez pas que j'ai horreur des déguisements pendant les heures de service ?

La mangouste se transforma en un beau jeune homme vêtu d'une armure et tenant une lance à la main. Il secoua ses grandes ailes dorées et s'excusa :

— Pardonnez-moi, mon Vous, mais je m'entraîne chaque jour en prévision de l'Apocalypse. Jean a parlé d'un épouvantable dragon qui...

Dieu lui coupa sèchement la parole.

— Mon cher Michel, quand j'aurai envie d'appuyer sur le bouton, je vous en parlerai avant. Cette histoire de dragon a été inventée par l'éditeur de saint Jean pour que son bouquin se vende mieux. Si le chef de ma milice ne sait pas lire entre les lignes, il faut qu'il retourne au catéchisme. Je n'ai pas besoin d'un ministre de la Défense qui prend la bombe atomique pour une vipère de broussailles ! Vous vouliez me voir ?

— Oui, Seigneur, répondit l'archange, confus. C'est au sujet de l'équilibre des armements entre le Paradis et l'Enfer. Satan refuse de diminuer le nombre de ses tentations si vous maintenez celui de vos vertus.

— Regardez la carte de l'Univers, fit Dieu en montrant quelques points précis à l'aide d'une baguette. A gauche, le Paradis, à droite, l'Enfer, et, au milieu, le Purgatoire. Si l'une des deux puissances extrêmes déclenche un conflit, c'est le Purgatoire qui écope.

— Satan n'osera jamais envoyer ses viciofusées sur le Purgatoire.

— Diable ! on dirait que vous ne le connaissez pas. Nous sommes obligés d'implanter nos Perfecting dans cet endroit pour protéger le Paradis.

Saint Michel réfléchit quelques secondes.

— Si nous comptons sur notre force de dissuasion, il faut espérer que l'Enfer se montrera raisonnable.

— Moi vous entende, murmura Dieu en bénissant saint Michel avec sa baguette.

Le ministre prit congé, laissant l'Eternel face à ses problèmes.

Ce dernier resta un long moment en contemplation devant la carte détaillée de son vaste empire. On y voyait Mercure, Vénus, Mars, Jupiter, la Terre et toutes les autres planètes du système solaire. D'autres systèmes inconnus étaient nettement visibles, habités par des planètes insoupçonnées. Des sphères de grandeurs différentes aux noms barbares : Maldox, Sherwa, Teen-Bur, Canovée. Des constellations où brillaient des millions d'étoiles. Des astres, des comètes en fusion et des soleils éteints.

Dieu appuya sur un bouton noir placé au-dessus d'une inscription : « Régions en guerre. » Toutes les planètes, sans exception, s'éclairèrent d'un rouge fluorescent. Des bruits de bombes et de mitrailleuses se firent entendre par des haut-parleurs invisibles. Le bureau était envahi par des cris de douleur. Des hurlements atroces sortaient des murs, du sol, du plafond. Dieu semblait insensible à ce carnage qui venait de si loin. Il était immobile.

Puis, lentement, au milieu de cette horreur, il fit

une bulle avec son chewing-gum. Elle sortit de ses lèvres et s'enfla pour devenir énorme. Dieu prit une aiguille à son revers et la piqua dans la sphère de gomme qui éclata contre son visage.

— *Mors ultima ratio*[1], dit-il.

L'angioport universel était situé dans la banlieue ouest du Paradis. Il y régnait un trafic intense. Des myriades d'anges décollaient et atterrissaient sans interruption sur des pistes pavées d'émeraudes et de rubis. La nuit, des diamants de dix mille carats servaient de projecteurs pour éclairer les mouvements au sol. Une tour de contrôle en or massif veillait au bon déroulement d'une circulation aérienne qui, chaque jour, était en augmentation.

Les élus n'empruntaient jamais les voies du ciel. L'angioport était, comme son nom l'indique, réservé aux employés des PTT (Paradis-Transport-Transuniversels). Ces fonctionnaires spéciaux, appartenant à toutes les hiérarchies angéliques, étaient recrutés parmi les séraphins, les chérubins et les angelots. Appelés également les Facteurs de Dieu, ils étaient placés sous l'autorité de l'archange Gabriel qui dirigeait ce vaste complexe aéroportuaire. Ce personnel navigant s'envolait vers les quatre coins du monde pour apporter les messages divins aux créatures douées de réceptivité. Selon leurs grades, les anges étaient porteurs d'informations différentes qui tenaient compte de la nature du destinataire. L'homme pouvait donc ressentir des impressions, avoir des pressentiments ou des songes prémonitoires. Les animaux n'étaient pas exclus de cette distribution. Leur instinct étant en étroite coordination avec la pensée de Dieu, ils

1. La mort est la raison finale de tout.

pouvaient modifier leur comportement sans tenir compte de sa raison première. Il était possible, par exemple, que le chien eût un brusque changement d'attitude et poussât des soupirs incompréhensifs pendant son sommeil, que la guêpe n'enfonçât pas son dard dans la main qui la chassait ou que le tigre prît la décision de ne pas attaquer le marchand de carpettes.

Tous ces messages modérateurs étaient donc transmis aux vivants par une armada volante qui avait de plus en plus de mal à faire son travail. Il y avait un décollage et un atterrissage tous les centièmes de seconde. Cette cadence insupportable étant à l'origine de nombreux accidents, le syndicat des anges avait lancé un ordre de grève. La première collision avait eu lieu entre un séraphin qui revenait de Pologne et un angelot qui prenait son envol pour Moscou. L'un avait eu les ailes tordues et l'autre le train bloqué. Ensuite on avait assisté à toute une série de catastrophes aériennes, dues à la désorganisation de la tour de contrôle qui ne savait plus où donner du dispatching.

Mais il s'était passé autre chose de beaucoup plus grave. Les messages de Dieu, destinés aux consciences de ses ouailles, avaient été mélangés involontairement par le centre de triage et un vent de folie soufflait sur les vivants. La planète Sherwa fut la première à être contaminée par le désordre. Il y eut des courts-circuits dans le système électrique des créatures de métal qui habitaient Sherwa, et leurs conduites habituelles furent inversées. Sur Canovée, peuplée par des êtres végétaux pacifiques, les plantes se mirent en guerre. Les arbres se battaient à grands coups de branches et les fleurs avaient transformé leurs pistils en lance-flammes redoutables. La Terre fut également atteinte par ce dérèglement. Les hommes devinrent tout d'abord d'une susceptibilité anormale. Ils ne pouvaient presque plus se supporter et la méfiance s'installa jusqu'au sein des familles. Tout fut rapidement politisé par ceux qui gouvernaient les nations et la violence augmenta rapidement. Un égoïsme forcené régnait à tous les échelons de la société. L'homme commençait à perdre ses bons sentiments et sa confiance en lui.

Conscients du danger que tout cela représentait pour ses propres adhérents, les syndicats du Paradis avaient décidé une grève illimitée. L'archange Gabriel, patron de l'angioport et chef des Facteurs, venait de recevoir, dans son bureau, le représentant de la CGT (Confédération générale de la tranquillité).

Saint Krazu[1] était assis sur son pliant personnel qu'il emportait toujours avec lui. Défendant l'ouvrier avec acharnement, il refusait de s'asseoir dans un fauteuil faisant partie du mobilier directorial. Il sortit quelques victuailles de sa musette et, après avoir débouché une bouteille de rouge, mordit dans un sandwich au camembert.

— Ça va durer longtemps, cette grève ? demanda l'archange en accrochant ses ailes au portemanteau.

— Ça dépend de vous, répondit le saintdicaliste. Si vous maintenez les cadences actuelles, les arrêts de travail vont se multiplier et la grève s'étendra à toutes les administrations du Paradis.

L'archange eut un geste d'impatience. Son bras droit heurta malencontreusement la bouteille que saint Krazu avait déposée sur le coin du bureau.

1. Toute ressemblance avec qui que ce soit n'est pas involontaire.

Elle tomba dans la corbeille à papier et une large flaque de vin s'étala sur la moquette.

— La discussion commence mal, fit saint Krazu en épongeant le liquide avec son cache-nez.

L'arsenal du Paradis avait dû fermer ses portes. Depuis plusieurs jours, les directeurs de la fabrique de missiles avaient été séquestrés par les employés responsables du syndicat. Leurs revendications reposaient sur une revalorisation du SMIC (Sainteté minima in aeternum croissante) et sur une augmentation de la durée du travail. Les ouvriers de la centrale nucléaire réclamaient le siècle de quatre-vingt-dix ans. Estimant que plus de dix ans de pause, par siècle, était préjudiciable à la défense du Paradis, ils n'avaient pas hésité à neutraliser saint von Brown et saint Einstein afin de les obliger à la surproduction et à la réduction du temps de repos.

Les deux pères de la bombe atomique avaient été auréolés par Dieu lui-même dès leur arrivée au Paradis. Ils n'avaient fait qu'un très court séjour au Purgatoire car le Grand Patron ne jugeait pas raisonnable de se priver de tels génies. Il leur avait confié les guides de l'Institut de recherche des armements et la direction générale des usines qui fabriquaient les fusées Perfecting.

La Perfecting était un engin intersidéral à longue portée pouvant atteindre l'Enfer en un temps record. Elle contenait un condensé de toutes les qualités de la création évalué à des millions de mégatonnes. Une seule de ces fusées explosant sur les lieux maudits produirait un champignon bénéfique dont les retombées risqueraient de transformer les damnés en saints de première catégorie. On comprend pourquoi Lucifer s'était doté d'un armement défensif équivalent.

La Satanic-Super 21, vulgairement appelée la SS 21, possédait, à peu près, la même puissance que la fusée divine. La différence résidait dans son contenu qui était composé par un effroyable mélange de tous les défauts et les tares des êtres vivants. Faisant partie de la sinistre série des viciofusées, la SS 21 pouvait, en quelques secondes, déverser une pluie radionocive sur les élus du Paradis et en faire de remarquables salauds.

Il planait, sur l'empire céleste, une psychose de guerre qui troublait les esprits. Pour que les employés de l'arsenal retiennent les chefs prisonniers dans leurs bureaux, il fallait que la situation fût grave.

Le chirurgien éteignit sa lampe à souder et s'épongea le front avec le bas de son masque.

— Voilà qui est fait, dit-il à la patiente qui se remit debout dans un cliquetis métallique. C'était juste un rivet du colletin qui frottait sur l'épaulière.

— Combien vous dois-je ? dit Jeanne d'Arc en rajustant sa cubitière.

— Vous payez comment ?

— En actions de grâces au porteur.

— Dans ce cas, je peux vous faire sauter la TVA [1], vous serez plus à l'aise.

D'un adroit coup de burin, il fit sauter la tassette variable. La pucelle poussa un soupir de satisfaction.

— Ouf ! dit-elle en anglais. Ça va mieux ! Il y a tellement longtemps que je n'avais pas porté cet ensemble. Il est un peu rouillé et ça grince quand je marche.

1. TVA : Tassette variable amovible. (Pièce de l'armure qui protège le devant des cuisses.)

Comme tous les élus, elle avait la faculté de reprendre son apparence humaine lorsqu'elle le désirait. Venant d'être nommée à la tête du Mouvement de libération de la sainte, elle enfilait sa vieille armure pour conduire les « manifs » qu'elle organisait régulièrement. Aujourd'hui elle allait diriger un cortège de mécontentes jusqu'au palais divin afin d'attirer l'attention de Dieu sur la condition des saintes.

Après avoir réglé le praticien, elle se retrouva sur la grande place pavée d'agates fines à rayures vert et rose. Toutes les privilégiées du Paradis étaient réunies en rangs serrés dans l'attente de leur égérie qu'elles acclamèrent dès son arrivée. Dans la foule, composée de toutes ces femmes exemplaires, on pouvait remarquer beaucoup de visages connus : de la Vierge Marie, Thérèse d'Avila, Madeleine, Geneviève, jusqu'à Barbe et Clotilde en passant par Blandine, Thérèse de Lisieux et Bernadette Soubirous. On apercevait d'autres personnalités plus discrètes, qui ne se rappellent à notre souvenir que par l'intermédiaire du calendrier des P et T. Outre les stars précitées, l'assistance regorgeait d'un bon nombre de méritantes qui avaient consacré leur vie à la dévotion et à la protection de la fleur d'oranger.

Sainte Barbe, patronne des artilleurs, fit éclater un pétard dès que Jeanne d'Arc apparut.

— Vive la pucelle ! cria-t-elle en brandissant une pancarte sur laquelle on pouvait lire : « Ça va chauffer ! »

Jeanne fit un signe de la main gauche pour calmer l'enthousiasme bruyant. Elle prit la parole et sa lance dans la main droite :

— Mes sœurs ! Je vous remercie de m'avoir choisie comme chef de file pour défendre vos intérêts et de m'avoir élue à l'unanimité. Dieu m'est témoin que je n'ai jamais manqué de voix !

Un tonnerre d'applaudissements envahit la place et des milliers de voiles blancs flottèrent au vent, brandis par les mains immaculées des blanchisseuses du bon Dieu. Mlle d'Arc continua :

— Il est temps de mettre fin à la suprématie de la Sainte Masculinité. Tous les postes importants sont occupés par les esprits du sexe fort. Le nôtre aspire à d'autres ambitions qui dépassent le stade de la servitude !

— A bas les saints ! hurlèrent quelques exaltées, oubliant la placidité propre à leur état.

— Du calme, répondit Jeanne d'Arc. Il ne suffit pas de bousculer nos compagnons pour prendre leur place. Il faut que nous prouvions que les emplois subalternes ne sont pas notre apanage et que nous pouvons prétendre à la sainteté de haut niveau. Vous connaissez cet adage : Ce que femme veut...

— Dieu le veut ! clamèrent les saintes dans un même élan vocal.

— Oui, répondit la pucelle, et nous allons lui rendre visite !

La place retentit des cris de joie que poussèrent les servantes du Grand Patron. Des centaines d'auréoles furent lancées en l'air pour saluer la décision.

Jeanne enchaîna aussitôt :

— Depuis que je suis ici, si étrange que cela puisse paraître, je n'ai encore jamais vu Dieu...

— Ooooh ! fit le chœur des saintes.

— Remarquez, j'ai l'habitude. Vous savez qu'il m'a fallu beaucoup de patience pour rencontrer Charles VII. Dieu ne m'a parlé qu'au téléphone lorsque je tricotais des pull-overs à Domrémy, au milieu de mes moutons. Et j'ai bien failli ne pas comprendre ce qu'il voulait car il y avait de la friture sur la ligne.

— Ooooh ! refit le chœur des saintes.

La pucelle revissa un boulon de son armure et reprit :

— La situation est intolérable. Le fait d'avoir voulu prendre la place des hommes m'a valu le bûcher. Nous ne pouvons plus accepter d'être reléguées à l'arrière-plan de la politique. Jusqu'à présent, qu'avons-nous vu, mes sœurs ? Les meilleures situations sont dévolues aux êtres de condition masculine. Par ordre hiérarchique, on constate avec stupéfaction que les dieux brandissent le sceptre de la virilité. Lorsqu'on parle de notre Dieu, on dit « IL » et on le représente avec une barbe qui ne laisse aucun doute sur son sexe. Qui a-t-il envoyé sur la terre ? Son fils ! A ma connaissance, les apôtres de Jésus n'étaient pas des minettes mais de solides gaillards avec du poil sous la djellaba ! Je passerai sous silence cette armée de mecs — sauf votre respect — qui ont entouré les grandes heures de toutes les religions. Je ne parlerai pas de tous ces prophètes dont les hormones faisaient pousser la moustache beaucoup plus vite que les seins, à l'exemple de Jésus, du Bouddha, de Mahomet et autres représentants du patronat. Je le répète : il est temps que la sainte fasse valoir ses droits aux postes directoriaux !

Il y eut une formidable ovation sur la place. Jeanne d'Arc enfourcha le cheval blanc qu'un angelot venait d'amener près d'elle, puis, brandissant sa lance, elle donna le signal du départ. Le cortège s'ébranla et commença sa marche vers le palais divin. Au milieu de la foule, sainte Barbe se glissa aux côtés de Bernadette Soubirous.

— Vous croyez que Dieu va nous recevoir ? dit l'artilleuse en refermant sa boîte d'allumettes.

La petite Lourdaise répondit avec toute la prudence des gens de la montagne :

— Oh ! moi, vous savez, les miracles...

Le Paradis n'était donc plus ce qu'il était. Au fil des millénaires, l'usure de sa constitution avait fait apparaître des fissures dans une base qui semblait pourtant d'une solidité à toute épreuve. L'agitation sociale prenait le pas sur la quiétude qui est pourtant le propre du saint. Le pire était la dégradation de certaines valeurs morales qui minait les fondements de la plus irréprochable institution créée par Dieu pour récompenser ses fidèles serviteurs. Bref, il y avait des charançons dans les haricots.

De nombreuses fois le Conseil des ministres du Très-Haut avait été convoqué en réunion extraordinaire. Après plusieurs analyses de la situation, les sages en étaient arrivés à envisager une possible manœuvre de Satan en prise directe sur le terrain. Ce qui voulait dire, en termes déguisés, que l'ange déchu avait peut-être établi un réseau d'espionnage au sein même du Paradis ! Si l'on n'écartait pas cette éventualité, il fallait découvrir par quels moyens le diable portait le ver dans le fruit. Ni lui ni ses damnés ne pouvaient avoir accès au Paradis et l'apparition d'une guerre froide était certainement due à un satanique jeu diplomatique.

Parmi les conseillers de Dieu, certains stratèges de la politique avaient émis quelques théories — plus ou moins fantaisistes — qui ne satisfaisaient pas le Patron. Jusqu'au jour où saint Pierre eut l'idée de convoquer le plus célèbre indicateur du monde : Judas.

Il le reçut dans la grande mairie du Purgatoire car

il est évident que le traître n'avait pas droit de cité au Paradis. On pourra s'étonner que Judas n'ait pas été précipité dans les flammes de l'Enfer, mais certaines raisons d'Etat l'avaient sauvé de cette ultime déchéance. Toutes les polices du monde ont besoin de partisans du double jeu, et saint Pierre, qui ne connaissait pas le mal, avait préféré garder un spécialiste de la fourberie à portée de sa bénédiction. Guidé par une sorte de prémonition, il avait su convaincre Dieu d'épargner celui qui avait cru aux placements-or bien avant tout le monde.

Judas expiait sa faute au Purgatoire. Ayant gardé, autour du cou, le filin avec lequel il s'était pendu, il était employé comme « corde à linge » au pavillon des parias. Aucun « repenti » n'avait le droit de lui adresser la parole, mais il pouvait faire sécher sa lessive grâce à lui. C'est ainsi que des couples de pendus tristement célèbres se tenaient debout, en plein air, en tendant leurs cordes réunies par un nœud. Faisant office de piquets, ils attendaient que le linge séchât en regrettant de s'être mouillés dans de vilaines histoires.

Lorsque Judas rencontra saint Pierre, il y eut comme une gêne entre les deux hommes.

— Salut, fit doucement l'Iscariote en essayant de démêler le bout de sa corde qui venait de se prendre dans le pied de sa chaise.

Pierre ne répondit pas au bonjour de son ancien compagnon de jeunesse. Bien que l'on comprenne les raisons de ce silence, il se trouve parfois que des personnages ayant eu des carrières importantes affichent un certain mépris envers les camarades de promotion qui ont eu moins de chance. Judas osa tout de même lever les yeux vers le Premier ministre.

— Je vois que tu as fait le bon choix, dit-il avec

amertume. Moi, j'ai toujours eu du mal à investir dans l'avenir. Si j'avais su...

— Si tu avais su quoi ? demanda enfin saint Pierre.

— Si j'avais su que Jésus était une valeur sûre, je n'aurais pas accordé ma confiance au métal jaune.

Pierre poussa un soupir, quitta son fauteuil et arpenta la pièce.

— Mon pauvre ami, tu ne changeras jamais. Le profit immédiat a toujours comporté des risques. Lorsque je n'étais qu'un pauvre pêcheur à Capharnaüm, chaque fois que je prenais un petit poisson, je le rejetais dans le lac pour qu'il puisse grandir et se multiplier. S'il devenait trop gros, je repliais mon filet et je le regardais nager.

— C'est un point de vue, répondit Judas. En ce qui concerne le fils du Patron, tu as quand même failli lui mettre la tête sous l'eau !

— Que veux-tu dire ?

— Tu l'as renié, par trois fois.

Saint Pierre eut un mouvement d'impatience. Il enchaîna, sèchement :

— Si Jésus ne m'avait pas prédit cette réaction stupide, je ne l'aurais jamais fait. C'était devenu obsessionnel. Quand on dit à quelqu'un : « Attention à la marche » là où il n'y en a pas, il finit par trébucher dans le vide.

Un silence s'installa. Pierre regagna son fauteuil. Après avoir observé Judas pendant un long moment, il lui dit :

— Judas, nous avons besoin de toi. L'empire de Dieu se porte mal. Toutes nos colonies sont malades de la guerre. Il n'y a pas une planète où l'on ne se batte pas et les êtres vivants ont oublié le chemin de notre maison. Ceux qui défendent la foi cachent des explosifs dans leurs livres de messe et font leurs prières sur des chapelets de bombes. De toutes les dépendances du Seigneur, la Terre nous semble la plus atteinte.

L'Iscariote fit une grimace désabusée.

— Oh ! moi, tu sais, la Terre...

— Il y a plus grave que la Terre, l'interrompit saint Pierre. Les affaires du Ciel ne sont pas bonnes, Judas.

Pour la première fois, Judas regarda son ancien ami droit dans les yeux. Il se leva à son tour.

— Le Ciel ? Connais pas.

Pierre lui fit face de toute sa hauteur.

— L'Enfer, tu connais ? Les hommes, tu connais ? Tu as fait partie de ceux que l'on peut acheter et c'est pour cette raison que nous avons besoin de ton esprit calculateur. Es-tu disposé à nous aider de tes conseils ?

— Si je peux, oui.

Saint Pierre parut soulagé. Presque amicalement, il enleva la corde du cou de Judas et en fit un rouleau qu'il accrocha au dossier de son fauteuil.

— Ecoute-moi, reprit-il, nous savons que, depuis la nuit des temps, Lucifer rêve de s'emparer du Paradis. Heureusement, il ne peut pas franchir nos frontières et, s'il en faisait la moindre tentative, il serait immédiatement repéré par nos satellites de surveillance. Nos armements mutuels sont trop puissants pour qu'il puisse envisager une guerre ouverte. Malgré tout cela, le Paradis semble devenir fragile. Il y a quelques soulèvements populaires, des grèves, des contestations. Nous ne comprenons pas d'où cela peut provenir.

Judas sourit en regardant le trousseau de clefs que saint Pierre portait à la ceinture.

— Aucune de ces clefs ne pourrait être celle de ton problème, Pierre. Satan possède celle qui le rend propriétaire de l'esprit des hommes. Il contamine jusqu'aux meilleurs et, lorsque ceux-ci arrivent au Paradis, ils sont encore contagieux. Je ne pense pas qu'actuellement les grandes puissances veuillent entrer dans une lutte où elles apparaîtraient à visage découvert. Pour se supprimer mutuellement, elles cherchent d'autres champs de bataille. Les riches se battent entre eux par pauvres interposés et les gros demandent aux maigres de leur faire la cuisine. Je crois que le diable est en train de prendre possession de la Terre pour s'en faire un marchepied vers le Ciel. Dieu a peut-être manqué de vigilance en ne surveillant pas assez ses enfants. Satan a trop d'arguments pour qu'ils refusent d'entrer à son service. J'en sais quelque chose.

Saint Pierre ne répondit pas tout de suite. Il paraissait troublé par ce qu'il venait d'entendre. Judas continua :

— Quand Jésus est venu sur la Terre, c'était pour rendre les hommes meilleurs. Malheureusement, il y a des gens comme moi.

Sans un mot, saint Pierre prit le rouleau de corde et le passa autour du cou de Judas qu'il raccompagna jusqu'à la porte. Avant de la refermer, il embrassa trois fois l'ancien apôtre qui lui dit en baissant les yeux :

— Il faut se méfier, Pierre. La Terre est occupée par les terroristes du Malin qui sapent les fondations du Paradis. Si vous ne faites rien, le ciel vous tombera sur la tête.

— Que faut-il faire, selon toi ?

Judas fit quelques pas en direction du monte-charge qui devait le redescendre au rez-de-chaussée. Il se retourna vers le Premier ministre.

— Il faudrait que Dieu reprenne tout à zéro, dit-il simplement.

5

Planté devant le miroir à géométrie variable qui se trouvait sur un pan de mur de ma base de patience, je vérifiai mon intensité lumineuse. Ça pouvait aller. A travers le prisme à réflexion totale, je vis que la polarisation de ma propre lumière avec celle de ma recharge portative avait donné de bons résultats.

Malgré les émotions de la veille, j'avais passé une bonne nuit dans mon nouvel appartement de l'impasse des Ivrognes. Sur ma table de chevet, j'avais trouvé une brochure indiquant les divers services proposés par la gérance de l'immeuble. Cela m'avait permis de brancher mon âme sur une petite génératrice de courant dissimulée dans mon oreiller. A l'aide d'un double fil terminé par deux boules Quies que je m'étais introduites dans les oreilles, j'avais pu recharger mes batteries spirituelles pendant mes heures de sommeil. J'avais rendez-vous avec saint Pierre et il était important que je paraisse devant lui avec une brillance de bon aloi. Ayant toujours pensé que l'aura était le smoking des trépassés, j'étais fier de ma tenue.

Je fus très surpris de remarquer, sur l'opuscule placé près du téléphone, un numéro d'appel concernant le petit déjeuner. Devant l'absence de cuisine et de w.-c. dans mon logement, j'avais pensé que les pensionnaires étaient exempts de nourriture. Finalement, je n'étais pas trop dépaysé. J'avais tellement connu de Sofitel, de Frantel et autres Novotel que, machinalement, je fis le numéro indiqué pour appeler le service d'étage. Une charmante voix féminine me répondit :

— Allô ! bonjour. Ici le room-service. Que désirez-vous ?

— Un café complet, avec un jus d'orange et des croissants, répondis-je en constatant que je n'avais pas faim.

L'employée marqua un temps avant de s'excuser :

— Nous regrettons de ne pouvoir vous servir cela, monsieur. Vous êtes certainement un nouvel arrivant. Ici, les petits déjeuners sont constitués par les prières du matin qui sont des nourritures spirituelles nécessaires à la bonne santé morale. Nous pouvons vous proposer notre repas continental qui contient toutes les vitamines de la conscience.

— Ça consiste en quoi ? dis-je, un peu déçu.

— C'est un Ave complet, accompagné de deux Pater et un Credo. Vous pouvez également avoir un peu de confiteor maison. Quel est le numéro de votre base ?

— Le 13, marmonnai-je avant de raccrocher.

Quelques instants plus tard, un chérubin m'apporta mon plateau à domicile. Autour d'un livre de prières, quelques grains de chapelet étaient artistiquement disposés. Le petit serveur me tendit un papier et un stylo.

— Si vous voulez signer ici, monsieur.

Je mis mon paraphe au bas d'un acte de contrition. En signant le reçu, je vis que le chérubin avait les plumes un peu trop longues.

— Je peux vous donner un conseil, jeune homme ? fis-je en le suivant jusqu'à la porte.

— Je regrette, monsieur, me répondit-il en disparaissant, les pourboires sont interdits.

Après avoir dit mes prières, je me sentis beaucoup mieux. A part cette gêne toujours occasionnée par mon cigare et mon verre d'alcool, ma forme était acceptable. Le bip-bip déjà entendu résonna tout à coup dans ma tête. Je reconnus la voix du capitaine Shkrr.

— Attier ?

— Oui, mad..., heu... oui, c'est moi.

— Un astro-cab vous attend en bas de chez vous pour vous conduire au ministère de l'Extérieur.

Il coupa la communication sans attendre ma réponse. Je descendis de chez moi aussitôt. Dans l'impasse, un curieux attelage était garé le long du trottoir. Je dis « curieux » parce que je veux rester maître de moi, parce que je ne veux pas céder à la folie et parce que je veux comprendre ce que mes yeux me transmettent. Si je dis « curieux », c'est par pudeur. C'est pour ne pas employer les superlatifs qui pourraient faire penser que j'exagère. Si je n'étais pas si délicat, je dirais que cet attelage n'est pas curieux. Je dirais qu'il est dingue, fada, cinglé, frappé, louftingue, timbré, et qu'il ne répond à aucun critère connu permettant de porter un jugement de valeur entre l'homme et le cheval.

Ce que je vis dépassait le surréalisme des tableaux les plus fous de Magritte ou de Dali : un cabriolet de dix mètres de longueur dont les huit roues étaient bardées de rubis et de topazes. Sa capote, repliée vers l'arrière comme les cheveux d'un savant chauve, était tissée de fils d'or. Des clous de diamant retenaient le cuir des banquettes en pur chameau de Tartarie. Au centre de la voiture, une antenne de télévision se dressait comme un pénis orgueilleux, tendue vers de lointains récepteurs attendant d'être fécondés.

A l'arrière du cab, un cheval bai était assis et tenait des guides entre ses sabots. Retenus par l'animal, quatre cochers attelés piaffaient d'impatience en fumant de la croupe. Comme un automate, je montai dans le cabriolet. Le cheval poussa un cri en faisant claquer les lanières sur le dos des cochers.

— Yeaaah !

Nous partîmes dans un nuage de poussière digne des plus grands westerns. Pour éviter d'être éjecté de la voiture, j'empoignai l'antenne de télé. Le premier virage fut pris sur les chapeaux de roues à la sortie de l'impasse des Ivrognes. Trois pochards qui tentaient de traverser la chaussée furent projetés contre la vitrine d'un marchand de vins. Au deuxième virage, nous accrochâmes un âne qui sortait d'un PMU. Il alla s'écraser dans le caniveau au milieu de ses tickets de tiercé. Dans le bruit de cette chevauchée fantastique, j'entendis le rire du cheval.

— Yeaaah ! hurlait-il dans la joie la plus complète. Bande de salauds ! Vous avez voulu l'amélioration de la race chevaline ? La voilà !...

A grands coups de fouet, il frappait le dos des cochers qui galopaient de plus en plus vite. Stupéfait, je me retournai vers le cheval.

— Vous parlez ?

— Tu parles si je parle, Charles, dit-il en hennissant de plaisir. L'homme est la moins noble conquête du cheval. Je me suis tapé l'Arc de Triomphe, le prix d'Amérique et le Derby d'Epsom pour engraisser une armée de connards qui balançaient du hachisch dans mon avoine ! Avec leur saloperie, j'ai eu les paturons dans la guimauve et ils m'ont flingué à cause d'une entorse. Tu comprends pourquoi je frappe ?... Yeaaah ! cria-t-il encore en faisant claquer son fouet sur les reins des cochers qui passèrent aussitôt en surmultipliée.

Je ne pus m'empêcher d'admirer ce bel animal qui prenait sa revanche, assis sur le siège arrière d'un cab que ses ancêtres avaient traîné sous la torture. Combien de ses congénères avaient piqué du naseau sur les rochers du Grand Cañon pour faire la fortune des fabricants de westerns ? Et tous ces humbles percherons qui ont labouré les champs sous les coups et les insultes de paysans insensibles qui doivent bien regretter de ne plus pouvoir frapper leurs tracteurs ?

Malgré la vitesse inquiétante qui me passait le dos à la moulinette, j'étais rassuré d'être conduit par ce Pégase inattendu. Au milieu du vacarme et de la poussière soulevée par mon équipage, j'imaginais la joie d'une vache du Purgatoire faisant payer aux producteurs de lait les heures difficiles qu'elle avait passées sur terre. Pour une bovine normalement constituée, traire un homme doit être un plaisir raffiné. Peut-être qu'une oie privilégiée était en train de gaver une colonie de Périgourdins pour leur foutre une bonne cirrhose avant de s'engraisser à son tour en vendant leur foie gras ? Et pourquoi un esturgeon ne procéderait-il pas à l'ablation des ovaires des dames de la « haute » pour les vendre en boîte sous le nom de « caviar » ? Ne peut-on pas penser qu'un veau puisse élever des jeunes gens à l'infrarouge et les céder à William Saurin après les avoir piqués aux hormones ?

— Attention ! Je vais mettre les réacteurs !

En disant cela, le cheval appuya sur un bouton du tableau de bord situé devant lui. Un bond formidable me colla contre le dossier de ma banquette et, dans un bruit de fusée, nous décollâmes presque à la verticale. Je vis avec stupeur que les fonds des pantalons des quatre cochers venaient de s'ouvrir pour laisser passer un tube de métal d'où sortaient des flammes jaunes. Chaque homme était transformé en turbo et tirait l'astro-cab vers les nuages à la vitesse grand V.

— Regardez l'écran de télé ! hurla le cheval fou.

Une sorte de petite régie de télévision était placée sur le plancher, aux pieds de l'antenne. Chaque récepteur montrait un équipage semblable au nôtre mais différent par la couleur du cheval et la casaque des cochers. Le Pégase parvint à m'en donner la raison malgré le bruit assourdissant des homoréacteurs.

— Chaque fois que nous nous déplaçons, des courses sont automatiquement organisées et tous les chevaux du Purgatoire peuvent prendre des paris. Les hommes n'ont pas le droit de jouer. En ce moment, nous courons pour le tiercé ! Yeaaah !

Sur les écrans de contrôle, je voyais les autres chevaux, le fouet au sabot. En donnant des grands coups de lanière pour stimuler la vigueur de leurs attelages, ils surveillaient les récepteurs qui donnaient la position de chacun par rapport aux autres. Les places étaient indiquées par des barres fluorescentes qui apparaissaient en superposition sur l'image.

— Cramponnez-vous, hennit le cheval, c'est le sprint final !

Nous nous trouvions à une centaine de mètres au-dessus du sol. J'avais l'impression que nos roues touchaient les toits des édifices survolés. Voir le Purgatoire de cette façon me rappelait les moments où j'avais découvert des pays qui m'étaient inconnus. Quel dommage de ne plus pouvoir photographier l'insolite ! Des milliers d'habitations purgatoriennes s'étendaient à perte de vue et montaient vers nous comme un gigantesque jeu de construction. Des cubes roses, des pyramides bleues, des sphères rouges, des parallélépipèdes jaunes laissaient courir les rues le long de leurs façades de cristal. De ma hauteur je pouvais apercevoir la circulation intense de cette métropole transitaire où la folie était la base même de la raison.

Le sifflement des tuyères devint de plus en plus fort lorsque nous piquâmes vers un édifice plus haut que les autres. Raide comme un tronc d'arbre, je me retenais aux poignées de mon siège. Je vis arriver le toit de l'immeuble en pensant que j'allais le prendre en pleine figure. Il y eut une brusque décélération quand le cheval, en appuyant sur un autre bouton, transforma les oreilles des quatre cochers en aérofreins. Nous nous posâmes en douceur sur la terrasse. Le cheval exultait.

— Yeaaah ! Nous avons gagné !

Plusieurs autres cabriolets vinrent se placer à côté du nôtre. Les chevaux se saluèrent mutuellement d'un gracieux mouvement de crinière.

— Vous êtes arrivé, monsieur Attier, me dit mon chauffeur personnel en donnant un coup de sabot dans la porte qui s'ouvrit sous le choc. Nous sommes sur le toit du ministère de l'Extérieur. Un huissier va venir vous chercher.

Je remerciai ce superbe cheval qui souriait de toutes ses dents. Je ne pus m'empêcher de lui demander qui étaient les gens attelés aux brancards de l'astro-cab. Il m'informa aussitôt.

— Le premier à gauche était propriétaire d'une écurie de courses, son voisin était éleveur en Normandie. Au deuxième rang à droite, vous avez un entraîneur et, à côté, un jockey.

D'après mon ancienne notion du temps, il devait y avoir un bon quart d'heure que j'attendais là, assis parmi d'autres personnes. Un ange huissier était venu me chercher sur la terrasse et m'avait conduit dans une immense salle voûtée. Une centaine de personnes, silencieuses, avaient salué mon arrivée en faisant discrètement clignoter leurs lumières. L'huissier m'avait remis un numéro d'appel en m'indiquant que sa couleur était prioritaire pour l'ordre des audiences. Le spectacle qui s'offrait à moi aurait fait pâlir de jalousie les plus grands metteurs en scène du monde. Je n'étais pas loin de penser que Cecil B. de Mille allait tourner un film et qu'il avait convoqué des figurants pour leur faire passer une audition. Assise à quelques pas de moi, une femme souriait. Je reconnus la Joconde et lui rendis son sourire. Un peu plus loin, Napoléon Bonaparte venait d'ouvrir un panier-repas et distribuait des sandwiches au saucisson corse à toute sa famille. Derrière lui, Mme de Sévigné dictait son courrier à Victor Hugo et Galilée essuyait ses lunettes avec un pan de chemise qui sortait de la culotte du roi Dagobert. Il me fut impossible de mettre un nom sur tous les visages connus que je découvris en balayant l'assemblée du regard. J'étais médusé par ce magnifique musée Grévin qui attendait d'être reçu par saint Pierre.

Une porte s'ouvrit au fond de la salle. Louis XVI et Marie-Antoinette apparurent côte à côte, tous sourires dehors. Se donnant le bras, ils traversèrent la pièce en distribuant des saluts à tout le monde. Des applaudissements crépitèrent à l'intention des monarques qui venaient de s'arrêter, face au public. Louis XVI leva la main pour réclamer le silence.

— Mes amis, nous sommes réhabilités !

Une formidable ovation retentit sous la voûte. Les gens étaient fous de joie, surtout les nobles qui se mirent à lancer leurs chapeaux en l'air. Malesherbes, qui se trouvait à ma droite et qui ne portait pas de chapeau, lança sa tête en l'air pour marquer son enthousiasme. Elle retomba dans le panier-repas de Napoléon qui la lui rendit après lui avoir pincé l'oreille.

— Nous avons payé notre dette au Seigneur, continua Louis XVI. Nous embarquons pour le Paradis par le vol 1789, le 14 juillet prochain. Alléluia !

Ils disparurent sous les hourras d'un peuple ravi de voir le bonheur d'un couple qui avait enfin la tête sur les épaules.

Un appariteur mit fin au sympathique vacarme, puis il fit l'appel d'un numéro.

— Le 287 !

Un homme se leva brusquement de sa chaise en renversant la bassine dans laquelle il prenait un bain de pieds.

— Eurêka ! cria Archimède en quittant la salle d'attente.

Grâce à mon ticket prioritaire, je n'attendis pas longtemps avant d'être reçu par saint Pierre. Avec une grande courtoisie, il me débarrassa du cigare et du verre de cognac qui gênaient tant mes mouvements. En les posant sur son bureau, le Premier ministre me dit, de sa belle voix grave :

— Si vous acceptez la mission qui va vous être confiée, vous n'aurez plus besoin de ces accessoires de débauche.

J'observais saint Pierre avec étonnement. J'avais toujours cru que le père des papes était un solide gaillard — barbu évidemment — et qu'il avait une allure distinguée. Or, j'étais devant un petit bonhomme qui ressemblait à Paul Préboist et dont la robe sentait le poisson. J'eus, à ce moment précis, la certitude qu'il était impossible de cacher ses origines derrière un certificat de notoriété. Du reste, le

Grand Portier ne me semblait pas avoir envie de planquer ses racines. Il m'en fournit la preuve en désignant quelques objets accrochés au mur.

— Vous voyez ce bas de ligne ? C'est du trente centième. C'est avec lui que j'ai pris une carpe de seize kilos dans le lac de Génésareth. Et cette canne ? En vrai bambou refendu au Japon avec un scion en roseau de Palestine ! Vous êtes pêcheur ?

— Ma foi...

— Je ne parle pas de votre foi. Avec elle, vous n'avez pas dû prendre grand-chose.

Il y eut un moment de gêne. Notre conversation badine revint vers des sujets plus graves.

— Voici pourquoi je vous ai convoqué sans attendre le délai nécessaire à la bonification de votre âme. Vous vous appelez Pierre Attier et vous avez cinquante-six ans. Reporter photographe à l'AFP, votre métier vous a habitué à ramener les documents les plus frappants issus des situations les plus difficiles. Nous avons décidé de vous envoyer en Enfer pour un grand reportage.

Je reçus comme un coup de masse sur la tête. Au mot « Enfer », une sensation de chaleur intense m'envahit. Paralysé, il m'était impossible de répondre. Saint Pierre enchaîna, ignorant mon trouble :

— Les agissements de Satan nous inquiètent. Nous avons besoin d'un agent secret qui s'infiltrera dans les services administratifs du démon afin de découvrir les méthodes qu'il emploie contre nous. Vous allez subir un entraînement spécial avant d'être renvoyé sur la Terre pour y commettre les mauvaises actions qui constitueront, en somme, votre passeport pour l'Enfer. Il nous est en effet impossible de vous muter directement. Les contrôles de Satan sont très stricts et il n'accepte chez lui que les âmes complètement pourries.

Quelques sons indistincts sortirent de ma gorge.

— Moi ? Pourquoi moi ? Je...

Pierre souleva sa robe blanche pour se mettre à califourchon sur un prie-Dieu. On aurait dit un chat blanc devant une pauvre souris affolée.

— Votre récente arrivée parmi nous représente un atout pour la réussite de cette mission. Votre mémoire étant encore bien imprégnée des mœurs terriennes, cela vous évitera de perdre du temps à réapprendre les rudiments de la vie.

Je pus enfin avaler la grosse boule de stupeur qui s'était coincée entre mes amygdales. Un flot de questions horrifiées quitta ma bouche en catastrophe :

— Mais je n'ai pas mérité l'Enfer. Pourquoi moi ? Il y en a de plus salauds. Pourquoi ne pas prendre un homme politique, un authentique malfaisant, un assassin véritable ?

— Non. Ces gens-là seraient capables de faire un pacte avec le diable. Nous avons besoin d'un véritable James Bond qui sera dévoué à notre cause et qui pourra photographier Satan, ses pompes et ses œuvres. Les documents que vous nous rapporterez seront un ticket prioritaire pour votre entrée au Paradis.

— Et si je ne peux plus revenir ? Si je suis jeté dans les flammes pour l'éternité ?

Saint Pierre sortit un carré d'as.

— Quand le moment sera venu, nous vous échangerons contre un ayatollah de la pire espèce que nous mettrons au frais dans cette attente. Le démon ne pourra pas résister à la tentation de récupérer l'un de ses meilleurs représentants.

— Vous allez me ressusciter ?

— Comprenez-moi bien, dit saint Pierre en appuyant sur les mots. Pour que votre admission en

Enfer paraisse normale, il vous faut repasser par la Terre. Nous mettons à votre disposition les sept péchés capitaux. Si vous en faites une bonne utilisation dans un laps de temps relativement court, Satan sera intéressé par votre performance et vous ouvrira ses portes tout à fait naturellement. Cela dit, nous n'allons pas vous ressusciter, nous allons vous faire renaître.

Je ressentis comme un grand moment de lassitude. L'idée de recommencer la vie à zéro me fila un coup de pompe qui n'échappa pas au regard acéré du Premier ministre. Je n'avais plus le courage de trimbaler un corps dans cette foire d'empoigne que je venais de quitter sur un coup de cœur. Il allait falloir user mon paquet de viande fraîche sur les bancs des écoles, recevoir à nouveau les gifles des professeurs d'existence, pleurer mes premières amours dans des lits inconnus, poursuivre le fric dans des safaris où les chasseurs tirent sur les invités, faire des enfants-jouets pour les regarder marcher à quatre pattes sur une moquette achetée à crédit, vieillir en ajoutant ma bêtise à celle des autres et, enfin, mourir de fatigue pour laisser ma place au suivant. Bien sûr, il y a de temps en temps des violettes qui poussent non loin des décharges publiques, mais le prix qu'il faut les payer met la fleur des champs hors de portée des bourses modestes.

— Je vais rester longtemps sur Terre ? demandai-je, inquiet.

Pierre abandonna son prie-Dieu et fit un geste évasif.

— Ça va dépendre de votre bonne volonté. Si vous condensez les turpitudes et les bassesses, si vous faites une bonne utilisation de vos péchés, vous pouvez battre des records de vitesse. Il y a bien des enfants de douze ans qui assassinent leur famille. Evidemment, si vous en arrivez là, ce serait parfait.

J'étais horrifié d'entendre le premier apôtre parler ainsi. Il crut bon de s'excuser :

— Le mal est l'unique raison d'être du bien. Vos victimes en puissance connaîtront la félicité grâce à vous. En compensation, elles seront accueillies aux places d'honneur sans avoir besoin d'attendre la correspondance au Purgatoire.

— Et moi, qu'est-ce que je deviens dans cette affaire ? dis-je, peu convaincu. Je vais avoir une âme plus noire qu'un morceau d'anthracite et Dieu sait que le diable a besoin de charbon !

— Votre sens des réalités vous conduira directement à la droite du Seigneur.

— Y a encore de la place ? marmonnai-je.

— Oui, répondit saint Pierre. En revanche, à gauche il ne reste plus que des strapontins car tous les fauteuils sont occupés par les utopistes.

Si je n'avais pas été mort, j'aurais pu penser que j'étais en train de vivre un cauchemar. Tout à coup, je ressentis comme un spasme à l'endroit où se trouvait mon ventre quand il me servait à quelque chose. Des contractions musculaires grimpèrent au niveau de l'estomac pour s'infiltrer dans le souvenir de mes poumons. Ce qui m'obligea à élargir l'emplacement de mon ancienne bouche pour produire de bruyantes expirations saccadées. Autrement dit, j'étais tout simplement en train de me marrer comme un bossu qui découvre un chameau. J'éprouvai un violent besoin de me lever de mon siège mais il me fut impossible de le faire car j'étais debout depuis mon entrée dans le bureau de saint Pierre. Devant mon brusque changement d'attitude, le Premier ministre me regarda en souriant et dit :

— Vous prenez bien les choses, finalement ?

Je tentai d'excuser ma réaction nerveuse en essayant de glisser quelques mots cohérents au milieu de mon rire. Le résultat fut lamentable. On aurait dit un bafouilleur de music-hall atteint d'une crise de hoquet. Plié en deux, je dus me retenir en m'accrochant à l'un des filets de pêche qui décoraient le mur. Je voulus tout de même exprimer la pensée qui m'avait mis dans un tel état :

— Et dire... et dire qu'on m'avait dit...

— Que voulez-vous dire ? dit saint Pierre.

C'est à ce moment précis que le filet nous tomba dessus. Empêtrés dans les mailles de l'engin, nous avions perdu le fil de la conversation. Malgré notre absence de matérialité, l'objet retenait la forme de nos corps comme s'il voulait prouver la supériorité de la matière sur l'esprit. Faisant des mouvements désordonnés pour nous débarrasser du piège, nous avions l'air de deux danseurs classiques dont les circuits auraient été inversés. Si cet accident s'était passé sur terre, il y a longtemps que saint Pierre m'aurait crevé l'œil gauche en y enfonçant son index droit et que je lui aurais mis mon pied dans la bouche. Pour tout arranger, le pape en chef fut contaminé par la rigolade qui me secouait de plus en plus et il avait oublié la mission dont Dieu l'avait chargé.

Il est curieux de voir à quel point les objets peuvent avoir une influence sur la destinée et le comportement des êtres. L'histoire fourmille d'absurdités ménagères dont nous ressentons encore les néfastes effets plusieurs millénaires après : le vase de Soissons, le tonneau des Danaïdes, la nuit des longs couteaux et, plus près de nous, l'assiette des impôts et la fourchette des sondages. Tant de décisions ont été prises ou modifiées parce que le lustre de la salle à manger est tombé dans la soupière le soir où le chef de bureau est venu dîner à la maison. On ne soulignera jamais assez l'influence catastrophique des sonnettes sur les poussées démographiques. J'en parle en connaissance de cause car j'ai bien failli ne pas venir au monde par la faute d'un coup de téléphone. Mon père, qui était un être émotif, avait eu, en effet, l'orgasme perturbé par un appel de province.

Nous parvînmes enfin à nous libérer du filet. Cette aventure m'avait rapproché de Pierre et je pus lui dire ce qui avait provoqué mon fou rire.

— Quand je pense, très Saint-Père, que nous sommes sur la Terre pour gagner notre Paradis en bossant comme des fous au milieu des pires emmerdements et qu'à peine arrivé ici on me propose dix fois pire ! C'est la preuve flagrante que je n'ai jamais eu de veine avec les assurances. J'ai passé ma vie à payer des cotisations et je n'ai jamais eu le plaisir d'avoir le feu chez moi pour récupérer mon pognon. De plus, j'ai acheté des milliers de points de retraite et, au lieu de casser ma tirelire, j'ai cassé ma pipe. Pour tout arranger, vous me sautez sur le linceul pour me renvoyer en reportage chez les fous, me transformer en délinquant notoire, faire de moi un suppôt de Satan pour aller lui photographier l'intimité en me cachant dans sa chaudière.

Saint Pierre fut pris à son tour d'un rire nerveux qui lui fit monter les larmes aux yeux. Il parvint à dire, entre deux hoquets :

— On appelle ça... le repos éternel !

Que répondre à ça ? Si l'humour est le plaisir des dieux, alors tant pis, je veux bien entrer dans la partie de tartes. Si j'en prends quelques-unes, ça me fera des souvenirs pour plus tard, quand mes enfants m'auront rejoint aux confins du ciel tranquille. Ayant retrouvé son calme, le Premier ministre me posa la question de confiance :

— Alors, vous acceptez ?

Ces mots me rajeunirent de trente ans. A l'AFP, mon premier patron avait prononcé la même phrase avant de m'expédier chez les derniers sauvages d'Amazonie. J'en avais ramené des documents extraordinaires qui illustrent encore un livre de cuisine préfacé par Curnonsky. Mon chef-d'œuvre figure sur la couverture : une photo représentant le fameux pâté de tête à la Jivaro.

— J'accepte, m'entendis-je répondre.

La curiosité l'emportait sur la sagesse. Quel est le grand reporter qui aurait pu refuser une telle mission ? Tous les jeunes gens qui ont débuté dans le journalisme à la rubrique des chiens écrasés ont rêvé d'être expédiés aux endroits où le monde joue son avenir sur une partie de bonneteau. Lorsque je suis entré au *Réveil de la Loire-Atlantique,* j'avais vingt-deux ans, un bel appareil tout neuf et une ambition démesurée. J'ai piétiné dans les comices agricoles, les kermesses paroissiales et les concours de pêche. J'ai photographié des porcs, des évêques et des paniers de gardons. Mon Leïca avalait tout ce qui se trouvait à portée de son objectif. Après trois ans de bons et loyaux services, il est mort d'une indigestion en faisant entendre un déclic fatigué par une nourriture sans calories. J'ai changé de journal et d'appareil mais, malgré ma carrière ascendante, aucun patron de presse ne m'a jamais proposé le scoop de ma vie. Une bouffée d'orgueil me monta à l'esprit quand saint Pierre me sacra reporter de Dieu.

— A partir de maintenant, Attier, vous êtes sous les ordres de notre grand rédacteur en chef, saint Matthieu. Vous allez vous rendre à la rédaction de

Paradis-Soir dans ses locaux du Purgatoire. Vous y recevrez les informations nécessaires à la bonne marche de votre mission.

Instinctivement, je me mis à genoux devant le Premier ministre. Par réflexe professionnel, je ne pus m'empêcher de lui demander une avance sur les frais que j'allais devoir engager.

— Très saint Pierre, compte tenu des risques que je vais encourir, puis-je avoir un acompte sur ma rédemption future ?

Sa main paternelle se posa sur mon front et il me donna la bénédiction.

— De toute façon, dit-il, ça ne peut pas faire de mal !

La succursale de *Paradis-Soir* était située dans la grande banlieue du Purgatoire. Une intense activité régnait dans cette ZAC qui regroupait les services administratifs des plus importantes sociétés contrôlées par le gouvernement du ciel. Outre les organes directeurs de celles-ci, il y avait des blocs de production d'où sortaient les matières premières indispensables à la santé des âmes en réfection. On pouvait voir aussi des usines à nuages — les nimbus, cumulus et autres stratus étaient propulsés par des pipe-lines géants vers les planètes en voie de fertilisation — et des fabriques de chaleur qui produisaient des concentrations caloriques à haut degré pour les expédier vers des centrales de distribution plus communément appelées : soleils.

Tous les ingrédients de base, indispensables à l'activité de l'univers, venaient de cette zone industrielle et administrative qui ressemblait à une fourmilière. Les rues grouillaient d'anges-contremaîtres de tous acabits et d'anciens vivants recyclés dans le travail pénitent.

Muni d'un plan que m'avait donné saint Pierre, j'avais fait le trajet à pied jusqu'aux locaux du journal. Mon parcours fut jalonné de surprises. C'est ainsi que je vis Léonard de Vinci, juché sur un échafaudage, repeignant la façade d'un immeuble. Je croisai le marquis de Sade, attelé à une charrette à bras, suppliant qu'on le fouette pour le faire avancer. Je crus voir Attila en train de semer du gazon et Richelieu recopiant à la main le dictionnaire de l'Académie française. Au milieu de toute cette faune active, on reconnaissait facilement ceux qui payaient leurs fautes en exécutant les basses besognes dont ils avaient chargé les autres durant leur vie. Les promoteurs immobiliers gâchaient du plâtre pour colmater les lézardes des maisons, les généraux balayaient la cour des usines et les gérants de sociétés financières faisaient la quête au profit des jobards qu'ils avaient quelquefois ruinés.

Dans le fond, j'étais heureux d'avoir été épargné par la justice divine. Sans cela, je me serais retrouvé à la place des pauvres types que j'avais photographiés pour mettre du confort dans mon existence. Je ne me voyais pas en habitant du Tiers-Monde montrant mes côtelettes noires sur la page en couleurs d'un hebdo à sensation.

Le hall dans lequel je venais d'entrer ressemblait un peu à celui de *France-Soir*. Un ange planton s'empara de la lettre de recommandation que m'avait donnée saint Pierre. Négligeant le grand escalier, il s'envola par la cage de l'ascenseur. En attendant qu'il revienne, je jetai un coup d'œil sur les alentours. Je connaissais bien cette agitation propre à tous les grands quotidiens. Les gens entraient et sortaient en coup de vent, se lançant parfois un salut ou s'arrêtant deux secondes pour échanger une poignée de main. Les seuls qui semblaient détendus étaient les pigeons voyageurs qui portaient les dépêches de dernière heure. Ils prenaient le temps de se percher sur la rampe de l'escalier et de se bécoter en mélangeant un peu de leur duvet.

Le planton revint se planter sur son bureau. En refermant ses ailes, il renversa l'encrier dont le contenu tomba dans un tiroir aussi ouvert que le sourire qu'il arborait. Je tentai de limiter les dégâts en écartant le registre des visites.

— Ne vous en faites pas, me dit-il, rassurant. Ici, même l'encre est sympathique.

Quelle différence avec les bureaux d'accueil de la Terre ! Combien de fois je suis tombé sur des hargneux qui avaient mis leur amabilité au clou... Combien de fois je suis tombé sur des hôtesses grinçantes à cause de la rouille qu'elles devaient avoir entre les jambes... Pourquoi faut-il que ceux qui font office de panneaux indicateurs soient si désagréables ? Peut-être parce que le renseignement est gratuit ?

Quelques instants plus tard, le gentil portier me fit entrer dans la salle de rédaction. Un saint en bras de chemise se précipita vers moi. Il portait l'auréole sur le devant du front, presque au ras des sourcils. Un élastique, passé derrière sa tête, retenait ce couvre-chef qui ressemblait à la visière des journalistes du Far West.

— Matthieu, me dit-il en guise de présentation. Je suis au courant de ce qui vous amène. Venez, nous serons plus tranquilles dans mon bureau.

Avant de pénétrer dans l'antre du chef, je jetai un rapide coup d'œil sur la salle de rédaction. Des centaines de tables accolées les unes aux autres supportaient des téléscripteurs, des bélinographes et des ordinateurs de toutes sortes. Dans un crépitement incessant, beaucoup d'employés se déplaçaient dans tous les sens, le crayon sur l'oreille et des feuillets à la main. Le bureau de Matthieu était la synthèse de tous ces désordres.

— Asseyez-vous là, dit-il en balayant du bras une pile de journaux qu'il envoya dinguer par terre.

Je pris place sur un vieux récepteur de télévision qui faisait office de siège pour les visiteurs. Saint Matthieu se laissa tomber dans un fauteuil qui avait l'air aussi crevé que lui. Il s'épongea le front avec un tampon buvard et empoigna une bouteille d'eau. Après avoir bu au goulot, il me la tendit.

— Buvez, ça remonte. C'est de l'eau bénite.

J'avalai quelques gorgées en regardant Matthieu. De taille moyenne, il était maigre et chauve. Les rides de son visage faisaient beaucoup plus penser au plan de Paris qu'à une figure d'homme. Coincés entre ces sillons, deux petits yeux verts clignotaient comme des feux de circulation. Le nez, la bouche et les oreilles semblaient avoir été dessinés par un caricaturiste atteint de la maladie de Parkinson. Il se bloqua le menton dans les paumes de ses mains et appuya ses coudes sur le bureau. Face à moi, je ne vis plus qu'un compas surmonté d'une petite boule qui parlait.

— Si vous saviez comme j'en ai ma claque de travailler avec des plumitifs qui prennent la syntaxe pour une fille de joie. Comme disait Vaugelas en parlant de ses petits-enfants : « S'ils ne respectent pas leur grammaire, ils méritent un coup de pompe dans le train. » Ici, il faut que je me tape tout le boulot ! C'est tout juste s'il ne faut pas que je me farcisse le marbre pour éviter les erreurs. Vous avez lu le canard aujourd'hui ? Il y a tellement de coquilles qu'on se croirait devant une assiette de palourdes. Vous écriviez vos articles ?

— Non, répondis-je vivement, moi, c'était plutôt la photographie.

— Tant mieux. L'image est souvent plus précise que les mots. Si j'avais eu un Kodak quand j'ai écrit l'Evangile, on se serait moins gouré dans l'interprétation. Le Nouveau Testament aurait été le best-seller des romans-photos et on aurait pu se passer des traducteurs qui ont déformé la pensée de l'auteur. Ça se vend bien, la Bible, sur Terre ?

— Je pense que ça fait toujours un tirage honnête. Il y a une bonne promotion dans les hôtels quatre étoiles fréquentés par les Américains. On trouve gratuitement le bouquin dans le tiroir de la table de nuit.

Matthieu eut l'air un peu déçu. Il enchaîna en soupirant :

— Si je comprends bien, il faut avoir du pognon pour se rapprocher du bon Dieu ? Il est déplorable que le pauvre mec qui couche au « Moch-Bar » doive rester dans l'ignorance parce qu'il est payé au SMIC.

J'étais quand même assez étonné par le langage argotique de l'auteur du premier Evangile. A force de travailler dans le sérieux, peut-être avait-il envie de prendre des vacances verbales ? J'ai connu quelques puristes de l'expression écrite qui se défoulaient de temps en temps en parlant comme des charretiers et certains poètes délicats qui employaient le juron sonore pour oublier les fleurs de leurs alexandrins. C'est peut-être bon pour la santé intellectuelle.

Saint Matthieu entra brusquement dans le vif du sujet qui motivait ma présence :

— En tant que reporter, vous êtes donc directement placé sous mes ordres. Lorsque vous serez en Enfer, vous me refilerez vos renseignements par un procédé téléphotographique unique. Avant de vous renvoyer sur la Terre, nos services infiltreront dans votre âme une sorte d'appareil infinitésimal qui vous permettra de photographier les documents en les regardant. Si vous préférez, vous serez comme un périscope à l'envers grâce auquel nous pourrons voir ce qui se passe dans la soute à charbon. Vous serez notre envoyé spécial aux Enfers. Je n'ai pas besoin de vous apprendre votre boulot. A vous de forcer les barrages pour m'envoyer du sensationnel. Je veux de l'inédit, du fracassant, du fumant.

Pour la fumée, j'allais certainement en avoir ! Rien qu'à l'idée d'aller ramoner les cheminées du diable, je sentais déjà des courants d'air chaud dans mes endroits sensibles. En activant la combustion de mes cellules grises, *Paradis-Soir* allait augmenter son tirage !

Mes réflexions furent interrompues par l'arrivée en coup de vent d'un être bizarre. Dès son entrée, tous les papiers du bureau s'envolèrent. La fenêtre se referma sèchement, poussée par une bourrasque subite. En voulant rattraper la crémone au vol, Matthieu se prit les pieds dans la carpette et me tomba dessus, entraînant un lampadaire dans sa chute. Il y eut un court-circuit au niveau de la prise de courant et le feu attaqua les franges d'un rideau. Le nouveau visiteur décrocha l'extincteur mural et appuya sur la gâchette en direction de l'incendie. Comme il tenait l'appareil à l'envers, il reçut le jet de neige carbonique en pleine figure. Aveuglé, il trébucha sur Matthieu qui commençait à se relever. Ils retombèrent tous les deux contre une vitrine qui se brisa. Quant à moi, j'avais les fesses coincées dans le téléviseur sur lequel j'étais assis et dont le dessus avait cédé sous mon poids.

Ce fut le visiteur qui eut la présence d'esprit

d'arracher le tuyau d'eau alimentant un lavabo au fond de la pièce. Avec cette lance improvisée, il réussit à circonscrire l'incendie. Il se retourna vers nous, l'air satisfait. Ce qui permit à saint Matthieu de prendre le jet d'eau de plein fouet. M'étant enfin dégagé du téléviseur, je pus me précipiter sur le robinet d'alimentation.

Le calme revint. Pendant une fraction de seconde, je pensai que la « vie » au Purgatoire n'était forcément pas de tout repos. Après m'être sorti du filet de saint Pierre, je venais d'assister à un mini-cataclysme. Ce qui m'étonna le plus, c'est le calme des deux saints. Devant les dégâts des lieux, ils affichaient une indifférence totale. Comme si rien ne s'était passé, Matthieu examina le document que l'autre venait de sortir de la poche de sa robe. C'est dans un silence complet que je pus détailler celui qui avait provoqué la panique.

Il semblait rafistolé de partout. Son visage était parsemé de petits pansements adhésifs qui empêchaient de bien voir la forme de ses traits. Il avait le bras gauche dans le plâtre. Ses vêtements étaient rapiécés et la seule chaussure qu'il portait était retenue à son pied droit par un bout de ficelle. Son auréole, réparée avec du fil de fer, pendait lamentablement, accrochée à l'une de ses oreilles.

Matthieu rompit le silence en semblant me découvrir pour la première fois.

— Oh ! Excusez-moi. Je vous présente saint Jean, l'auteur de *L'Apocalypse*.

Le capitaine Shkrr m'avait lui-même conduit au centre d'entraînement des brigades spéciales. Il était venu me chercher à *Paradis-Soir* après les ultimes recommandations de mon nouveau rédacteur en chef. On m'avait prêté une paire d'ailes et c'est en volant, aidé par l'androgyne méfiant, que j'avais gagné un bâtiment ressemblant à une caserne.

Mon séjour y fut particulièrement pénible. Pris en main par un ange-adjudant qui se faisait appeler Marchoukrev, je crus bien mourir une deuxième fois sous les effets de sa cruauté mentale. Après les formalités d'incorporation dans le commando des opérations extérieures, on me fit commencer les exercices de désagrégation de la personnalité. Afin que je puisse retrouver la Terre avec un esprit ouvert à toutes les mauvaises actions, il fallait écraser sans pitié les bons côtés de ma mémoire.

Chaque jour, je prenais des cours d'immoralité dans une petite salle de classe. Etant donné la particularité de ma mission, j'étais le seul élève instruit par Marchoukrev qui aurait certainement remporté une médaille d'or au rallye des faux jetons. La première leçon me laissa à plat ventre sur les bons principes, épuisé par une mauvaise fatigue. Dès que je fus mis en présence de l'ange-adjudant, instinctivement je lui avais souhaité le bonjour. Il m'attaqua, bille en tête :

— On ne dit pas bonjour. On se fout éperdument de ce que deviendra la journée des autres. Il faut que vous cessiez de vous occuper des bonheurs qui ne vous concernent pas. Ouvrez votre manuel au paragraphe « Péchés capitaux » et imaginez-vous dans une situation où les sept défauts apparaîtront dans un temps le plus court possible.

Je me mis à bredouiller une histoire compliquée, longue et sans intérêt. Marchoukrev m'arrêta :

— Lorsque vous serez sur Terre, il faudra aller plus vite que ça. Nous n'avons pas les moyens de vous payer des vacances prolongées parce que vos scrupules provoquent des embouteillages. Voici un exemple de rapidité qui vous fera gagner du temps.

Avec un sourire aussi franc que la surface d'une mare à grenouilles, il me fit un condensé qui me plongea dans l'expectative :

— Dans une auberge réputée, vous mangez avec GOURMANDISE. Après avoir commandé un café vous regardez la patronne avec ENVIE. Elle ne résiste pas à votre charme. Vous l'entraînez dans votre chambre et vous vous vautrez dans la LUXURE. Vos performances vous donnent un sentiment d'ORGUEIL. La patronne rejoint les autres clients tandis que vous cédez à la PARESSE. Vous redescendez tout de même au restaurant pour finir votre café. Vous entrez dans une violente COLÈRE quand vous vous apercevez qu'il est froid. Ce qui vous donne une bonne raison pour ne pas payer votre repas sans qu'on vous taxe d'AVARICE.

Malgré moi, j'éprouvais un sentiment d'admiration devant la perfidie de l'adjudant. Le lendemain, il me fit étudier les principaux passages d'un opuscule intitulé : « La déchéance morale chez l'australopithèque incroyant. »

Je fus fasciné par le côté pratique de nos arrière-grands-parents qui n'hésitaient pas à prélever des tibias sur les enfants de leurs voisins pour en faire des plantoirs agricoles. Je me pris à envier le sinanthropus pekineusis qui sniffait du pavot, allongé sur des pousse-pousse en granit. Je me sentis plein de jalousie envers le meganthropus de Java qui honorait sa femme en lui faisant le coup du balancier. Cette technique amoureuse se pratiquait essentiellement au bord de la mer. Le mâle s'accrochait aux lianes d'un arbre poussant sur une falaise et, selon le principe du balancier, il se laissait descendre vers sa compagne, le désir pointé en avant. Celle-ci, en position de prière mahométane, offrait un réceptacle évident. Le choc la propulsait directement dans l'océan où elle pouvait faire sa toilette intime sans perdre de temps. C'est à mon avis ce qu'on appelait déjà la dangereuse poussée démographique de l'Indonésie.

Cette étude de l'égoïsme me fit comprendre beaucoup de choses. Il est, en effet, beaucoup plus agréable de ne pas se priver quand les avantages sont à portée de la main. J'en eus la confirmation lorsque mon instructeur me parla du vol :

— Il faudra que vous perdiez l'habitude de penser que le vol est une mauvaise action. Ce n'est que la répartition du bien d'autrui qui donne un nouvel équilibre à la propriété. S'emparer de la matière n'est jamais préjudiciable à la pensée de son possesseur si celui-ci ne se rend pas compte qu'il est victime d'un vol. Ce que vous appelez le fisc donne une parfaite image du gang légal et structuré. Ses hold-up, protégés par la loi, sont acceptés par les victimes à qui l'on fait croire qu'il s'agit d'une justice sociale.

En écoutant Marchoukrev, je sentais qu'il y avait en moi une transformation de mon ancienne façon de penser. Durant ma vie, comme tout le monde, j'avais pesté contre les braquages de l'hôtel des Impôts. Les paroles de mon professeur me donnaient une nouvelle philosophie qui me faisait placer l'escroquerie parmi les beaux-arts.

— Il ne faut jamais commettre de petits larcins, continua l'ange. Les chapardages et autres resquilles ne feront que vous faire perdre du temps. Ne donnez pas dans l'artisanat mais consacrez-vous à la grande industrie du détournement. Soyez financier ou marchand de canons. Si votre intelligence est exceptionnelle, vous serez dictateur, despote ou tyran. Vous aurez à vos côtés la police, l'armée, la justice et quelques représentants de Dieu. Vous pourrez ainsi ajouter les massacres à vos activités et arriver plus vite aux portes de l'Enfer. Bien entendu, cela est réservé à de rares privilégiés car on ne rencontre pas tous les jours Hérode, Néron et Hitler.

Insensiblement, les préceptes de Marchoukrev s'infiltrèrent dans ma conscience et je me sentis devenir délicieusement mauvais. Ce goutte-à-goutte pernicieux me rendit agressif pour la plus grande joie de mon éducateur. Un jour, je lui crachai en pleine figure sans aucune raison.

— Bravo ! me dit-il, heureux comme un petit garçon qui vient de recevoir son premier train électrique. Vous êtes en plein progrès.

Je me suis longtemps demandé comment j'avais pu récupérer un crachat dans des poumons que j'avais laissés dans la tombe. Ce qui prouve qu'avec la volonté de nuire on peut faire naître la mauvaise humeur. Marchoukrev voulut vérifier la solidité de ma nouvelle nature.

— Si quelqu'un vous frappe sur la joue gauche, que faites-vous ?

— Je lui mets un coup de latte dans les parties ! répondis-je du tac au tac.

Grâce à ma soif d'apprendre, je fus bientôt apte à l'entraînement spécial des groupes de combat. Ce qui me différenciait du commando, c'est que j'étais un combattant isolé. Soumis à la même discipline que les sections destinées aux interventions rapides, je dus faire appel à toute ma volonté pour ne pas craquer avant la fin de mon instruction.

Etant donné que j'allais naître sur la Terre une seconde fois, on me fit apprendre par cœur le plan de l'appareil génital de la femme. En tant que spermatozoïde, il allait falloir jouer des coudes pour éliminer les concurrents. On avait reconstitué, derrière le bâtiment, le parcours du spermato à l'aide de cloisons, de tunnels, de tuyaux et d'obstacles divers. Le jour du premier exercice, quelques centaines de figurants devaient tenir les rôles des gamètes mâles ayant franchi les premiers barrages. Il était impossible de reconstituer le marathon dans sa forme exacte vu le trop grand nombre de participants qu'il aurait fallu réunir. Ceux qui étaient présents à mes côtés étaient censés tenir les rôles de leaders.

Nous nous mîmes sur la ligne de départ, un genou et les mains appuyés sur le sol. Marchoukrev tira un coup de feu et les spermatos bondirent en avant. Ma nouvelle agressivité me permit d'éliminer, d'une manchette en pleine figure, mon voisin de gauche qui s'était agrippé à moi. Profitant de l'élan de mon bras, je fis un demi-tour pour aller cueillir un ahuri qui courait à ma droite. Mon poing lui transforma le nez en galette bretonne. Aveuglé par la confiture de groseilles qui lui coulait des narines, il prit le col de l'utérus en pleine poire. Ce dernier étant représenté par un bidon vide, il y eut un bruit de gong qui mit fin à l'activité sportive du coureur de fond.

Je me sentais dans une forme éblouissante. Les vitamines de méchanceté, que l'ange-adjudant m'avait fait prendre pendant mon instruction, me transformaient en superman. Jamais je ne m'étais senti aussi supérieur. Durant plus d'un demi-siècle, j'avais barboté dans la grande piscine, éclaboussé par des plongeurs égoïstes et buvant la tasse sans me plaindre. On m'avait si souvent tenu la tête sous l'eau que j'avais appris à faire des bulles pour amuser les baigneurs. A l'orée de ma seconde vie, j'allais bénéficier d'une revanche éclatante.

Un spermatozoïde hydrocéphale tenta de me doubler à l'entrée d'un tunnel. Je lui fis une tête encore plus grosse en lui cassant une planche sur le haut du crâne. Tout à coup, je vis un autre taré qui venait à ma rencontre. Cet imbécile galopait dans le sens contraire comme un Belge qui aurait pris l'autoroute à l'envers. A l'extérieur, j'entendis la voix de Marchoukrev qui suivait les opérations sur un écran de contrôle.

— Mais qu'est-ce que c'est que ce con ? Rangez-vous sur le bas-côté, vous ne faites pas partie de l'expérience !

A la couleur de son maillot, je vis que c'était un rescapé du coït précédent qui avait été simulé pour un autre genre de mission. Comment s'était-il sorti de l'hécatombe ? Mystère. Vu l'étroitesse du conduit, il était impossible de se croiser sans provoquer un accident et je dus faire appel à toute ma volonté pour ne pas ralentir ma vitesse. Au contraire, je l'augmentai afin d'avoir la plus grande force d'impact. Je fonçai, la tête baissée et les poings en avant. Il y eut un choc qui ne me fit pas dévier d'un pouce mais qui envoya en l'air le pauvre égaré. Il retomba, derrière moi, sur un groupe de sprinters qui allait me rejoindre.

Je franchis les derniers obstacles avec une rare facilité, distribuant des mornifles et des coups de savate à ceux qui me rattrapaient. Planqué derrière la trompe de Fallope où je venais brusquement de m'arrêter, j'attendis le gros du peloton. Avec un vieux stérilet rouillé que je venais de trouver par terre, je fis une matraque de fortune et le gamète qui me suivait la reçut sur la tête en poussant un cri étonné. Il fit un saut de carpe en arrière et disparut dans le fond du vagin, représenté par un trou d'une dizaine de mètres de profondeur. Tous ceux qui firent irruption au détour de la trompe eurent droit au même traitement de faveur. Loin de penser qu'ils allaient me trouver là, ils prenaient le virage à la corde et ma matraque sur la gueule.

Subitement, je distinguai une sorte de boule qui venait à ma rencontre. D'après les renseignements que l'on m'avait donnés, je sus tout de suite qu'il s'agissait du correspondant avec lequel je devais entrer en contact : l'ovule. J'assommai encore une bonne douzaine d'obstinés qui allèrent retrouver leurs camarades au fond du précipice. L'ovule n'étant plus très loin de moi, j'abandonnai mon poste pour aller à sa rencontre. Au moment où j'allais m'accrocher à lui pour le féconder, je reçus un violent coup sur la nuque.

Malgré le brouillard qui venait de tomber sur mon champ de vision, je vis, devant moi, un spermato asiatique en position de karaté. Comment un étranger avait-il pu se glisser dans la course ? Après ça, on s'étonnera encore que la main-d'œuvre clandestine soit un vrai fléau pour le monde du travail. L'incursion des travailleurs émigrés sur le territoire national est un problème grave. Ce sino-spermate n'avait donc rien à faire dans les couloirs privés d'une génitrice occidentale. Il n'était pas question qu'il refilât la jaunisse à mon ovule qui commençait à me pousser dans le dos.

Marchoukrev m'avait appris toutes les parades. Après avoir poussé le cri de la mort, j'étendis le bras vers le visage de l'adversaire en imitant le chant du rossignol. Instinctivement, il leva la tête pour localiser l'oiseau. J'en profitai pour lui redresser sa vision oblique en lui faisant une fourchette dans les yeux. D'un coup de pied sur le menton, je le fis ressembler à ma grand-mère lorsqu'elle perdait son dentier dans la salade. Son manque d'équilibre le conduisit tout droit au bord du vagin et il disparut dans le gouffre.

C'était une victoire totale. Tous mes ennemis anéantis, il ne me restait plus qu'à cueillir le fruit de mes efforts. Me retournant vers l'ovule, je le pris à bras-le-corps pour lui donner le baiser final. Après l'avoir escaladé, je sortis un petit drapeau de ma poche et le plantai dans la cellule. Une impression de fierté m'envahit quand je vis les couleurs du fanion. C'étaient celles de la France.

J'avais abandonné mon ancien esprit dans le grand creuset de la réflexion universelle. Depuis la fin de mon instruction, je me trouvais à l'Institut de recherche de l'âme pour mes derniers préparatifs de réinsertion et j'étais pratiquement prêt pour mon départ vers la Terre. On avait retiré de mon subconscient tous les restes de gentillesse et de bonté qui avaient pu résister aux manœuvres de Marchoukrev. Les quelques qualités restées au fond de moi avaient été plongées dans le creuset où cuisait le fameux sérum de perfection.

Les spécialistes avaient bien fait leur travail. Dépouillé de tous mes sentiments honorables, ils m'avaient mis complètement à poil et m'avaient revêtu de haine envers les êtres vivants. J'étais devenu un parfait salaud, une ordure intégrale. Un jour, au cours d'une séance de psychanalyse, je faillis rendre fou celui qui m'avait entrepris et qui n'était autre que le docteur Freud. Peut-être avait-il déjà un penchant pour son déséquilibre, mais j'avoue avoir été assez satisfait de ma performance.

Le grand homme, arrivé au Purgatoire en 1939, était devenu le psychanalyste officiel de ceux qui souffraient de troubles névrotiques sérieux. Quelques apôtres descendirent même du Paradis pour venir le consulter. Des mauvaises langues avaient fait courir le bruit que Jésus lui avait demandé un rendez-vous pour essayer d'oublier les traumatismes de sa jeunesse. On disait également que le docteur Freud avait guéri Mahomet qui rêvait de revenir sur Terre pour monter une épicerie orientale rue de la Goutte-d'Or.

Bref, au cours de la séance qu'il m'avait accordée et nécessaire à ma mission, j'avais réussi à renverser les rôles. Mes réponses étaient formulées de telle façon qu'elles ressemblaient à des questions. Le vieux Sigmund se fit prendre au piège et me dévoila ses propres obsessions. Il me parla surtout de sa maman qui était très belle et qu'il rencontrait de temps en temps dans les rues du Purgatoire. Ayant eu une vie plus courte que celle de son fils mort à quatre-vingt-trois ans, elle apparaissait donc beaucoup plus jeune que lui. Cette différence d'âge en sens contraire n'était pas faite pour arranger le psychisme du réparateur des fuites cérébrales.

Il craqua lorsque je lui décochai mes dernières flèches empoisonnées.

— Vous la voyez souvent votre maman ? Où vous rencontrez-vous ?

— Chez... chez Œdipe, dit-il en bégayant, c'est un... un petit bar de la rue des...

— Des quoi ? Allons, du courage ! Rue des... des...

— Rue des Refoulés, parvint-il à dire en essuyant ses yeux avec sa barbe.

— C'est où ? demandai-je en sortant un calepin de ma poche pour noter l'adresse.

— Vous ne trouverez pas, fit l'analyste. Il y a... il y a une...

— UNE QUOI ? lui beuglai-je dans l'oreille.

Il tomba à genoux devant moi et dit, en sanglotant :

— Une déviation !

Deux assistants sont venus le sauver de mes griffes. J'ai eu un blâme de Marchoukrev qui trouvait que j'en faisais un peu trop.

Une autre fois, j'ai carrément mis la main sous la jupe du bel androgyne, le capitaine Shkrr. Il était venu me chercher dans la cellule qui me servait de logement depuis mon entrée dans les services spéciaux. Comme je faisais semblant de dormir, il ne s'était pas méfié, contrairement à son habitude. Dès qu'il fut à ma hauteur, j'envoyai ma main droite en plein centre de mon intérêt. Malheureusement pour moi, il se transforma aussitôt en tigre du Bengale pour échapper à ma convoitise. Le fauve parut très surpris que je lui empoigne le sexe et je ne dus mon salut qu'à l'intervention de Marchoukrev qui passait par hasard devant les barreaux de ma cellule. Shkrr reprit sa véritable apparence avec une lueur de regret dans ses yeux qui avaient gardé une couleur jaune. Je n'ai jamais su d'où venait sa déception.

J'étais donc prêt pour le grand saut. Le jour J, je fus amené à la Centrale de distribution. Après un interminable voyage en ascenseur, encadré par deux anges infirmiers, je fis irruption sur une terrasse qui semblait flotter dans le ciel. Je me sentais ultra-léger. Je ne voyais presque plus la copie de ce corps que j'habitais depuis ma mort. La fausse matière disparaissait pour faire place à la petite lumière qui m'avait transformé en ectoplasme. Mes gardiens me firent monter sur un plongeoir qui donnait sur le vide. A cet instant, je vis saint Pierre et saint Matthieu aux côtés de Shkrr et de Marchoukrev. C'est le Grand Portier qui prit la parole :

— Mon fils, le moment est venu. Il va vous falloir

beaucoup de courage pour naître. Voici votre cigare et votre verre de cognac. Vous pouvez tirer une bouffée et boire une gorgée.

Je reconnus mes objets de prédilection et je fis ce que me demandait saint Pierre. Il continua :

— Nous avons le devoir d'exaucer votre première volonté. Que désirez-vous ?

Depuis longtemps, un détail me préoccupait. C'était bien beau de devenir le reporter de Dieu. C'était flatteur d'aller photographier les étincelles de l'Enfer, mais, sur la Terre, chez qui allais-je loger ? Je n'hésitai pas à demander :

— Ai-je le droit de choisir mes parents ?

Les quatre purs esprits se consultèrent un court instant.

— Vous pouvez choisir vos parents à condition que vous nous disiez de qui il s'agit, précisa Matthieu.

— M. et Mme Albert Lachaume, mes voisins de palier.

— Peut-on connaître la raison de ce choix ? demanda saint Pierre.

Je répondis spontanément et avec délices :

— Ils m'ont fait chier pendant dix ans. Maintenant je vais prendre ma revanche.

Marchoukrev cria « GO ! » et je sautai dans le vide.

6

Les Lachaume habitaient un confortable appartement de quatre pièces près de la place du Brésil, dans le XVIIe arrondissement. Ils l'avaient acheté à crédit et, depuis une dizaine d'années, la SEPAP

(Société d'encouragement pour l'accession à la propriété) faisait des prélèvements sans histoire sur leur compte bancaire.

Albert était un jeune cadre dynamique de quarante ans. Directeur d'une succursale de la Caisse d'épargne, il gagnait confortablement sa vie et avait pu se doter de tous les gadgets nécessaires au confort. Du couteau électrique pour découper le gigot à la Renault 30, en passant par le congélateur et le presse-citron à trois vitesses, il ne leur manquait rien.

Paulette, préparatrice dans une pharmacie, était un peu plus jeune que son mari. Agée d'une trentaine d'années, assez jolie, quoique petite et un peu forte, elle possédait un caractère explosif. Son impétuosité l'avait fait fâcher avec presque tous les habitants de son immeuble.

Pour couvrir les éclats de voix de sa femme, Albert écoutait sa hi-fi à fond de caisse. Tous ces bruits ménagers n'arrangeaient pas les rapports de bon voisinage et, au fil des années, la tension s'était aggravée entre les Lachaume et les autres copropriétaires. Ceux-ci, au cours de leurs réunions semestrielles, débattaient des problèmes de l'habitat collectif et se lançaient à la figure des histoires de paillassons et de vide-ordures. Pour rien au monde Paulette Lachaume n'aurait voulu manquer une de ces parties qui tenaient beaucoup plus du pugilat que de la joute oratoire. Participant avec fougue au défoulement général des déçus du clapier urbain, elle voulait changer l'ascenseur de place, repeindre les caves en vert bouteille ou mettre un piège à loups sur son parking qu'on lui fauchait tout le temps.

Albert Lachaume — plus distant que son épouse — ne disait bonjour à personne. Ignorant totalement les locataires, il affichait l'air supérieur d'un voyageur de première traversant un wagon de seconde classe. On avait toujours l'impression qu'il allait jeter des cacahuètes aux singes qui logeaient dans les autres appartements. En gros, ils étaient détestés depuis leur arrivée à la résidence des « Jardins de l'harmonie ».

Une véritable haine s'était plus particulièrement installée entre eux et leurs voisins directs. Pierre et Brigitte Attier — bien que plus sociables que les Lachaume — avaient un tempérament bohème qui convenait mal aux règles de la copropriété et à la netteté de la moquette. Ils rentraient souvent très tard dans la nuit et leur chasse d'eau perturbait les rêves d'Albert qui se voyait déjà directeur de la Banque de France. En revanche, Paulette Lachaume ameutait tout l'immeuble quand le responsable de la Caisse d'épargne lui touchait l'écureuil. Ses cris de satisfaction réveillaient Pierre Attier qui, de retour d'un reportage aux USA, était en plein décalage horaire. Leurs deux chambres étant contiguës, cela devenait intenable lorsque la pharmacienne appelait sa mère en donnant des coups de pied dans le mur. Il y avait alors un échange de châtaignes murales qui allaient du plat de la main au manche à balai.

Lachaume n'avait jamais pu comprendre le métier de Pierre Attier. Il faisait partie de ceux qui n'admettent pas qu'on puisse faire vingt mille kilomètres en avion pour aller photographier un hippopotame. Pour lui, la photographie se faisait dans le jardin, sur la plage et aux sports d'hiver. Comment pouvait-on payer un type qui appelle « travail » le loisir des autres ?

Les rapports existant entre Brigitte Attier et Paulette Lachaume se passaient de tout commentaire. Ils marquaient le zéro absolu au baromètre de la sympathie.

Le directeur de la Caisse d'épargne avait gagné ses galons grâce aux études coûteuses payées par un père qui voulait prendre sa revanche sur la vie. Pendant vingt ans, il avait gardé de bons principes et un mauvais passage à niveau sur une départementale pourrie. Trois accidents ayant transformé des automobilistes en terrine du chef, il s'était retrouvé dérouilleur de rails sur une ligne secondaire. Malgré son manque de chance, il avait fait un enfant comme on prend un billet de loterie. Le bon numéro était sorti du ventre de sa femme avant le tirage officiel. Le prématuré fut sauvé par le métier de sa maman qui faisait des ménages dans une maternité. Albert eut tout de suite le goût de l'épargne. Ce qui le poussa naturellement vers la caisse du même nom où il entra comme simple caissier. Il épousa Paulette, la fille d'un haut fonctionnaire de la Cour des comptes.

Les Dutois-Lambert, parents de Paulette Lachaume, étaient dépositaires d'une confortable fortune venant du mariage de la politique et du compromis. Ce qui, à la base, était déjà un inceste. Mlle Dutois-Lambert fut élevée dans la pure tradition économico-catholique mais sa propre nature ne la poussa pas à faire du cheval sur les principes. Après une jeunesse dissipée au cours de laquelle elle perdit ses parents dans un accident de voiture et sa virginité dans une surprise-partie, elle rencontra Albert. Il était déjà caissier à la Caisse d'épargne de Poissy. Paulette le présenta à un ami de son père qui avait eu des bontés pour elle et Albert se retrouva bientôt directeur de succursale. Entre-temps ils s'étaient épousés. Paulette, qui avait un diplôme de pharmacienne, trouva un emploi de préparatrice.

Malgré de nombreuses tentatives, ils n'avaient jamais pu avoir d'enfant jusqu'à ce jour...

Ce jour où Paulette arriva chez elle, l'œil allumé et la voix encore plus perçante qu'à l'ordinaire. Albert venait de fermer ses coffres sur l'argent des détenteurs de livrets roses et attendait sa femme en lisant *Pif le chien*. Elle se précipita sur le bras du fauteuil de son époux et, lui caressant la tête, elle l'affubla de surnoms ridicules qui ne plaisaient qu'à elle.

— Mon raton baveur, ma grosse pougnote auvergnate, je suis enceinte !

— De qui ? demanda-t-il distraitement, accaparé par une bande dessinée.

— Mais de toi, mon Mickey lécheur !

— Ah bon !... et tu es enceinte de quoi ?

— D'un enfant ! hurla Paulette à l'intention du douzième étage.

Albert fit un bond hors de son fauteuil. On aurait dit qu'il essayait de rattraper la voix de sa femme avant qu'elle ne traversât le plafond.

— Un enfant ? Tu es sûre que c'est un enfant ?

Après tant d'années d'attente, il était en droit d'imaginer n'importe quelle extravagance. Paulette avait une telle libération sexuelle qu'il se mit à penser à des folies. Peut-être ne s'agissait-il pas d'un enfant mais d'un objet non identifié qu'un mouvement incontrôlé aurait fait disparaître dans les profondeurs de son anatomie.

— Un enfant de toi, mon chafougnard des îles ! chanta-t-elle en s'accompagnant au piano. J'ai vu le docteur Lempois, ça sera pour avril !

Albert Lachaume se laissa retomber dans son fauteuil. La nouvelle lui avait donné un coup de barre dont il avait du mal à se remettre. Depuis dix ans, il s'escrimait sur la table à ouvrage. Il avait tout essayé. Il avait lu *Le Décaméron,* les *Contes* de Boccace, le *Kamasutra.* Il avait mis Paulette en long, en large, en travers. Il avait avalé du foie de mouche, des huîtres au yaourt et de la fondue aux pruneaux. Rien ! Pas même l'ombre d'un fœtus dans le ventre de sa femme. Les médecins consultés le déclarèrent apte à la reproduction, avec, peut-être, une prédisposition pour l'épargne. Après le contrôle du débit de son liquide séminal, on constata que, malgré la rareté des agents reproducteurs, il y en avait assez pour que l'expérience réussît.

A son tour, Paulette s'était inquiétée. Ayant acheté des revues spécialisées pour voir si, depuis sa défloration, on ne lui aurait pas fait prendre de mauvaises habitudes, elle fut rassurée par les photos. C'était vraiment par là que tout se passait. Comme Albert, elle avait suivi un régime à base d'aliments favorisant l'accueil de la semence. Ce fut l'échec total. Les médecins l'examinèrent sans trouver aucun vice de construction. L'un d'eux lui proposa même d'aller sur place pour vérifier l'état des lieux. Quand l'auscultation devint plus précise, elle se mit à appeler sa mère en donnant des coups de pied dans le mur. C'était une mince cloison qui séparait le cabinet de la salle d'attente. Les clients, affolés, firent irruption dans l'antre du spéléologue et le trouvèrent, en caleçon, le piolet à la main. Il perdit une partie de sa clientèle mais l'autre lui fit de la publicité.

Il ne faut jamais chercher à comprendre les caprices de la nature. Les choses qui paraissent le plus compliquées ont peut-être été engendrées par des simplicités consternantes. Les organes de Paulette et d'Albert ressemblaient sans doute à ces vieux postes de TSF qui attendent dans les greniers que quelqu'un les redécouvre. On tourne le bouton et rien ne se fait entendre. Un jour, lassé par ce mutisme, on donne un grand coup de poing sur le poste. C'est à ce moment que la radio se met à marcher.

Albert avait vraiment beaucoup de peine à réaliser ce qui lui arrivait. Seule Paulette nageait dans l'euphorie.

— Tu te rends compte, mon bigorneau ? Un petit être va enfin donner un sens à ma vie !

— Merci pour moi, rétorqua le bigorneau, vexé. J'espère que ça sera un garçon.

— Pour l'instant, on ne peut rien dire. Le médecin pense seulement que ma stérilité devait venir d'un blocage psychique dû à l'environnement. Tu te souviens bien qu'à chaque fois qu'on faisait l'amour le photographe d'à côté donnait des coups de balai dans le mur.

Lachaume pensait surtout qu'il aurait dû faire insonoriser son appartement ou aller habiter autre part. Quand on possède une femme qui se coince le klaxon dès la première bibise, il vaut mieux s'envoyer en l'air dans un garage.

— Et moi, des inhibitions, tu ne crois pas que j'en ai eu ? fit-il. Si Attier n'avait pas pris la peine de mourir, il m'aurait rendu impuissant. Je devenais obsédé par son téléobjectif. J'avais toujours l'impression qu'il pouvait nous photographier par le trou de la serrure et qu'on allait se retrouver sur la première page de *Jours de France.*

— Evidemment, dans ces moments-là, il ne faut pas être gêné, surenchérit Paulette. Heureusement que la femme de cet idiot reste plus discrète qu'il n'a été...

Elle s'arrêta subitement de parler et se tâta l'abdomen avec surprise.

— Qu'est-ce qu'il y a ? demanda Albert.

— On dirait qu'il vient de bouger !

Lachaume partit d'un grand éclat de rire et quitta son fauteuil pour aller vers le bar encastré dans les éléments du salon. En se servant un whisky, il rassura sa femme :

— On m'a souvent dit que je menais mes affaires rondement, mais pas à ce point. Il faudrait peut-être attendre un peu avant que le petit fasse des exercices.

Paulette continuait de se palper le ventre. Elle insista :

— Je t'assure, il a bougé.

— Tu es enceinte d'un mois !

Albert avait toujours eu du mal à comprendre les excès de sa moitié qui possédait un caractère entier. Elle exagérait les moindres détails et voilà que maintenant elle donnait dans la germination à croissance rapide.

— Je pense à une chose marrante, dit-il en faisant tinter les glaçons dans son verre.

— Qu'est-ce qui est drôle ?

— C'est à croire que nous sommes poursuivis par ce reporter de mes deux. Tu as cru que le petit bougeait juste au moment où tu as dit qu'Attier était un idiot.

Paulette se mit à rire à son tour.

— C'est vrai. Et encore, j'ai été polie. Si je n'avais pas du respect pour les défunts, j'aurais bien dit que c'était le roi des cons...

Elle fut à nouveau interrompue brusquement. Un cri d'étonnement sortit de sa bouche. Lachaume posa son verre.

— Quoi, encore ?

— Il vient de me donner un coup de pied !

Je n'ai jamais pu supporter qu'on me traitât de con. Je le suis peut-être mais je n'aime pas qu'on me le dise. Surtout si cette appréciation vient de ma mère. Il y avait à peine plus d'un mois que j'étais arrivé dans les entrailles de mon ancienne voisine et voilà que les insultes recommençaient à pleuvoir. Je n'étais pas du tout décidé à me laisser faire.

N'étant malheureusement encore qu'un embryon, les moyens me manquaient pour taper sur les cloisons qui m'entouraient. Le choc que Paulette Lachaume venait de ressentir n'était dû qu'aux ondes de brutalité que m'avait inculquées Marchoukrev.

Ma position était pourtant plus qu'inconfortable. Plié en quatre dans un œuf, baignant dans un liquide encombré de filaments, les genoux à hauteur des yeux, je maîtrisais difficilement mes haut-le-cœur. Durant ma vie passée, les œufs m'ont toujours déglingué le foie. La vue d'une omelette baveuse me faisait remonter l'estomac dans la bouche. De plus, j'avais la tête plus grosse que le restant du corps, mes bras ressemblaient à des os de pigeon et mes jambes à des allumettes. Il allait me falloir neuf mois pour tuer le ridicule en me branchant sur la centrale de ma mère.

Malgré mon nouveau cerveau en voie de développement, j'avais gardé la mémoire de mon ancienne condition. J'étais resté Pierre Attier avec son potentiel de souvenirs, bien décidé à utiliser sa jeune peau qui se trouvait en fabrication.

Après mon saut dans le vide, je m'étais retrouvé dans les testicules d'Albert Lachaume. Affublé d'une énorme caboche et d'une petite queue ondulante, je suis resté assez longtemps dans un liquide opaque. Il était très difficile de s'y déplacer étant donné l'affluence. La plage de Cannes en plein mois d'août, comparée aux joyeuses d'Albert, c'est le désert de

Gobi. Les enseignements de Marchoukrev m'ont été très utiles dès mon arrivée au milieu de mes congénères qui se déplaçaient n'importe comment dans un désordre indescriptible. J'ai employé mon temps à étrangler ceux qui passaient devant moi et à étouffer ceux qui se trouvaient au-dessous. Ce nettoyage par le vide me permit d'avoir un espace vital acceptable.

Un jour, un flux aussi violent qu'inattendu nous précipita vers un goulet qui rétrécissait à vue d'œil. Une monstrueuse bousculade eut lieu. Je ne sais pourquoi, mon instinct m'avertit d'un danger imminent et, pour ne pas être emporté par ce torrent furieux, je m'agrippai aux parois du conduit. J'avais eu raison de me méfier car je ne reconnus pas les cris de satisfaction de Mme Lachaume. J'étais certainement le seul spermatozoïde à être doté d'ouïe. Albert était tout simplement en train de tromper sa femme avec Mlle Chaloire, la locataire du cinquième.

J'ouvre une parenthèse pour expliquer le bien-fondé de mes déductions. Yvonne Chaloire était professeur de chant à domicile pendant la semaine et, le dimanche, elle dirigeait les chœurs à l'église. Je connaissais parfaitement le son de sa voix pour avoir entendu ses vocalises dans l'escalier. En plus de cela, j'avais pu contrôler ses réactions amoureuses en me faisant passer pour un descendant de Mozart. La mélomane n'avait pas pu résister à ma flûte enchantée et nous avons joué ensemble un concerto pour sofa bémol. Je connaissais donc très bien son contre-ut final. C'était un doux mélange de foi religieuse et de musique païenne. Aucun rapport avec les sonneries de clairon de Mme Lachaume.

Me retenant aux aspérités des muqueuses de l'infidèle, outré par son comportement, je poussai un « ouf ! » de soulagement. Un peu plus et je naissais chez une vicieuse de l'harmonium qui aurait peut-être fait de moi un enfant de chœur pervers.

Pendant un temps indéterminé je suis resté à l'intérieur d'Albert. Sa femme était partie pour Vaison-la-Romaine, au chevet d'un oncle à héritage âgé de quatre-vingt-dix-sept ans. Par trois fois, je faillis être précipité dans un ventre inconnu. Je me transformais en trapéziste pour ne pas être entraîné avec les autres goulus. Lorsque Paulette eut enterré sa ruine et visité celles de la ville, elle rentra à Paris. Le soir même, les Lachaume fêtèrent les deux millions du tonton avec un dom pérignon millésimé et je fus transvasé de papa à maman dans la joie la plus complète. L'opération eut lieu sur la table de la cuisine. Au moment où Paulette entama *La Charge de la brigade légère,* je crus entendre la voix de ma femme à travers la porte d'entrée.

Lorsque j'étais le mari de ma pauvre Brigitte, elle avait déjà le sommeil léger. Son veuvage n'avait pas dû arranger les choses et les ébats sonores des Lachaume devaient rendre ses nuits difficiles. Je venais d'arriver dans les replis intimes de Paulette et c'est en distribuant mes premiers gnons aux autres spermatos que je perçus l'écho d'une bagarre connue.

— C'est pas bientôt fini, vos cochonneries ?

C'était bien la voix de Brigitte. Depuis combien de temps était-elle veuve ? Intemporel depuis mon décès, je ne pouvais mesurer les jours, les mois, les années. Mon départ de la terre pouvait avoir eu lieu hier ou il y a dix ans. Ma femme avait peut-être pu se remarier et avoir eu des enfants ?

D'un violent coup de queue, en utilisant la méthode dite « de l'éventail », je me débarrassai d'une dizaine de larves pendues à mes basques. J'avais pris une avance remarquable sur les autres concurrents et j'eus une pensée reconnaissante envers Marchoukrev. Je n'étais nullement dépaysé par les méandres de Mme Lachaume. C'était la copie conforme du simulateur où j'avais fait mes classes. Je me permis même le luxe de m'arrêter pour me reposer, à l'abri d'une languette rose qui frémissait encore.

C'est à cet instant que la voix de ma femme me parvint une seconde fois. Brigitte se trouvait vraisemblablement devant la porte palière des Lachaume car elle rythmait ses paroles avec des coups de sonnette rageurs. Paulette ne tarda pas à lui répondre et leur dialogue m'apporta la preuve de la relativité du temps.

— Qu'est-ce que c'est ? demanda la pharmacienne en rajustant ses dentelles.

— C'est Mme Attier ! Vous avez vu l'heure qu'il est ? Vous avez réveillé tout l'immeuble avec votre sirène de brume !

Furieuse, Paulette repoussa Albert qui fit un vol plané en tombant de la table de sacrifice. Elle se précipita vers la porte d'entrée qu'elle ouvrit en grand. Du même coup, cela me rapprocha de ma femme.

— Madame Attier, si ça vous gêne, vous n'avez qu'à déménager. On paie assez de charges pour avoir le droit au bonheur !

— On n'a pas le droit d'emmerder ses voisins. Si vous ne contrôlez pas vos décibels, il faut baiser avec une muselière !

Ça, c'était du Brigitte tout craché. Si Paulette n'avait pas le minou au frigo, ma femme n'avait pas la langue dans sa poche. Sans attendre une parade de l'ennemi, elle continua :

— En plus, vous devriez avoir du respect pour les morts. J'en ai un à la maison et c'est mon mari.

C'était moi le mort ! On a beau le savoir, ça vous fiche un sale coup. Mon vieux corps était encore là, à quelques mètres de moi-même. Tout le temps que je venais de passer au Purgatoire n'avait donc aucun rapport avec celui des pauvres éphémères qu'on appelle les hommes ! Si Brigitte avait su que je me trouvais en pleine gestation, chez la hurleuse, à quelques centimètres d'elle, je crois qu'il aurait fallu commander un autre cercueil à son usage.

Perdu dans mes pensées, je me fis doubler par un avorton à trois têtes. Cet andouille avait l'air si heureux qu'il se trompa de chemin. Je le poursuivis jusqu'au fond d'un cul-de-sac où je lui fis sa fête. D'un croche-queue, j'éliminai un efféminé qui avançait en ondulant de façon exagérée et, enfin, je vis le splendide ovule qui m'attendait. Ce fut dans le silence le plus complet que nos deux cellules se marièrent. Ma femme était probablement rentrée chez elle.

Un peu plus tard, j'entendis les ronflements lointains d'Albert qui avait dû s'endormir sur le carreau de la cuisine. Un bruit significatif me fit comprendre que je venais de frôler un danger dont Marchoukrev ne m'avait pas parlé. Bien protégé dans les lignes arrière et privées de Paulette Lachaume, je n'eus qu'une peur rétrospective lorsque l'eau coula dans le bidet.

Je fus d'abord un très beau bébé. Normalement constitué, je donnais déjà les signes d'une vigueur au-dessus de la normale. Je n'étais pas encore arrivé au monde que je commençai mon œuvre dévastatrice en naissant par le siège. Cela me permit d'affirmer ma personnalité vis-à-vis de ma mère et de donner des coups de pied au docteur en lui montrant mes fesses.

Pendant mon séjour à la clinique, j'ai empêché de dormir tous les bébés qui se trouvaient dans les lits voisins. Quand on pense qu'en dehors des pleurs fonctionnels les nourrissons ont un sommeil solide, on imagine la force de mon organe vocal. Pendant cinq jours et cinq nuits, personne n'a pu fermer l'œil. Les nouveau-nés avaient des cernes sous les yeux et les infirmières trimbalaient leurs savates fatiguées dans les couloirs où ma voix s'amplifiait. De ce côté-là, je devais tenir de ma nouvelle mère.

Chaque fois qu'un visiteur venait la complimenter et qu'il me prenait dans ses bras, je lui vomissais dessus. Les autres vidanges étaient réservées pour le pantalon de mon père. Albert me regardait avec méfiance. En examinant mes traits, il ne trouvait aucune ressemblance avec les siens et il en parla à Paulette.

— C'est curieux, Aimé n'a rien de moi. Il a les yeux noirs, un gros nez et le menton fuyant, alors que j'ai les yeux bleus, un nez fin et le menton fort.

— Qu'est-ce que tu veux dire par là ? demanda Paulette, méfiante.

— Rien. Ça vient peut-être de la nourriture du Midi.

Pour une fois, je faisais semblant de dormir dans le berceau à côté du lit de ma mère. Je n'en perdais pas une, pressentant la scène qui allait valoir son pesant de biberons. Paulette exigea des explications :

— Tu parles de mon voyage à Vaison-la-Romaine ?

— Oui. A propos, tu as revu Malaprat ?

— Malaprat ?

— Tu sais bien. Le fondé de pouvoir du tonton

Edouard qui passait ses vacances avec toi quand tu étais petite. Celui qui a des yeux noirs, un gros nez et le menton fuyant.

Boum, v'là l' facteur! Un sacré facteur de discorde. La voix de maman prit des allures d'hélicoptère. Tout d'abord, un démarrage puissant allant vers l'aigu pour aboutir au strident. Le rotor tournait à pleins gaz dans la chambre 17. La politesse des Lachaume s'envola.

— Je n'accepterai jamais qu'on insulte une mère de famille. J'en ai rien à foutre de Malaprat. Quand je suis revenue de Vaison, j'avais deux millions dans mon sac et rien dans le ventre.

— Chut! fit papa. Tu vas réveiller Aimé.

— Le petit? Il a été fabriqué sur la table de la cuisine. Tu ne m'as même pas laissé le temps d'enlever les couverts!

Si je n'avais pas eu ces abominables langes, je me serais tapé sur les cuisses. Vu mon jeune âge, il m'était impossible de rire aux éclats. Je pris le parti de me mettre à pleurer pour dégager le trop-plein de ma joie. Mes cris couvrirent ceux de Paulette. Ils réveillèrent le bébé idiot qui faisait chambre commune avec nous, et sa mère se mit à engueuler la mienne. Une infirmière entra au moment où Albert allait devenir grossier.

— Qu'est-ce que c'est que ce vacarme? Monsieur, dit-elle en s'adressant à papa, je vous prie de sortir. Du reste, les visites sont terminées.

— Ah bon? répondit-il. C'est moi le responsable? Madame me fait endosser une paternité douteuse et c'est moi qui ai tort? Bravo! On aura tout vu. Puisque c'est comme ça, je m'en vais.

Il sortit en claquant la porte. Je me mis à gueuler de plus belle, suivi par l'autre moutard qui devint d'un beau rouge carmin. Paulette empoigna le bord de mon berceau et le secoua pour me calmer.

— Aimé, mon bijou, tu vas te faire mal.

Aimé ! Pourquoi pas Alcide ou Eusèbe ? J'avais horreur de ce prénom. Aimé ? Par qui ? Il faudrait peut-être attendre un peu avant de mériter ce qualificatif. Qui peut se vanter de faire des bénéfices avant d'investir un capital ? J'ai connu un fou furieux qui s'appelait Placide et une vedette du showbiz dont le vrai prénom était Modeste. Aimé ! J'allais leur faire voir, moi, ce que c'est qu'un non-sens !

Nous sommes rentrés à la maison après le délai normal de surveillance postnatale. Personne ne pouvait se douter que mon cerveau était celui d'un adulte qui préparait un sale coup. Lorsque nous arrivâmes dans cet appartement qui m'était presque familier — dans l'immeuble ils étaient tous identiques —, je commençai par repérer ce que j'allais pouvoir casser plus tard. Il allait me falloir un peu de patience avant de bousiller des potiches, balancer de la purée sur le mur et flanquer le feu aux rideaux en jouant avec des allumettes. Je devais surtout avoir un comportement normal pour ne pas éveiller des inquiétudes qui me seraient préjudiciables. Je ne me fis pas trop de soucis en pensant à mes futures attitudes. Il y a une bonne majorité d'enfants qui se comportent comme de vrais gougnafiers.

Les véritables emmerdeurs commencent très tôt. Ils ont raison. Il est déplorable de traîner ses couches-culottes dans l'indécision. Il faut tout de suite donner des grands coups de cuillère dans sa confiture et jeter sa timbale sur la tête du chat. En règle générale, il faut foutre par terre tout ce qu'on pose sur le youpala. Ensuite, lorsqu'on se déplace à quatre pattes, on peut entrer dans le placard de l'évier et tirer sur le tuyau à gaz. Quand on tient debout, on peut mettre le chat dans le frigo, dessiner des trucs sur la tapisserie et coller du chewing-gum dans les cheveux de sa petite sœur. Plus tard, il est recommandé de faire des bras d'honneur aux automobilistes, de pisser dans les cache-pot et d'attacher une casserole à la queue du chat. Dans le cas d'invitation à dîner chez des amis de ses parents, il n'est pas mal de grimper sur le bahut et de rayer le cuir des fauteuils avec une fourchette. Si par bonheur il y a un chat aussi gentil que le vôtre, il est intéressant de le mettre, en douce, dans la cuvette des toilettes. Il ne faut pas oublier non plus de demander pour Noël des jouets hors de prix que l'on s'empressera de démolir.

Lorsqu'un enfant présente toutes ces dispositions, il est rare qu'il soit découragé par ses parents. Ils voient en lui un futur chef dont la jeunesse n'aura pas été source de complexes. L'adolescence peut être agrémentée par des débordements en tous genres qui, malheureusement, commenceront à inquiéter papa et maman. L'habitude de l'excuse peut l'emporter sur la clairvoyance et ouvrir les portes à la faiblesse définitive. Même si l'enfant devenu grand a suivi les routes de la légalité, il peut continuer à torturer des chats invisibles en oubliant les vieux parents qui lui ont donné le jour. Ils se retrouveront tout seuls dans leur pavillon de banlieue. Dans le fond, ce n'est pas si grave car ils étaient déjà séparés quand l'enfant habitait chez eux.

En ce qui concernait Pierre Attier alias Aimé Lachaume, il était investi d'une mission. Dans ma première vie, j'avais été un enfant normal avec ses jeux turbulents et ses élans de cœur. Plus je prenais de l'âge, plus j'apprenais à aimer mes parents. Mon amour filial était comparable à la profondeur de mes rides. Cette deuxième existence m'était tombée dessus comme une mort subite et le jeu qu'on m'avait appris était passionnant. Sans doute, ces pauvres Lachaume allaient souffrir de mes nuisances mais les voies du Seigneur sont impénétrables. Dieu m'avait donné un sauf-conduit.

Donc, je pris possession d'un appartement situé à côté de celui de ma femme. Je fus souvent assailli par de grands moments de cafard entre deux tétées et il m'arrivait de lâcher le sein de Mme Lachaume pour penser à Brigitte. Un jour, lorsqu'un téton perforeur força mes lèvres closes, j'eus la désagréable impression de tromper ma veuve. Dans un acte de rébellion, au lieu d'aspirer, je soufflai. Ce qui produisit un chatouillis qui étonna Paulette.

— Ah ben ça, alors, dit-elle à Albert. Il se comporte comme un grand !

— Il ne veut peut-être pas de tes seins, répondit papa, tu devrais le mettre au biberon.

J'aurais préféré avoir une tétine dans la bouche. Je n'avais jamais été attiré par les mamelons de ma voisine qui avaient dû traîner n'importe où. Ils avaient indubitablement un goût de tabac.

Ma prime jeunesse se passa dans ce XVIIe arrondissement où j'avais vécu pendant plus de vingt ans. Au cours de mes premières promenades, il m'arrivait souvent de reconnaître des amis dans la rue. Indifférents, ils croisaient mon landau sans un regard pour ce bébé qui avait bu l'apéro avec eux.

Les commerçants me caressaient la joue, l'intendant de l'immeuble me donnait des bonbons. Tous ces gens-là m'avaient appelé « monsieur Attier ». Parfois, j'avais envie de les remettre à leur place quand ils étaient trop familiers. Un jour, le crémier me prit dans ses bras.

— Vous avez là un bien beau garçon, dit-il à ma mère pendant qu'elle enfonçait son pouce dans les camemberts.

Je n'avais jamais aimé ce gros type qui transpirait autant que son gruyère. Brigitte s'obstinait à lui acheter des fromages insipides qui laissaient leur personnalité dans un réfrigérateur. Le marchand de yaourts voulut me donner un baiser. Une odeur de beurre rance m'entra dans les narines et mon système d'autodéfense se déclencha. J'attrapai sa moustache entre mes dents et, d'un coup sec, j'éloignai mon visage du sien. Il hurla de douleur.

— Aaah ! le petit salaud ! aboya-t-il en me lâchant sur le sol.

Je me mis aussitôt à pleurer en me roulant sur le dallage. Me tenant le visage à deux mains, je poussais des cris horribles.

— Qu'est-ce que vous lui avez fait ? demanda Paulette qui essayait de me relever.

Le crémier avait le bord de la lèvre aussi gros qu'un morceau de boudin.

— Il m'a mordu ! parvint-il à dire en courant vers un bac à glace.

Par terre, me tortillant comme un ver, je fus pris d'une quinte de toux. Les clients m'entourèrent pour me remettre sur pied. Rouge comme une tomate, au bord de l'apoplexie, je pris ma respiration pour une ultime contraction pulmonaire et je crachai une grosse touffe de poils roux. Ma mère, qui ne pensait qu'à ma santé, ne chercha pas à comprendre pourquoi j'avais une moustache dans la bouche. Elle traita le crémier de tous les noms et nous fûmes définitivement fâchés avec lui.

Jusqu'à mon entrée à l'école primaire, je commis une impressionnante série de délits juvéniles. Je me fis la main au sein de ma propre famille. Inutile de détailler les actes de vandalisme sur les affaires personnelles de mes parents. Les deux millions de l'oncle Edouard, ayant servi à l'acquisition d'objets d'art, furent pour moi un vrai jeu de massacre.

Mon père avait acheté une superbe Mercedes avec laquelle nous allions voir grand-mère tous les quinze jours. On garait la bagnole dans une rue en pente qui faisait face au pavillon de mémé. Le fait de desserrer le frein me procura un grand plaisir. Quand la 280 entra dans la salle à manger, je ne pus m'empêcher d'applaudir.

J'ai un peu regretté de n'avoir pu rétamer complètement l'héritage du tonton. Albert avait placé le reste dans des valeurs mobilières. Connaissant bien les rapports de la Caisse d'épargne, il préféra mettre son fric autre part.

Mes études furent un exemple de nullité comme il en existe peu. Le dernier des cancres était — comparé à moi — un véritable génie. N'ayant pas besoin d'apprendre ce que je connaissais déjà, je me permis les plus grandes fantaisies scolaires. Avec des inventions qui auraient ravi Machiavel, j'obtins un franc succès auprès de mes camarades. Je devins le chef de file d'une armée d'hypocrites qui m'aidèrent à saper les fondations de l'enseignement primaire. Pour les remercier, je leur apprenais les joies de la perversion sexuelle, l'art du graffiti et la manière de faire des trous dans les cabinets.

Toutes les écoles du XVIIe et des arrondissements limitrophes m'ont flanqué à la porte. J'ai tâté de l'internat laïque et religieux, des Frères dominicains, des établissements mixtes, et j'en passe. Je me souviens de la satisfaction avec laquelle mes professeurs me jetaient sur le trottoir avec mon cartable et mes mauvaises idées. Je n'ai jamais pu aborder le secondaire car mes parents, découragés, avaient trop peur que je mette le feu à un CES ou autre CET quelconque.

Pendant cette première période de ma mission, je songeais constamment à mon lointain patron de *Paradis-Soir*. Comme la valeur du temps n'était pas la même pour lui, il ne pouvait, me disais-je, souffrir d'impatience. Il n'en fut pas de même pour moi. Les années ne passèrent pas très vite. Marchoukrev m'avait donné des outils d'excellente qualité et je me consolais en pensant avoir déjà attiré l'attention du diable.

La seule personne avec qui j'entretins des relations presque normales fut ma femme. Je dis bien « presque normales » car j'étais toujours amoureux d'elle. Les scientifiques du Purgatoire n'avaient pas réussi à vider mon âme complètement. Il me restait, au fond du cœur tout neuf qui m'avait été prêté, un peu d'amour que je gardais pour Brigitte. Je le lui donnais de temps en temps sous forme d'un bouquet de violettes acheté avec de l'argent volé. Elle vivait seule dans notre appartement. Jamais je n'ai surpris un homme entrant chez moi. Pardon : chez elle ! La rencontrer dans l'ascenseur était un plaisir divin. Elle me parlait comme on parle à un enfant. J'étais heureux de l'entendre me tutoyer et il me fallait beaucoup de contrôle pour ne pas commettre de bévue. La brièveté de nos entretiens me laissant insatisfait, je décidai de bloquer l'ascenseur lorsque nous y serions ensemble.

J'avais bricolé un dispositif minuscule destiné à

détraquer la cellule photo-électrique. Il était en place depuis plusieurs jours. Il ne me restait plus qu'à donner un coup de talon sur un petit coin de métal pour casser la lampe.

Tout marcha parfaitement bien. L'ascenseur stoppa entre deux étages. Brigitte appuya sur le bouton.

— Zut, dit-elle, c'est en panne !

Sachant très bien ce que j'étais en train de faire, je m'attendis à d'autres réactions. Ma femme avait toujours eu peur des engins mécaniques ou électriques. Au début de notre mariage, nous sommes restés coincés dans une cabine de téléphérique à Val-d'Isère. Cette situation avait augmenté son intensité amoureuse. Parfois, la peur devient un agent érotique non négligeable.

Mon corps avait quatorze ans mais ma pensée, beaucoup plus. Mes prévisions se révélèrent justes.

— Ça ne marche plus, s'étonna-t-elle, inquiète.

— Attendez, je vais essayer.

J'appuyai sur le bouton à mon tour. Plusieurs fois, en insistant. Faire le coup de la panne en voiture, c'est classique. Mais, dans un ascenseur, l'originalité évite les soupçons de la plus méfiante des victimes. Ma Brigitte donnait dans le panneau, tête baissée.

— Qu'est-ce qu'on va faire ? On ne peut pas rester comme ça. Il faut appeler quelqu'un !

— Ça doit être un arrêt de courant, la rassurai-je. Je crois qu'il faut attendre un peu.

— Tu crois ?

Ah ! ce tutoiement me donnait des fourmis dans les jambes. J'avais envie de me plaquer contre elle pour lui parler des vertus de l'attente et de lui donner un baiser pour rétablir le courant entre nous deux. Je m'entendis murmurer imprudemment :

— Vous êtes belle.

Elle me regarda. Cette petite phrase insolite lui fit oublier l'arrêt momentané.

— Qu'est-ce que tu dis, Aimé ?

Curieusement, je sentis un vide en moi. Tous mes mauvais sentiments ayant disparu d'un seul coup, il ne restait plus rien. C'est alors que je commis ma première faute.

— Je n'aime pas mon prénom. Vous devriez m'appeler Pierre, comme votre mari.

Son visage se ferma. Rageusement, elle appuya encore sur le bouton en mélangeant des mots qui me prouvaient son désarroi.

— Tu t'appelles Aimé, un point c'est tout... Pierre est mort il y a longtemps. Il faut prévenir quelqu'un pour nous sortir de ce téléphérique... J'ai peur.

Adossé à la paroi de la cabine de l'ascenseur, je revis Brigitte avec sa veste en lapin et nos deux paires de skis derrière elle. Les montagnes enneigées étaient devant moi, juste à la place des consignes de sécurité de Roux et Combaluzier.

— N'aie pas peur, Brigitte, je suis là.

Nous restâmes tous les deux pétrifiés par le son de ma voix. C'était celle de Pierre Attier. Pendant quelques secondes, ma femme resta immobile, son doigt figé sur le bouton, m'observant avec une acuité qui me fit baisser les yeux. Puis elle colla son visage contre la porte et appela au secours. Des gens arrivèrent.

Nous avons attendu plus d'un quart d'heure avant que l'intendant pût ouvrir la trappe de sécurité. Plus un mot ne fut échangé entre nous. Il ne pouvait pas y avoir de dialogue entre la vie et la mort. Mon retour sur terre m'avait au moins appris cela.

Brigitte ne m'adressa plus jamais la parole. Quant à moi, le lendemain de notre histoire, je tombai gravement malade.

Pendant plus de huit jours, j'ai lutté contre une fièvre qui laissa perplexe notre médecin de famille. Il examina ma langue, mes oreilles, me palpa de haut en bas, m'enfonça des thermomètres et des aiguilles, me fit prendre des cachets, des pilules, des poudres. Il ouvrit des dictionnaires médicaux, relut ses bouquins d'études, téléphona à des confrères. Rien n'y fit.

J'étais le seul à savoir. J'avais failli me dévoiler à Brigitte et compromettre ma mission. Dès les premiers symptômes de cette maladie inconnue, je sus qu'il s'agissait d'un rappel à l'ordre. Les ministres de Dieu ne plaisantent pas avec les contrats qu'ils ont signés. Je me voyais déjà sur le chemin du retour au Purgatoire, tirant derrière moi quatorze ans de labeur inutile et présentant un constat d'échec à saint Pierre.

Je me remis lentement de cette punition, bien décidé à mettre les bouchées doubles pour gagner ce Ciel qu'on m'avait promis en salaire. Depuis ma naissance, les Lachaume en avaient pris un sale coup sur le moral et leur physique s'en était ressenti. Papa Albert était toujours directeur de la Caisse d'épargne de Poissy mais il avait perdu le goût du capital et manquait d'intérêt pour ses clients. Dès mes premiers délits, il se dégonfla en sifflant. C'est-à-dire qu'il maigrit à vue d'œil, atteint par de l'asthme chronique. Pour essayer de dégager ses bronches, il but un peu plus de whisky et sa mémoire des chiffres en subit les conséquences. Plusieurs fois, la haute autorité le rappela à l'ordre car son personnel avait tendance à jouer à la marelle pendant les heures de bureau.

Ce père ne fut toujours, pour moi, qu'un prétexte.

Il m'avait servi d'organe de transmission lorsque je n'étais qu'un spermatozoïde. Je le considérais uniquement comme le raccord d'une pompe à vélo. Ai-je besoin de dire que notre attirance commune en souffrit beaucoup ?

Contrairement à son mari, Paulette avait terriblement grossi. Pour oublier les agissements de son fils, elle mangeait tout ce qui lui tombait sous la main, et cette boulimie n'arrangea pas les choses dans le domaine professionnel. Ma mère devint une grosse boule d'où sortaient quatre petits tentacules. Ses déplacements provoquaient des drames quand elle passait entre les rayonnages de la pharmacie. Les bourrelets de son corps accrochaient les boîtes de médicaments et tout dégringolait dans un désordre total. Quand elle commença à prendre de l'embonpoint, elle perdit l'aigu de sa voix pour le plus grand plaisir des occupants de la résidence. Comme Albert n'avait plus envie d'elle, Paulette abandonna les jeux de l'amour et du bazar et cela augmenta le silence de l'immeuble.

Je n'eus jamais de fibre maternelle pour ma mère qui m'avait uniquement servi de moule à gaufre.

Deux ans après ma « maladie », nous quittâmes les « Jardins de l'Harmonie » pour emménager à Poissy dans un appartement dont la Caisse d'épargne était propriétaire. Il se trouvait dans le même bâtiment que la succursale dirigée par papa. Etant donné que ce dernier arrivait avec un important retard à son bureau, la direction générale avait jugé plus rentable qu'il habitât sur les lieux.

Quant à moi, je me mis à fréquenter les boulevards de banlieue. J'avais un peu plus de seize ans, ce qui est un âge raisonnable pour faire ses débuts dans la délinquance. Je compris tout de suite que, pour nuire à la société de façon intéressante, il ne fallait jamais perdre de temps. Si l'on commence trop tard dans la malfaisance, on se fait virer par les jeunes bien avant l'âge de la retraite. Ils emploient des méthodes modernes que les anciens ont bien du mal à mettre en pratique. Actuellement, les techniques vont si vite qu'il faut constamment se tenir au courant des évolutions du banditisme. C'est à cette condition qu'un parasite digne de ce nom peut prétendre à la véritable qualification.

Pour mériter l'Enfer, il me fallait faire encore beaucoup de chemin. Ce fut dès mon dix-septième anniversaire que je passai en surmultipliée.

Dans un café des Mureaux que je fréquentais avec assiduité, je fis la connaissance d'un groupe de voyous, spécialisés dans le vol à la roulotte. Ayant toujours pensé que la réussite ne dépendait pas uniquement des dons et du travail mais aussi de la chance, je saisis la mienne par les cheveux. Je dus ma première victoire importante à l'Opinel qui se trouvait dans ma poche. J'étais en train de faire une partie de flipper solitaire quand un grand boutonneux me bouscula volontairement.

— T'en as pour longtemps ? Tu devrais faire du tricot, ça s'rait plus rentable !

Le « ploc » d'une partie gratuite répondit à l'audacieux qui me poussa franchement de côté pour s'installer à ma place. Je revins sur lui à la vitesse d'une balle de ping-pong et, attrapant la poche de son blouson en cuir, je l'arrachai d'un coup sec. Une demi-douzaine de cartes grises tombèrent au pied du flipper. Etonné, il baissa la tête pour évaluer les dégâts. Trois autres loubards firent un plongeon pour ramasser les papiers le plus vite possible. D'un coup de genou en pleine figure, je redressai l'un des minables qui fut projeté sur mon assaillant. Pour parer à toute éventualité, je sortis l'Opinel de ma poche.

Le patron du café s'avança vers nous avec une matraque.

— Ça va pas, non ? Foutez-moi le camp tout de suite ou j'appelle les flics !

Indifférent à l'état d'âme du cafetier et profitant de l'émotion de l'ennemi, je raflai les cartes grises. Deux secondes plus tard, j'étais dehors sur le trottoir d'en face, planqué derrière un camion à l'arrêt. Les quatre petites frappes apparurent, affolées.

— Où il est, le salaud ?

— L'enfoiré, il a piqué les papiers !

— Gérard, tu vas par là avec Bruno. Moi je vais avec Dédé. Si on retrouve la salope, faut l'amener à la baraque.

Ils se séparèrent en deux groupes pour emprunter les directions opposées de la rue. J'attendis que les deux garçons de droite soient un peu plus loin pour me lancer à leur poursuite. J'avais choisi, à dessein, le mec que j'avais sonné. Ainsi, la moitié du travail serait fait.

Je les rattrapai au croisement du boulevard où ils venaient de s'arrêter pour faire le point. M'étant déchaussé, ils ne m'entendirent pas arriver derrière eux. Le tranchant de ma main s'abattit sur la nuque de celui qui était encore en bonne santé. Il poussa un « ouf » de délivrance et tomba en essayant de se retenir à son copain qui scrutait l'horizon. La vigie se retourna et me reconnut.

— Non ! non ! fit-il en voyant mon couteau qui avançait vers lui.

— Si ! si ! répondis-je, avec un esprit de contradiction qui n'arrangea pas le moral de la lavette. Tu vas relever ton pote et on ira tranquillement à la baraque dont vous avez parlé.

Dix minutes après, nous nous pointâmes devant une cabane de chantier située au début d'un terrain vague. Une petite lumière vacillait à l'intérieur. Les deux types marchaient de front, effrayés par l'Opinel que je leur piquais dans les côtes chacun à leur tour. Celui que j'avais tabassé au bistrot retenait ses incisives avec un mouchoir plein de sang et l'autre titubait comme un ivrogne. Vraisemblablement, le coup du lapin lui avait donné la migraine.

— Entrez, ordonnai-je. Je reste derrière uniquement par politesse.

Une table et quelques chaises meublaient la baraque. La pièce était encombrée d'une grande quantité d'objets en tous genres mais le nombre des postes autoradios dominait nettement. Au milieu de ce capharnaüm, une superbe fille brune d'environ seize ans était assise sur un vieux siège de voiture de sport.

— Vous avez encore fait les cons ? demanda-t-elle aux deux péteux que je poussais dans le dos. Où sont Jean-Claude et Dédé ? Et celui-là, qui c'est ?

Devant cette nana, je me sentis encore plus cowboy que dans le café. Avec ma main libre, je sortis les cartes grises de ma poche et les lançai sur les cuisses de la fille.

— « Celui-là », répondis-je en roulant, il te ramène de la dynamite.

Les deux autres clowns entrèrent, stupéfaits de me voir en position de force. Le nommé Jean-Claude, celui qui paraissait être le chef de la bande et à qui j'avais arraché la poche, demanda :

— Vous l'avez trouvé ?

Sans attendre, j'apportai les précisions nécessaires :

— C'est plutôt moi qui ai trouvé tes larbins. Si tu veux pas avoir d'emmerdes, tu devrais les mettre à la crèche quand tu vas ouvrir les bagnoles. Ils sont un peu fatigués pour l'instant mais ça va passer.

Ce n'était plus le type qui m'avait sorti du flipper. Il avait perdu son masque devant le sang qui coulait sur la chemise du petit Bruno. C'était un gosse, comme moi.

La fille avait quitté son siège-baquet. Elle étala les cartes d'immatriculation sur la table.

— Qu'est-ce que c'est que ça ?

— On les a trouvées dans les tires, marmonna le boutonneux.

C'est peut-être à cet instant précis que je devins le véritable chef de la bande. Le raisonnement a toujours impressionné les handicapés de la jugeote.

— Bravo ! Alors quand vous piquez des postes dans les voitures, vous emportez les papiers des propriétaires ? Comme ça, si les flics les trouvent sur vous, on peut faire les présentations. Je vais vous donner un tuyau. Si vous voulez faire du service après-vente, faut entrer chez Darty !

Il y eut un silence éloquent. C'est la brune qui le rompit en venant vers moi. Elle me tendit la main.

— Je m'appelle Patricia mais on dit Paty. C'est comment ton nom ?

Ce fut une ère de prospérité pour la bande dont j'étais devenu le patron incontesté. Jean-Claude m'avait passé ses pouvoirs. En perdant ses boutons il avait gagné mon estime. Il devint mon lieutenant et nous mîmes à notre actif une honorable série de méfaits qui donna de l'occupation à tous les commissariats de police de la banlieue ouest.

Pendant deux ans, nous n'avons pas eu un seul pépin. Ayant abandonné le vol à la roulotte, nous nous sommes consacrés aux cambriolages de villas. Les départements des Yvelines et des Hauts-de-

Seine représentent une concentration de pognon beaucoup plus importante que la région de Sarcelles ou de Livry-Gargan. Il est beaucoup plus facile de trouver du liquide et des bijoux dans la commode Louis XV d'un hôtel particulier que dans une HLM où les coffres-forts sont des boîtes en fer-blanc. Nous avons, parfois, débordé sur le XVIe arrondissement en passant par Neuilly. Au début, nous avons été très impressionnés par les sirènes d'alarme. Nous nous sommes rendu compte que personne n'y faisait plus attention et surtout qu'elles flanquaient la trouille aux voisins. Comme elles se déclenchent la plupart du temps sur un pet de lapin, le jour où il y a vraiment quelque chose on pense que la sirène des Lambert est encore détraquée.

Entre-temps, j'avais laissé mon pucelage dans le lit de Paty. Elle avait perdu le sien, deux ans plus tôt, à cause d'un paquet de lentilles barboté dans un supermarché. Prise, la main dans le sac, par un surveillant qui aimait la chair fraîche, elle troqua sa virginité contre un non-lieu. Le jugement se passa dans une réserve du magasin pendant la pause de midi.

Paty était une ardente petite voleuse mais les histoires de sexe la transformaient en planche à laver. Elle se laissait faire, par nous tous, dans le plus complet désintéressement.

Un soir, un déclenchement faillit se produire. Elle remua légèrement sous mes caresses mais retomba presque aussitôt dans son indifférence. Je fus troublé en pensant que, ce soir-là, je l'avais emmenée au restaurant et qu'elle avait mangé du petit salé... aux lentilles !

Le premier ennui arriva par la faute d'une vieille dame qui n'aurait pas dû se trouver chez elle lorsque nous y sommes entrés. J'avais pourtant pris mes renseignements. Toute la famille allait régulièrement en week-end dans sa maison de campagne. La villa paraissait déserte sauf le lit où la rombière dormait. Quand elle s'est réveillée, je lui ai balancé un somnifère sur la tronche. Malheureusement, le sédatif avait la forme d'une statuette en bronze représentant *Le Penseur* de Rodin. Grâce à moi, la famille hérita beaucoup plus tôt qu'elle ne le pensait et son ingratitude me fit de la peine quand elle se porta partie civile. Influencé par le comportement des enfants de la victime, le tribunal me condamna au maximum. Vu mon jeune âge, j'en pris pour quinze ans.

Heureusement, la peine de mort était supprimée depuis longtemps, ce qui me fit envisager l'avenir avec un certain optimisme. Lorsqu'un individu possède des dons manifestes, la société se doit d'encourager ses dispositions, de l'aider au maximum pour qu'il se réalise pleinement. Les exemples du contraire ne manquent pas. Bonnot, Pierrot le Fou, Mesrine et tant d'autres ont été fauchés en pleine force de l'âge alors qu'ils avaient à peine prouvé leurs capacités. Il est vrai que l'univers carcéral est certainement très éprouvant. Savoir que, dehors, il existe des gens honnêtes qui ont eu la chance de ne jamais se faire prendre doit être terriblement frustrant.

Toutes ces préoccupations ne firent que m'effleurer. Je ne pensais qu'à l'efficacité de mon action et je n'avais pas envie de perdre un temps précieux derrière les barreaux d'une prison. Mes camarades de promotion avaient morflé beaucoup moins que moi. Etant donné que, lors du cambriolage, le bronze se trouvait à portée de ma main, j'étais le mieux placé pour éliminer la vieille. Ce fait, dû au hasard, prouve que l'importance des peines se mesure au nombre de centimètres qui sépare l'arme de son utilisateur. Il est évident que, si mes potes avaient tous eu la statue sous la main, le crime aurait été multiplié par quatre.

Paty fut la seule à traverser les mailles du filet. Au cours de l'instruction, nous ne prononçâmes jamais son nom et elle passa presque inaperçue aux yeux des enquêteurs qui la classèrent dans nos lointaines relations. Elle n'eut même pas besoin de venir à la barre en tant que témoin. Pourtant, elle était là, au fond de la salle, avec les anonymes. Devant, il y avait mes parents et ceux de mes complices. Je n'avais remarqué sa présence que longtemps après mon arrivée dans le prétoire.

Paty était méconnaissable. Vêtue d'une petite jupe à carreaux, de chaussettes montantes et de chaussures plates, elle semblait sortir d'un livre de la comtesse de Ségur. Deux couettes encadraient son visage sans aucun maquillage. Je crus que c'était sa façon de porter mon deuil mais les événements qui suivirent m'apportèrent la preuve du contraire.

A peine le juge eut-il prononcé la sentence qu'un fumigène tomba sur la toque du procureur. En deux secondes, il fut entouré d'un épais brouillard. La stupéfaction dirigea tous les regards en direction du magistrat qui se mit à crier au feu en tapant sur sa coiffure. Un deuxième fumigène roula sous le siège du juge qui empoigna sa carafe d'eau mais disparut aussitôt dans la fumée. Avant que l'assemblée réalisât ce qui venait d'arriver, j'eus le temps de voir Paty, jupe relevée jusqu'à la taille, fourrageant dans un sac qu'elle portait à la ceinture. Les flics s'étaient tous précipités vers la magistrature attablée qui donnait des grands coups d'hermine sur les foyers d'incendie. Tout alla très vite. Déjà plus rien n'était visible dans la salle d'audience. Les fumigènes pleuvaient de partout et la panique arriva. Des appels au feu, au secours, à l'aide, fusaient des quatre coins du prétoire. Instinctivement, mes gardiens m'avaient empoigné par les bras mais ils me lâchèrent au milieu d'une effroyable quinte de toux. Je plongeai en avant par-dessus la rambarde du box et tombai sur un invisible qui cherchait son chemin. Ce fut la voix de Paty qui me sauva. Répétant mon nom comme un bip-bip, elle me transforma en engin téléguidé. Je me relevai et, bousculant tout le monde, renversant les obstacles, je pus atteindre le goulet de la sortie. A moitié écrasé par le troupeau qui ne pensait qu'à s'enfuir, j'entendis les ordres et les contrordres qui sont à la base de toutes les tactiques ratées.

— Ouvrez les portes. Sauve-qui-peut !

— Bloquez les issues, ils vont s'échapper !

— Pas de panique !

— Au secours !

— Appelez la police !

— Non, appelez les pompiers !

Parmi tous ces bruits divers, je n'entendais vraiment que celui de mon nom. Aimé !... Aimé !... Aimé !... Jamais je ne l'avais autant aimé !

Je crois, sans vouloir me vanter, que, cette nuit-là, Patricia a définitivement oublié les lentilles du supermarché. Ses couettes, sa jupe à carreaux, ses chaussures plates lui avaient fait faire un demi-tour vers son enfance et c'est sur le surveillant du magasin qu'elle avait balancé les bombes fumigènes. Mes juges n'avaient servi qu'à la réparation d'une erreur judiciaire, à la reconstitution d'un crime qu'elle n'avait pas commis. Grâce à moi, Paty avait débloqué son système sensitif et, grâce à elle, j'étais libre de mes mouvements. Comme ces deux états se complètent, nous fêtâmes l'événement dans la cabane qui avait échappé aux investigations de la police.

Laissant nos émotions derrière nous, c'est dans la planque aux autoradios que nous nous sommes retrouvés. Dans le désordre du palais de justice, notre fuite avait été aisée. Deux amis de Patricia nous attendaient au bas des marches avec leurs motos et c'est à eux que nous devions notre face-à-face.

— Ça paie, le culot, hein ? me dit Paty après le départ des motards.

C'était une gosse qui était là, devant moi. Ces grands yeux noirs qui plongeaient dans les miens avaient des reflets d'inconscience et je ne pus m'empêcher de penser que c'était une arme redoutable. Si l'inconscience a fait des victimes, elle a aussi fait des héros. Avec des circonstances heureuses, Paty faisait momentanément partie de la seconde catégorie.

— C'est gonflé, ce que tu as fait. Merci.

— C'était surtout marrant, continua-t-elle. Les deux copains qui nous ont amenés étaient dans le fond de la salle, près de la porte. Quand j'ai jeté le premier fumigène, ils en ont foutu deux entre moi et les flics qui gardaient l'entrée. J'ai disparu dans les nuages. Comme j'avais réglé mes tirs, j'ai bombardé tranquille en te dirigeant au son. Maintenant, je vais te faire voir quelque chose.

Elle recula jusqu'au fond de la pièce, là où il y avait les quatre matelas qui nous servaient de lits. Montant sur l'un d'eux, elle releva sa jupe d'un coup sec.

Tout s'était tellement passé rapidement, au tribunal, que j'avais cru voir Paty prendre les fusées dans un sac. C'était beaucoup plus étudié. Sur une petite culotte blanche, elle portait une ceinture-jarretelles d'où pendaient des tubes métalliques faisant office de porte-fumigènes. Son air de jeune fille modèle et ce mélange érotico-guerrier la faisaient ressembler à une flagellante qui se serait évadée d'un couvent.

— Il en reste encore un, murmura-t-elle, viens l'enlever.

Ma pensée s'envola vers l'endroit d'où je venais. On ne m'avait pas renvoyé ici-bas pour coucher avec des adolescentes. J'étais là pour tuer, voler, piller. Je devais gagner honnêtement mon billet pour l'Enfer. Chaque moment de relâchement était du temps perdu. Malgré cela, cette chair que j'avais empruntée était régie par des lois immuables et c'est elle qui me fit avancer vers Paty. En dégrafant le porte-jarretelles, j'oubliai mes scrupules. Le corps qui me véhiculait n'était pas le mien et j'allais tout simplement faire l'amour avec une prothèse.

Pendant ma carrière de reporter, j'ai assisté à de nombreux festivals. J'ai admiré des corsos fleuris de toutes les couleurs, des cavalcades mémorables, des défilés somptueux. J'ai vu des matches, des combats, des tournois, des rencontres. Seule la corrida m'avait échappé. Je fus gâté. Paty était une fougueuse petite taure de Camargue qui fonça sur moi, pauvre toréro qui avait laissé l'amour dans les vestiaires du Purgatoire. Heureusement, je n'eus pas besoin de faire appel aux sentiments pour que la course fût un succès.

Cette fille qui venait à peine de sortir de l'enfance me fit des choses dont je n'avais même pas entendu parler dans mon autre vie, pourtant bien remplie de ce côté-là. Quand je pense que certains adultes ont besoin d'un sexologue pour leur apprendre à se déshabiller, j'ai froid dans le slip. C'est probablement là que se trouve toute la diversité qui fait la différence entre les gens qui sont doués et ceux qui le sont moins. Mozart savait jouer du piano à quatre ans mais Sheila chante souvent en play-back.

Il n'y eut pas une fausse note dans cette symphonie qui n'avait que deux musiciens. Paty inventait des gestes coulés, sans début ni fin. Ils s'évanouissaient pour faire place à d'autres gestes nouveaux, naïfs, précis, tendres et violents. Elle disait des mots incompréhensibles à travers ma bouche qui buvait la sève de sa jeunesse, les larmes de ses yeux et la sueur de sa peau. Elle m'offrait tous les désirs de ses dix-huit ans qu'elle avait gardés dans les tiroirs secrets de son imagination. En les ouvrant, j'y ai vu des projets impossibles, des besoins insensés, des envies inavouables. J'y ai vu le portrait de la Femme Intégrale qui peut donner et reprendre la vie en disant : « Je t'aime. »

Patricia m'avait prêté son corps mais son cœur n'était qu'à elle. Je le sentais danser contre moi, seul, comme sur la piste d'une discothèque où l'on n'a pas besoin d'un partenaire. Je crois même qu'elle m'avait oublié pour ne penser qu'à son propre étonnement. J'étais devenu l'alibi de sa masturbation.

Plus tard, je l'ai longtemps regardée. Sur ce vieux matelas qui en avait tant vu, elle était là, écartelée, la main sur un triangle noir qu'elle semblait protéger. Une main qui de temps en temps bougeait imperceptiblement. Quelques petites dents blanches mordaient alors la lèvre inférieure et un léger soupir se faisait entendre. Et pourtant, elle dormait.

Le lendemain, les journaux firent de gros effets de manchettes pour vendre les idées de Patricia qui n'avaient malheureusement pas profité à mes autres complices. Aveugles, ils s'étaient précipités n'importe où pour tomber dans les bras d'un groupe de gendarmes qui les avaient repris en charge. Les photographes s'étaient régalés. La première page de *France-Soir* n'était qu'un nuage de fumée masquant les conflits sociaux et la politique internationale. Les guerres du Moyen-Orient se retrouvaient dans la rubrique des faits divers et c'est tout juste si le discours du Président n'était pas relaté dans les colonnes des offres d'emploi.

Heureusement qu'il y a des novateurs dans le domaine du néfaste. Sans eux, les médias s'enliseraient dans une routine déplorable pour la culture de masse. Si le malheur est un produit qui se vend bien, il pulvérise les records de recette quand il se double d'originalité. Les titres qui me furent consacrés en étaient un parfait exemple :

« L'ASSASSIN DE NEUILLY S'ÉVANOUIT EN FUMÉE », « GRANDE PREMIÈRE DANS L'ÉVASION D'AIMÉ LACHAUME », « IL ENFUME SES JUGES ET DISPARAÎT DANS LE BROUILLARD », etc.

Un sentiment de fierté m'envahit à cette lecture et je me considérai d'ores et déjà comme un véritable hors-la-loi. Masqué par des lunettes noires et coiffé d'une casquette, j'avais abandonné Paty dans sa baraque. Son sort et celui de ses amis ne me concernaient plus. Au petit matin, un bistrot venait de s'ouvrir dans une rue déserte et c'est là que je pus lire le compte rendu de mes exploits. Dans l'un des canards, il y avait ma photo, en médaillon, tranchante de netteté sur le flou de la fumée. La promptitude du photographe fit renaître en moi une admiration professionnelle car on pouvait distinguer la silhouette du procureur qui tapait sur sa toque.

A la vue de mon visage étalé en première page, je pris conscience du danger. Le seul endroit où je pouvais me réfugier, c'était chez moi. Les pauvres Lachaume avaient bien gardé un peu d'affection pour le fruit de leurs bruyantes amours, non ? Quant à la police, il y avait peu de chances pour qu'elle regardât sous les lits des parents éplorés. On ne trouble pas les grandes douleurs.

C'est Paulette qui ouvrit la porte. Elle fit un « couac » bizarre qui me rappela le bruit de la sonnette que je venais d'utiliser. D'une voix cassée, elle appela Albert :

— C'est... c'est Aimé ! Albert, c'est le petit !

Lachaume arriva, plein de whisky. Je refermai la porte d'un coup de pied et les fis reculer tous les deux jusqu'au canapé.

— Assis ! hurlai-je.

Ils tombèrent en même temps sur les coussins. Albert renversa son verre sur sa braguette et Paulette se mit à tousser.

— C'est la fu... la fumée d'hier, parvint-elle à dire.

— Qu'est-ce que tu viens faire ici ? demanda Lachaume.

Le moment était venu de couper définitivement le cordon ombilical qui me reliait à mes anciens voisins mais, auparavant, ils allaient me servir d'échelle pour descendre encore plus bas.

— Vous allez m'héberger jusqu'à demain, fis-je en les regardant froidement. J'irai dormir dans le grenier. Si les flics arrivent, vous fermerez vos gueules, sinon voilà ce que je ferai.

Je pris la bouteille de scotch sur le bar et la vidai par terre. Après avoir craqué une allumette, je mis le feu à la moquette de haute laine.

— Aaaah ! cria Paulette en bondissant sur le veston que son mari avait déposé sur l'un des accoudoirs du canapé.

Elle se jeta à quatre pattes sur les petites flammes qui dansaient au ras du sol, essayant de les étouffer avec la veste. Albert se leva pour me donner une gifle que j'évitai. En revanche, je le cueillis au menton avec un crochet du droit qui le fit trébucher sur Paulette qui allait se remettre debout. Ils retombèrent tous les deux, l'un sur l'autre.

— Petit salaud ! fit Lachaume, à genoux sur la moquette roussie.

Paulette, qui s'était relevée la première, prit ma défense :

— Ne dis pas ça. Tu sais bien qu'il a toujours été un peu nerveux.

— ASSIS ! hurlai-je encore plus fort que tout à l'heure. Ou sans ça...

J'empoignai le dossier d'une chaise et, après deux moulinets, je la lançai dans le miroir au-dessus de la cheminée. Dominant le bruit du verre qui tombait sur le marbre, j'entendis à nouveau la voix d'Albert.

— Sale petit con !

— Quoi ? fis-je, menaçant. Qu'est-ce que j'ai entendu ?

Je décrochai le portrait encadré de grand-mère et ouvris la fenêtre.

— Non ! Pas mémé ! cria Mme Lachaume. Albert, asseyons-nous, puisqu'il le demande. Tu vois bien que tu l'énerves !

Quand le calme fut revenu, ils me donnèrent la clef du grenier. Avant de les quitter, je tins à mettre les choses au point :

— Je ne veux aucun coup de téléphone à qui que ce soit. Si j'entends le moindre visiteur, rappelez-vous que dans les combles il y a toujours les grenades que papa a fauchées aux Allemands pendant la guerre. Ça serait une bonne occasion pour voir si elles marchent encore.

Je quittai les Lachaume dans un silence pesant. En montant les marches du grenier, je pensai que je venais de faire un bon bout de chemin.

Le reste de la journée me servit à récupérer les forces que j'avais laissées entre les bras de Paty. Caché derrière une vieille malle en osier, un sommier du début du siècle me prêta ses ressorts distendus pour que je puisse retendre les miens.

Vers dix-huit heures, je fus réveillé par une sirène qui me fit bondir. Ce n'était, heureusement, que celle d'une ambulance. Grâce au double des clefs que j'avais raflé sur une console avant de le quitter, je pus pénétrer dans l'appartement désert. Les Lachaume étaient encore au boulot. Je me restaurai avec le contenu du frigo et entrepris de fouiller dans les tiroirs du bureau d'Albert. Les clefs de sûreté de la Caisse d'épargne étaient là, trônant sur le chéquier de papa, juste à côté de quelques billets de banque et du trousseau de secours de la pharmacie de maman. Sous une pile de draps, je pris le revolver qui m'avait tant fasciné pendant mon enfance et il alla rejoindre les autres trésors au fond de mes poches.

Dehors, il faisait nuit noire. Un train de banlieue me conduisit à Paris et, dans la salle d'un cinéma permanent de la porte Maillot, j'attendis trois heures en regardant deux fois un film que j'avais vu quatre fois à la télé.

Vers vingt-deux heures, je pénétrai dans la pharmacie par la porte du laboratoire. J'étais dans l'antre de la chimie de secours. Sur des étagères qui grimpaient jusqu'au plafond, il y avait des milliers de boîtes, de tubes, de flacons, de fioles, de bouteilles, d'étuis, d'ampoules, de sachets. Chaque produit étant destiné à soigner une affection particulière, on peut se demander si la santé existe vraiment. Il doit être possible de guérir un estomac malade à condition de se dézinguer le foie en contrepartie. Quand le foie est atteint, on peut le sauver au détriment des intestins qui sont heureusement récupérables avec une mixture capable de vous bloquer les reins. Si les reins ne fonctionnent plus, on fait appel à d'autres pratiques qui vous refoutent l'estomac en l'air. Et ainsi de suite jusqu'à l'extinction des feux. C'est un cercle très vicieux qui fait la fortune des usines à remèdes et la faillite de la Sécurité sociale. Evidemment, cela permet le sursis. On peut prolonger sa vie à coups de sulfate de dextrane, de xylène officinal ou de salicylate de glucol. Si je n'avais pas absorbé tous ces médicaments pendant des années, je me serais peut-être écroulé devant la télé avant l'avènement de la couleur. Il est regrettable que toutes ces prolongations coûtent de plus en plus cher aux caisses de retraite. Elles se trouvent obligées de verser de l'argent aux vieux travailleurs alors qu'elles ont à peine de quoi payer les gestionnaires. C'est un comble !

Mais qu'avais-je à me préoccuper de problèmes qui n'étaient plus les miens ? Ma propre retraite dépendait d'un organisme plus complexe et il me fallait encore travailler pour avoir le nombre de points suffisant.

Jusque tard dans la nuit, j'ai mélangé tous les médicaments de la réserve. Les fioles, les flacons, les tubes qui pouvaient être débouchés sans effraction contenaient dorénavant des spécialités n'ayant rien à voir avec le contenu initial. J'ai mis des antibiotiques à la place des cachets d'aspirine et des calmants dans les boîtes de vitamines. J'ai remplacé les pilules contraceptives par des somnifères et les suppositoires contre la toux par des ovules gynécologiques. Dans les bouteilles de sirop, il y avait de l'huile camphrée et de l'acétone dans la fleur d'oranger. Les drogues, les préparations, les décoctions, les purges formaient un cocktail explosif qui allait faire le bonheur des médecins du quartier et des pompes funèbres de l'arrondissement.

Devant les rayonnages à nouveau bien rangés, je connus la satisfaction du travail accompli. Je voyais les toubibs, plongés dans leurs bouquins, à la recherche de mystères qui bousculaient tous les principes médicaux et les malades transformant leurs migraines en diarrhées. Tout cela devant l'incompréhension des potards de la pharmacie. Je prévoyais aussi la découverte du pot aux roses et la punition des coupables.

D'après mes déductions, je n'allais pas tarder à attirer l'attention de Satan mais il me fallait consolider ma situation. Certes, j'avais pris un bon départ mais je ne tenais pas à moisir dans la délinquance juvénile. Le sprint était commencé.

Vers les quatre heures du matin, je revins à Poissy en taxi et montai directement dans mon grenier. J'attendis jusqu'à neuf heures moins cinq pour aller me planquer dans un placard de rangement situé au rez-de-chaussée. La Caisse d'épargne étant dans le même immeuble, Albert n'avait qu'à descendre les étages pour pénétrer dans son bureau par une porte privée et blindée. Cette entrée était située juste à côté du placard dans lequel je me trouvais.

Cinq minutes plus tard, Lachaume était à deux mètres de moi. Dès qu'il eut ouvert la porte, je me précipitai dans son dos en lui enfonçant le revolver dans les côtes.

— Entre, ordonnai-je. Le signal d'alarme, vite !

Sa main droite dut agir bien avant que son cerveau ne lui en donnât l'ordre. En tremblant, elle actionna quelque chose derrière une tenture afin de neutraliser l'avertisseur. Je claquai la porte derrière nous. Albert était blême. Ce qui était une performance car son visage avait généralement la couleur du bourbon.

— Tu vas nous faire mourir, me dit-il d'un ton désespéré.

En éclatant de rire, je m'entendis répondre avec une superbe assurance :

— Ça n'est pas si grave !

Accablé, il demanda faiblement :

— Qu'est-ce que tu veux encore ? La police est venue. Nous n'avons rien dit. Maintenant, c'est fini, on ne peut plus rien te donner.

— Si. Tu vas me donner tout l'argent qu'il y a dans ce coffre.

Dans un réflexe de comptable du Trésor, il plongea sur le coffre pour lui faire un rempart de son corps. Tous les dépôts de la semaine étaient là. Les économies des petits vieux, les étrennes des jeunes, les miettes d'anciennes fortunes englouties par le fisc, des débris de patrimoines et des placements d'agonisants. Toute la monnaie des pauvres récupérée par l'Etat contre un coup de tampon sur des livrets rassurants se trouvait dans ce gros congélateur à pognon.

— Ouvre, ou je tire.

Je crois, sincèrement, que j'étais capable de le faire. Je n'avais plus rien d'un être humain. Albert dut sentir ma détermination car il fit pivoter le volant. La porte s'ouvrit sur quelques jours de recettes, transformés en chiffres par M. le Directeur.

— Il y a six cent mille francs ! dit-il, avec regret.

Sur mon ordre, il entassa le magot dans un attaché-case, puis décrocha le téléphone pour appeler un taxi. Nous attendîmes le temps nécessaire pour que la voiture fût là avant notre sortie. Deux employés vinrent, tour à tour, frapper à la porte du bureau. Albert ne répondit pas.

Jugeant que le taxi devait être arrivé, je pris une bouteille de gin dans le bas d'une armoire à dossiers. Au volume de l'alcool qui était caché là, je me demandai si l'Ecureuil en chef ne voyait pas les livrets en rose bien avant leur création.

— Avance, dis-je en lui pointant le pétard dans le dos.

Nous sortîmes par la porte privée que je refermai soigneusement. Le taxi était devant la porte de l'immeuble. Par chance, personne ne nous croisa dans le couloir ni dans le petit hall. Rabattant la casquette sur mes yeux, je donnai l'ordre au chauffeur :

— A l'aéroport de Roissy.

Lachaume garda le silence pendant une bonne partie du trajet. Il ne le rompit que pour me réclamer à boire. Ce qui devait arriver selon mes déductions. Avant de lui tendre la bouteille, je lui mis quatre comprimés dans la main.

— Si tu veux du gin, il faut avaler ça.

Il me lança un coup d'œil effrayé.

— Qu'est-ce que tu cherches ?

Jusqu'à présent, ma deuxième vie n'avait pas été marquée par de grands élans de franchise. Ce fut peut-être la première fois que je répondis à quelqu'un avec sincérité.

— Je cherche le bonheur des hommes. La perle

est au fond du fumier. Quand on le remue, ça sent mauvais.

Ce pauvre père de location regarda son fils comme on regarde un serpent qui vous rampe sur le pantalon. Un son rauque lui sortit du gosier :

— Tu es fou ! Aimé, on va te faire soigner. Dis au taxi qu'il fasse demi-tour.

Mon revolver s'enfonça un peu plus sur son ventre.

— Tu as raison, je suis fou. Assez fou pour tirer tout de suite si tu ne prends pas ça.

— C'est quoi ? demanda-t-il, soumis.

— Des calmants. C'est ta femme qui les vend.

Albert avala les quatre comprimés de somnifère. Ce qui lui donna l'occasion de descendre presque un quart de la bouteille de gin. Quand nous arrivâmes à Roissy, il ressemblait au vieux nounours que j'avais désarticulé à l'âge de trois ans après lui avoir arraché les oreilles. Le taxi nous déposa dans le parking de l'aéroport. Profitant de l'endroit désert, je pris deux cent mille francs dans la mallette et forçai le goulot de la bouteille entre les dents de Lachaume. Il but en refoulant des gorgées qui dégoulinèrent sur sa chemise.

Sans trop nous faire remarquer, nous sommes arrivés sur les banquettes orange du terminal. Je le laissai tout seul, complètement groggy. Au guichet d'Air France, je fis établir un aller simple pour le prochain vol vers Rio de Janeiro au nom d'Albert Lachaume. Je repassai devant lui avant de prendre le satellite qui menait à la porte de départ. Il dormait. Je fis enregistrer le billet contre une carte d'embarquement et je rejoignis Lachaume qui avait basculé sur la banquette. Entre lui et le dossier, je calai l'attaché-case contenant les quatre cent mille francs. Après avoir mis la bouteille d'alcool entre ses jambes, je glissai la carte d'embarquement dans l'une des poches de sa veste. Dans l'effervescence des départs, personne ne faisait attention à nous. Un Arabe vint s'asseoir tout près et déplia une brochure publicitaire de Van Cleef et Arpels. Je regardai une dernière fois celui qui m'avait servi de tremplin en pensant que c'était de la belle ouvrage. Mes patrons de l'au-delà pouvaient être fiers de moi. Un peu plus loin, il y avait une cabine téléphonique. Je composai le numéro qui allait transformer l'avenir de mes anciens voisins.

— Allô ! La police de l'aéroport ?

7

Un effroyable hurlement se fit entendre. Satan venait, encore une fois, de se faire prendre la queue dans la porte d'une chaudière.

— Planquez-vous, ça va chauffer! cria le démon contremaître.

L'équipe d'ouvriers qui réparaient les tubulures d'admission des gaz se jeta à plat ventre dans la poussière de charbon. Une horrible odeur de soufre envahit la salle d'incinération quand la porte du fond s'ouvrit sur le diable qui se tenait la queue à deux mains. Dans un tourbillon d'air vicié, il passa devant les travailleurs en lançant une bordée d'injures qui auraient fait rougir le secrétaire général du parti communiste lui-même. Pétrifiés, les ouvriers ne bougèrent pas d'une corne jusqu'à ce que Satan disparût par la trappe de secours. L'un d'eux voulut se relever.

— Couché ! cria le contremaître. L'explosion ne va pas tarder. Accrochez-vous aux tuyaux !

A peine avait-il terminé sa phrase qu'une importante déflagration retentit. Des morceaux du plafond tombèrent sur le sol et le mur de gauche se fendit. Cela fit céder le raccord d'une canalisation et un jet d'eau bouillante fut projeté dans la salle. Le débit était énorme.

— Tous aux pompes ! aboya le chef.

La vingtaine d'ouvriers se précipita sur les vélos pompeurs qui permettaient de ne pas se brûler les pieds pendant l'aspiration. Ils pédalèrent comme des fous. Une heure après, l'eau était résorbée et la canalisation réparée. Le démon contremaître regarda la trappe par laquelle le diable avait disparu et dit :

— Il a dû y avoir au moins cinq cents morts sur la terre.

A l'égal de Dieu, Satan avait un caractère pointilleux. Il ne pardonnait aucune faute et, lorsqu'il en commettait lui-même — ce qui lui arrivait souvent —, il se vengeait sur les malheureux habitants de la Terre. Comme il était d'une maladresse physique évidente, il se prenait souvent la queue dans une porte, les cornes dans sa suspension à gaz ou la barbiche dans un engrenage. C'est dire si les pauvres vivants en subissaient les conséquences ! Chaque fois qu'il se faisait mal quelque part, il produisait une catastrophe aérienne, une éruption volcanique, des inondations, l'écroulement d'un immeuble, etc. Quand on voit le nombre de tuiles qui tombe sur la tête des hommes, on se rend compte à quel point Satan peut se blesser.

En l'occurrence, il venait de provoquer un tremblement de terre en Yougoslavie car il s'était déboîté le pédoncule au niveau du coccyx. Un lourd battant de fonte s'était refermé sur lui alors qu'il se penchait pour examiner une pompe à chaleur. Les malheurs que le démon faisait fondre sur la Terre étaient proportionnels à la douleur qu'il ressentait. Comme un fou, il se rua sur son pupitre à cataclysmes et enfonça le bouton des séismes. A Skopje, en Macédoine, plus de deux mille Slaves avaient déjà payé de leur vie la maladresse du diable. Ce qu'on appelle des catastrophes naturelles ne sont, en fait, que les actes de vengeance d'un dangereux caractériel. S'il était possible de comprendre un tel comportement, toutes les causes des plaies du genre humain ne pourraient échapper aux analystes les moins avertis.

Il est de notoriété publique que le grand Lucifer rêve d'annexer l'univers à son empire. Pour cela, il utilise la méthode du ver dans le fruit. Le vol des consciences sans effraction permet de s'emparer du bien d'autrui par personnes interposées. On peut même s'installer carrément chez les autres sous prétexte de leur apporter le bonheur. Satan avait compris cela bien avant de se faire virer par Dieu et c'est la tête pleine de projets qu'il avait claqué la porte du Paradis. Malheureusement, celle-ci se referma sur sa queue qui le fit souffrir pour la première fois. Il en retira un syndrome commotionnel plus connu sous le nom du fameux complexe de l'appendice. A partir de ce moment-là, il se mit à haïr les hommes qui risquaient l'accident deux fois moins que lui et entreprit de conquérir l'hégémonie du monde.

Il voulut d'abord s'installer dans les régions du Ciel mais les nébuleuses étaient hors de prix. Ne parlons pas des autres galaxies qui avaient été monopolisées par le Grand Architecte dès le début de la genèse. Elles étaient intouchables. Le diable se heurta à l'administration divine qui refusa de lui céder la moindre parcelle d'univers et il fut obligé de se réfugier au centre de la Terre dont personne ne voulait.

Les artisans qui sont devenus, plus tard, de grands industriels ont toujours eu beaucoup de peine à s'imposer. Il est superflu de décrire les difficultés d'une petite entreprise qui veut se développer. Dans le dénuement le plus complet, Satan s'installa dans la barysphère, plus simplement appelée le noyau terrestre. Quelques démons de catégories inférieures vinrent l'y rejoindre et c'est avec eux qu'il commença à creuser des galeries sous une chaleur torride. Petit à petit, ils s'habituèrent à la canicule et commencèrent à domestiquer les calories.

C'est alors que le diable eut l'idée de se faire appeler le Prince des Ténèbres. Il commença par faire de la réclame pour attirer la clientèle. Faisant passer ses radiations à travers la matière, il réussit à éveiller l'intérêt des pécheurs en puissance qui ne savaient pas où tremper leurs lignes. Son idée de génie fut d'employer des slogans qui allaient à contresens. Alors que Dieu préconisait l'emploi de vertus à base d'humilité, d'abnégation et de dureté pour soi-même, le diable se fit le précurseur de la pub moderne. Il vanta les mérites de la jouissance immédiate. La formule « Achetez maintenant, vous paierez plus tard » eut un énorme succès. Les clients du bonheur à court terme se précipitèrent pour signer des contrats léonins qui leur donnaient le droit de vivre à crédit et de mourir au comptant.

Les premiers gogos durent payer des intérêts exorbitants. Ayant donné leurs âmes à titre de caution, Satan les utilisa à l'agrandissement de son domaine qui prit bientôt l'allure d'une industrie florissante. S'inspirant des méthodes du Paradis et du Purgatoire, il recréait une fausse apparence physique autour de l'esprit des travailleurs pour éviter le dépaysement. Les galeries s'étaient élargies pour devenir de véritables boulevards. On avait creusé jusqu'au feu de la Terre. Apprivoisées par des conduites énormes, les flammes étaient réunies dans des collecteurs et distribuées dans les différents services de l'Enfer. Les ouvriers venant de tous les coins du monde avaient transformé la petite entreprise en une métropole géante qui s'agitait en masse confuse.

L'architecture semblait avoir été conçue par un artiste dément. Par manque de place horizontale, tout était construit dans le sens de la profondeur et les étages se superposaient par milliers. Des ascenseurs à vapeur distribuaient les différents niveaux et, pour se déplacer latéralement, on faisait appel à des tracteurs à gazogène. Tout était sombre, plein de suie et de noir de fumée. Ça ressemblait à ces aciéries de Lorraine lorsque les éclairs d'orage montrent la tristesse de leurs murs abandonnés. Mais la différence, c'est qu'à l'intérieur une ruche bourdonnante travaillait pour le malheur des hommes.

Lorsqu'une âme perdue venait payer ses dettes, un démon réceptionnaire vérifiait sa mauvaise qualité et la dirigeait vers un point de distribution. Celles qui présentaient des tares, c'est-à-dire quelques bribes d'honnêteté inconsciente, étaient immédiatement dirigées vers le centre de crémation. Cela permettait de préserver l'équilibre biologique de l'Enfer en évitant la surpopulation. Il y avait tellement de monde à l'entrée qu'une bousculade intérieure aurait été préjudiciable au bon fonctionnement d'une société en voie de sous-développement.

Les âmes complètement perverties, corrompues, dépravées, celles qui avaient voté pour le parti diabolique sans aucune hésitation, se trouvaient récupérées par le travail obligatoire. Nommées « Suppôts de Satan », elles entraient au service de Lucifer. De temps en temps, au fil des siècles, se présentaient les élites de la criminalité, genre Hérode ou Hitler. Ceux-là faisaient partie des cadres supérieurs.

Satan était un véritable politique. Adepte du travail en profondeur, impatient dans le fond mais patient dans la forme, il attendait son heure. Pour arriver au pouvoir suprême, il était capable de tout promettre. Bien que les êtres humains soient habitués aux flatteries de leurs politiciens, ils résistent difficilement à la démagogie du démon et foncent, tête baissée, dans les pièges qu'il leur tend. Malheureusement, son mandat est éternel. Sur la terre, on a tout de même la possibilité de changer de président à date fixe.

Tous les savants qui avaient commis des crimes contre l'humanité étaient employés dans les laboratoires et les bureaux d'études de l'Enfer. Se consacrant à la recherche des nouvelles formes du mal, ils bénéficiaient d'un traitement de faveur qui décuplait leur génie inventif. Une grande part du budget de l'Etat était réservée aux expériences réclamant une technologie de plus en plus poussée et la population luciférienne se trouvait entièrement aux ordres des scientifiques.

Au-dessus de tout cela, Satan planait comme un aigle dont il avait le regard. Rien ne lui échappait. Contrôlant avec minutie tous les rouages de sa machine infernale, il faisait des visites-surprises dans les moindres ateliers ou les plus petits bureaux. C'est au cours d'une de ces inspections qu'il venait de se détériorer la queue.

Il relâcha le bouton rouge pour contempler le tremblement de terre, transmis en direct sur un écran géant. La souffrance des autres calma un peu la sienne. Par l'interphone, il appela ses soigneurs personnels qui ne tardèrent pas à arriver.

— Tu nous as demandés, espèce de minable ? fit l'un d'eux en crachant sur le sol.

Cette phrase peut surprendre ceux qui ont conscience des valeurs hiérarchiques. Il faut savoir que le diable est masochiste par définition et que le manque de respect fait partie de ses principaux commandements. Rien ne peut lui faire plus plaisir qu'une insulte. Très sensible aux outrages, les injures publiques le plongent dans le plus parfait ravissement. Les fourberies, les coups bas et les actes de lâcheté sont des attentions particulières qui le touchent beaucoup plus que la franchise et la politesse.

— T'as encore été foutre ton pinceau mité dans un poêle à mazout ? enchaîna le deuxième soigneur.

— Vos gueules ! répondit Satan en se mettant à plat ventre sur une table de massage. Vous allez me réparer ça tout de suite. Dans dix minutes, je reçois Landru qui va m'apporter les plans d'une nouvelle chaudière. Je ne veux pas qu'il me trouve comme ça. Il y a assez de bordel dans ce bureau !

Le mot était faible. Il était pratiquement impossible de se déplacer sans enjamber des calamiteurs turbosoufflants, des canons à psychoses, des lance-tuiles, des bouffe-remords ou des ponceuses de vertus. Tous ces appareils sophistiqués, placés n'importe comment, étaient reliés à une imposante génératrice d'électricité occupant la totalité d'un mur. Les fils, à moitié dénudés, passaient sous les meubles dans un enchevêtrement dangereux. Des monceaux de livres sur la sorcellerie et l'alchimie se trouvaient en équilibre sur des tables branlantes supportant des lampes à soufre et des lance-flammes de poche. Il volait, sur l'ensemble, des particules d'une poussière charbonneuse et brillante que la sueur collait à la peau et qui entrait dans les poumons. Le diable éternua.

— A tes souhaits, Roi des Tubards, dirent ensemble les jumeaux de la kinésithérapie.

Les deux masseurs se ressemblaient étrangement. Bien que leurs traits soient différents, ils présentaient une silhouette identique avec les mêmes yeux lippus, les mêmes lèvres porcines et les mêmes nez épatés. Epatés de constater l'inversion des deux premiers adjectifs cités ci-dessus.

Depuis plus de deux mille ans, ils massaient le Patron. Ayant servi sous les ordres de Spartacus, ils avaient été de grandes vedettes des cirques romains. Leur musculature les avait fait remarquer par Satan et leur curriculum vitae les fit entrer dans l'équipe médicale de l'Enfer. Il faut dire que leurs carrières dans l'arène avaient été exemplaires. Sans parler des nombreux chrétiens embrochés sur leurs tridents, ils avaient mis en fuite une flopée de lions incommodés par leur odeur. Lorsqu'ils participaient à des combats de gladiateurs, les adversaires préféraient se suicider sur place pour la même raison.

— Grand Lucifer, dit le plus grand des masseurs qui, à bien réfléchir, était plus petit que l'autre, Grand Lucifer, tu as une fracture de l'os sacré.

— Ne prononce jamais ce mot ici ! beugla le diable.

— Du sacrum, du sacrum ! fit doucement l'autre

masseur qui était plus petit mais qui paraissait plus grand que son copain.

Il calma Satan en lui frottant les cornes avec une râpe à fromage. Connaissant bien les faiblesses de son maître, il avait toujours cet ustensile sur lui.

— Nous allons faire un point de soudure à la dernière vertèbre. Passe-moi la clef de douze...

L'opération fut terminée en peu de temps. Les soigneurs rasèrent d'abord les poils de l'arrière-train pour faire une petite soudure autogène. Afin de consolider l'ensemble, ils enfilèrent la queue dans un tube de métal.

Dès qu'il fut debout, Satan regarda son postérieur dans un miroir. Il entra dans une violente colère :

— Bande de salauds ! J'ai plus de poils au cul ! Vous allez m'arranger ça tout de suite ou je passe les vôtres au chalumeau !

Devant le danger, l'un des soigneurs rasa les cheveux de son camarade et confectionna une sorte de moumoute qu'il colla sur les fesses du patient. Malheureusement, comme le donneur était d'un blond très clair, Satan ressemblait à un babouin qui se serait assis dans un baquet d'eau de Javel.

Prévoyant un deuxième orage, les kinésis prirent congé avec diplomatie.

— Salut, l'accidenté du fion ! Si jamais t'as froid au panier, tu pourras toujours te faire un slip avec un chapeau.

Ces gentillesses détendirent l'atmosphère et le diable oublia l'incident. Landru, qui avait l'habitude des rendez-vous, ne fut pas en retard d'une seconde. Il entra dans le bureau en faisant un bras d'honneur.

Méconnaissable, le sire de Gambais ! Contrairement aux guillotinés du Purgatoire, il avait la tête sur les épaules. Elle était maintenue par une fermeture Eclair. Le côté pratique ne faisait aucun doute mais les maux de gorge étaient fréquents et les maillons se coinçaient souvent dans la peau du cou. Dès son arrivée en Enfer, Satan avait voulu reconstituer l'aspect du célèbre inventeur des hot-dogs de banlieue en lui revissant la caboche. Leurs affinités étaient évidentes. Ils s'étaient mis à parler des problèmes de l'énergie, du chauffage en milieu urbain et des effets thermiques sur les individus du sexe féminin. Malgré des différences fondamentales, leurs contacts ne manquaient pas de chaleur depuis que Landru avait été nommé inspecteur des chaudières.

— Maljour, cousin, fit le diable. J'espère que tu ne vas pas bien ?

Landru hocha la tête. Ce qui provoqua un relâchement de la fermeture Eclair.

— Pas très bien, non. Nous avons des déperditions dans le calorifère n° 3 et l'alambic principal vient d'exploser. J'ai reçu la cucurbite en pleine figure.

Son visage témoignait de la gravité des avaries. Il ne ressemblait plus du tout à celui de l'homme qui avait attiré le Tout-Paris à son procès. Sa belle barbe noire lui pendait sur le plastron en effiloches roussies et qui fumaient encore. Une bosse, aussi grosse qu'un chagrin d'enfant, ornait le fameux front désertique où l'on devinait des cloques pleines d'avenir. Satan parut inquiet.

— Les dégâts sont importants ?

— Il nous faudra huit jours pour réparer mais il y a un autre inconvénient. L'accident vient de provoquer une fuite dans l'entonnoir d'admission de l'incinérateur et quelques âmes se sont échappées.

Landru, prévoyant une réaction violente, se protégea la face avec ses avant-bras. Il était temps. Une pluie d'objets divers lui arriva sur le crâne. Au comble de la fureur, le diable voulut encore appuyer sur son distributeur de cataclysmes. Landru, risquant le tout pour le tout, l'attrapa par la queue au moment où il allait déclencher une éruption de l'Etna. Une stupeur commune les pétrifia tous les deux. La queue du Prince des Ténèbres venait de rester dans les mains du sire de Gambais.

Contrairement à ce qu'on aurait pu croire, la colère du démon s'éteignit subitement. Il regarda son appendice caudal avec l'intérêt d'un agriculteur devant un poireau de concours et dit :

— La soudure n'était pas solide mais, diable, quel beau membre !

Il le prit délicatement pour l'enfermer à clef dans un tiroir et se retourna vers Landru.

— Ces âmes, vous les avez rattrapées ?

— Oui, Maître, heureusement.

Satan ne semblait pas souffrir de l'ablation de son chasse-mouches. Il avala un grand verre d'alcool méthylique et alla s'asseoir sur un barbecue allumé. Une grande flamme jaune jaillit de sa bouche.

— Tu devrais arrêter de fumer, fit timidement Landru. C'est dangereux pour la santé. J'ai perdu la vie à cause de la fumée qui sortait de ma cuisinière.

— A propos, fit Satan, tu as les plans de la nouvelle chaudière à catalyse ?

Ils étudièrent pendant une heure le projet qui devait faire faire de notables économies d'énergie. Le feu du centre de la Terre n'avait plus la même virulence qu'au début de la création du monde et les spécialistes prévoyaient son extinction totale dans les millénaires à venir. Le démon, prudent, ne voulait pas se retrouver au chômage faute de matière première. Il avait bien pensé au nucléaire mais les dangers d'une explosion atomique dans le noyau terrestre lui faisaient peur. Supprimer les hommes aurait été une aberration. Une cause sans effet n'a aucune raison d'être. C'est encore plus bête qu'un avant sans après ou qu'un devant sans derrière. Dieu attendait une erreur de son principal ennemi mais Satan veillait au grain. Avec l'aide des techniciens de la rôtissoire, il aurait vite fait d'emmagasiner les calories nécessaires à la bonne marche de son grill express. Les nouveaux plans de Landru lui plurent. Pour le remercier, il l'invita à passer la soirée au casino.

— J'espère que tu perdras, lui dit-il.

— Moi aussi, répondit Landru. Je te souhaite une mauvaise soirée.

— Faites vos jeux, rien ne va plus !

La phrase du croupier amena un sourire de contentement sur les lèvres de Belzébuth qui venait d'entrer dans la grande salle du casino. Si rien n'allait plus, c'était parfait.

Le démon était en habit de soirée. Ses cornes, repeintes à l'or fin, surmontaient un faciès d'une maigreur extrême à demi caché par un loup de satin noir. A travers les orbites du tissu, ses yeux lançaient des rayons lasers. Un rictus faisait sortir de sa bouche carminée des canines dont la blancheur tranchait sur le noir d'une barbe luisante et pointue. Il était vêtu d'une jaquette damassée aux fils d'argent pur et portait des cuissardes en peau de bébé esquimau. Enfin, on lui avait greffé une superbe queue nouvelle qu'il agitait avec fierté.

Parmi les noms qu'on lui donnait, le soir, il se faisait appeler « Belzébuth », pensant que la consonance de ce mot convenait mieux aux plaisirs de la nuit.

— Malsoir, Bébel. Alors, on vient flamber un peu ?

Adolf Hitler se tenait juste derrière lui, dans l'encadrement de la porte. Habillé d'une salopette de peintre en bâtiment, il tenait à la main une truelle sertie de diamants.

— La nouvelle décoration te plaît ? enchaîna-t-il en montrant la salle de sa main libre.

Le diable embrassa la salle du regard et le Führer sur les joues. Etant pratiquement nées dans la même poubelle, les deux immondices s'entendaient comme des cochons.

— Tu as fait du bon travail, Adolf...

La grande salle du tripot de l'Enfer était le summum du mauvais goût. Le plafond, barbouillé de peur bleue, montrait par-ci par-là des étoiles jaunes à cinq branches. En pyramides plaquées le long des murs, des hommes de couleur et des femmes blanches formaient un damier gigantesque sur lequel d'anciens racistes jouaient aux échecs. Aux tables de jeu, on pouvait reconnaître quelques grands prédateurs de l'humanité : Gilles de Rais, Jack l'Eventreur, Néron, Hérode, Hermann Göring.

Depuis que le monde existe, bien d'autres assassins notoires auraient pu faire partie de l'assistance. Ils sont tellement nombreux qu'on avait été obligé d'instituer des roulements pour qu'il n'y ait pas foule dans la salle.

Hitler était l'un des confidents de Satan. Celui-ci estimait que le chancelier du Reich avait toujours souffert d'une vocation contrariée et l'avait nommé peintre décorateur en chef de l'Enfer. Adolf tapa dans le dos de son mécène.

— Shoën Gunterflouks strassgneinderchofen mein Kommandantur doïmspiegels unter moqueten, Belzé ?

Belzébuth (Belzé pour les intimes) eut un mouvement d'impatience :

— Je te rappelle que le bouquin de Sim ne sera vendu qu'en France et dans les pays francophones. Si le lecteur ne comprend pas ce que tu dis, il va encore penser que tu lui prépares un coup en vache et ça peut nuire à la vente.

Hitler redressa sa mèche d'un coup de truelle et traduisit en pur français :

— T'as looké le bull-gum, Belzé ?

Le diable n'avait pas encore remarqué l'originalité du sol. De pur style Chippendale, le dallage était fait de rotondités soyeuses et élastiques sur lesquelles il était vraiment très agréable de poser le pied. On avait l'impression de marcher sur des coussins vivants.

— Qu'est-ce que c'est ? demanda Satan.

— Des paires de fesses, répondit modestement Adolf. J'ai récupéré toutes celles des servantes, des filles de salle et des bonnes à tout faire qui sont mortes d'une chute de tension.

— Pourquoi ?

— Parce que l'Enfer est pavé de bonnes à tension !

— Les calembours sont la fiente de l'esprit[1]. Des calembours, ici, seul Orphée ose en faire[2] !

Une gifle magistrale décolla la moustache du chansonnier Hitler. La rage de Satan lui faisait sortir de la vapeur par les oreilles.

— Tu trouves ça drôle, Teuton de mes deux ? Tu ne crois pas que l'auteur va avoir du mal à relever son niveau littéraire, après ça ?

1. Victor Hugo.
2. Jacques Offenbach.

Penaud, le coupable recolla sa moustache avec du plâtre à prise rapide et dit, timidement :

— La nostalgie n'est plus ce qu'elle était [1].

Le démon préféra s'en aller. Dans la salle, il y avait déjà un jeu d'enfer. Il longea les allées, distribuant des saluts aux privilégiés du crime qui, seuls, pouvaient avoir droit à la carte d'entrée. Pour la mériter, il fallait montrer des certificats de mauvaise conduite prouvant qu'on s'était comportés, sur terre, comme de véritables fumiers. Ce qui prouve qu'il ne faut jamais donner dans la petite malfaisance. Le seul moyen de s'en sortir avec les honneurs, c'est de provoquer les massacres à découvert et d'orchestrer légalement les génocides. Si l'œuvre est importante, le nom de son auteur peut même figurer dans le dictionnaire à côté de bienfaiteurs de l'humanité. On trouve, ainsi, dans le petit Larousse, le nom d'Adolf Hitler entre ceux d'Alfred Hitchcock et de Jacques Hittorff qui construisit la gare du Nord à Paris et qui fit les plans du bois de Boulogne.

Des diablesses, entièrement nues, passaient entre les tables pour servir des boissons alcoolisées. Aux Enfers, le sexe avait perdu tout crédit. Les joueurs ne faisaient plus attention au galbe des démones et les joueuses se moquaient de la musculature des diablotins. Le corps n'était qu'illusion. L'expression « avoir le feu quelque part » semblait bien lointaine à ceux qui en avaient souffert durant la vie car la mort avait mis leur libido à la caisse des dépôts et consignations. La seule attention que les damnés accordaient au sexe, c'était pour avoir l'heure. En place de Grève, tout en haut d'un beffroi chauffé à blanc, un carillonneur frappait les douze coups avec

1. Simone Signoret.

un membre dont la virilité n'était nécessaire qu'à la qualité du son. On l'appelait le démon de midi.

Pour l'instant, Belzébuth était le démon de minuit. La soirée battait son plein et la partie de bingo allait commencer. Ça tombait bien car l'Enfer était plein d'Américains. Devant cette évidence, on ne peut que s'étonner qu'il n'y ait que très peu de Russes en Enfer. La raison était simple : Satan, dans son infinie déraison, pensait qu'il était inutile de leur faire subir, après la mort, une peine qu'ils avaient connue durant leur vie.

Quand le chef du bingo annonça le début de la partie, il y eut une ruée vers le salon où devait se dérouler ce jeu.

— Mesdames, messieurs, prenez vos cartes. Le gagnant bénéficiera d'une réduction de température de cent degrés pour les siècles à venir.

Le lot était d'importance. Un peu d'air frais pouvait remonter le moral des condamnés qui crevaient de chaleur dans leur peau de chagrin.

Les cartes de bingo avaient une particularité. Il s'agissait de plateaux montés sur roulettes. Une dizaine d'hommes ou de femmes, sans tête, se tenaient debout sur ces plates-formes. Chacun d'eux portait un numéro sur la poitrine.

— Donnez-moi deux cartes, demanda Göring qui avait gardé la peur de manquer.

— Laissez passer les artistes, fit Néron en bousculant Jack l'Éventreur qui, par réflexe, chercha son couteau.

Lorsque tout le monde eut sa « carte », l'animatrice réclama le silence. Belzébuth prit place sur un trône et donna le signal des premières annonces. Il était le seul à ne pas jouer.

— Allons-y ! Et que le plus mauvais gagne !

Une superbe démone, juchée sur un podium, fit

tourner une grosse sphère métallique ressemblant à celles de la Loterie nationale. A l'intérieur, d'innombrables têtes se mélangeaient à la faveur du mouvement. L'engin s'immobilisa. Une trappe s'ouvrit et la première tronche tomba dans un panier.

— Le 15 ! annonça la démone en lisant le numéro peint sur le front de la boule grimaçante.

— C'est moi ! cria Gilles de Rais en venant chercher la tête de Marie Stuart.

Applaudi par les autres, il vissa le visage de la décapitée sur le corps n° 15. La reine d'Ecosse eut un sourire reconnaissant pour le maréchal de France. La sphère fut à nouveau lancée.

— Le 37 !

Néron se leva, majestueux. Il prit tout son temps pour ramasser la tête du docteur Petiot qui venait de dégringoler dans la sciure. En la plaçant sur le corps qui lui appartenait, il ne put s'empêcher de dire au praticien :

— Pendant que je vous tiens, docteur, il faut que je vous parle de mes ennuis de santé.

Sifflé par les joueurs, il se tut. Le numéro 3 venait de sortir. Hérode s'empara de la ravissante frimousse d'Anne Boleyn pour la planter sur un corps qui n'attendait qu'elle. Il en profita pour lui glisser deux mots à l'oreille.

— J'ai rencontré votre mari, hier. Il m'a prié de vous transmettre ses excuses pour le tort qu'il vous a causé.

— Le 13 ! Le 22 ! Le 6 !

Les numéros se succédèrent selon la cadence habituelle et bientôt les corps furent presque tous pourvus de chefs. Les « cartes » de Göring étaient presque pleines mais Jack l'Eventreur le rattrapa au sprint final. Avec la tête de Danton, il gagna la partie. Belzébuth le félicita.

— O.K., Jack! Demain on abaissera ta température.

Quelques heures plus tard, le diable prenait un réchauffant au bar du casino quand on vint le chercher d'urgence. Il se rendit au mille deux cent douzième étage, dans les bureaux des services secrets. Le chef des renseignements spéciaux le fit asseoir, face à un récepteur de téléspionnage et mit en route le vidéomateur. Il y eut une succession d'images effrayantes sous la forme d'un reportage rappelant les émissions médicales diffusées aux heures des repas. Une âme était disséquée vivante. Par ses plaies ouvertes, sortait une boue épaisse dans laquelle nageaient tous les microbes de l'esprit. La radioscopie montra que l'intérieur était vide de toute morale. Si surprenant que cela pût paraître, cette âme n'avait pas de cœur.

— J'ai rarement vu ça, fit Satan.

— Attends, il y a mieux.

La chose se mit à palpiter sur l'écran. Des coups sourds se firent entendre dans les haut-parleurs quand elle fut coupée en deux par le scalpel-robot qui effectuait l'opération. Les morceaux parurent animés d'une furieuse vigueur et se rejoignirent, dévorant le scalpel en se réunissant. L'entité s'était reformée malgré la blessure. L'instrument de chirurgie coulait à la base de l'âme comme du métal fondu. L'écran s'éteignit.

— D'où vient ce document intéressant ? demanda le démon au chef des renseignements.

— De la Terre, Maître.

— Comment se nomme l'ordure qui possède cette âme ?

— Aimé Lachaume.

8

— Il est mort, dit l'anesthésiste en coupant son appareil de contrôle.

Le chirurgien laissa tomber son tournevis et regarda la pendule murale.

— Ah ben, tant mieux, soupira-t-il, comme ça j'arriverai à l'heure pour mon dîner chez Castel.

Et, pourtant, je n'étais pas encore mort. La voix du toubib me parvenait, même assez distinctement, lorsqu'il s'adressa à l'équipe de cuisiniers qui venait de louper le plat du jour.

— Vous nettoierez tout ça et, surtout, n'oubliez pas d'éteindre la lumière en partant.

Je crois que j'ai dû partir avant eux. Quand on est allongé sur le billard, depuis des heures, avec une tête décalottée comme un œuf à la coque, et qu'un type y trempe des mouillettes en acier, ça donne sommeil. Je n'ai pas pu attendre que la vaisselle soit terminée pour m'endormir définitivement. Ce fut presque agréable. Peut-être avais-je pris l'habitude de mourir ?

Comme la première fois, l'obscurité se fit brusquement mais je savais parfaitement ce qu'il m'arrivait. Mon corps spirituel se retrouva, debout, dans ce noir habité par ceux qui venaient de casser leur pipe à la même seconde. Les classiques cris d'étonnement retentirent à nouveau.

— Où suis-je ?

— Y a quelqu'un ?

— Au secours !

En ce qui me concerne, rien ne pouvait plus me surprendre. Je m'étais tiré une balle dans la tempe pour honorer le contrat qui me liait avec Dieu. Bien obligé de le faire car aucun juge n'avait plus le droit de me condamner à la peine capitale. J'en avais pourtant commis des assassinats, sans compter ces malheureux Lachaume qui sans doute ne s'étaient jamais relevés des coups que je leur avais portés, foudroyés en pleine force de l'âge par le fruit de leurs entrailles. Ensuite, je devins trafiquant de drogue, de femmes et d'armes. Je vendis à prix d'or le droit de rêver, de violer et de tuer. Pour ne plus être hors la loi, je devins l'éminence grise de certains chefs d'Etat, friands de ces trois plaisirs. Ensuite, je luttai pour l'indépendance de petits pays ou de départements à coups de voitures piégées et de valises à retardement. Je fis de la politique au bazooka et de l'idéalisme à la mitraillette. Je n'eus pas besoin d'expliquer les raisons de ces violences aux jeunes gens qui rêvent d'aventures parce qu'ils n'ont jamais connu la guerre. Il y a des soldats partout. Même s'ils sont en civil.

C'est ainsi que j'ai atteint l'âge de ma deuxième mort. Pour faillir complètement aux règles divines, je me suis suicidé. Si, après tout cela, Satan n'a pas entendu le coup de feu, c'est à désespérer.

Les formalités d'embarquement pour l'au-delà furent à peu près les mêmes. J'étais déjà habitué aux modalités du voyage et, pour un peu, j'aurais pris une carte d'abonnement. Je trouvai les nouveaux touristes au centre de triage, quand une voix, qu'il me sembla connaître, se fit entendre à mon oreille.

— N'ayez pas peur, je suis votre conscience.

Je la vis dans un brouillard aussi épais qu'une plaisanterie de corps de garde. La première fois, elle m'était apparue dans un état de fatigue avancée, mais là, c'était inespéré. Je fis des vœux pour que le diable l'eût déjà remarquée afin que je pusse passer au travers de présentations fastidieuses. Ma conscience était dans un fauteuil à roulettes qui avait plus l'air d'une insulte à cul-de-jatte que d'un véhicule orthopédique. Complètement chauve, sa tête avait tant de boutons qu'elle aurait fait pâlir de jalousie le patron des *100 000 chemises.* Elle tenta de m'expliquer quelque chose, mais son dentier tomba dans un bocal de formol qu'elle avait sur les genoux et qui contenait une photo de moi, bébé. Les consciences de mes voisins la firent évacuer à cause de sa mauvaise haleine.

Des petits points lumineux dansèrent devant moi. En contrôlant ma lueur personnelle, je vis que je faisais partie des âmes en panne de courant. Dans la grande salle de rassemblement, je pris place dans l'un des alvéoles réservés aux vrais coupables. Au fond du casier voisin, il y avait une lumière très faible qui s'éteignit dès mon arrivée.

— Ben voilà, me dit-elle, c'est malin. Vous avez fait un courant d'air qui a soufflé ma dernière chance !

— Excusez-moi, répondis-je en faisant appel à des politesses oubliées. A qui ai-je l'honneur ?

— Je suis l'Anonyme, monsieur. Je fais partie des martyrs de la liberté. J'étais dans le rang de ceux qui se battent pour le droit des peuples à disposer d'eux-mêmes. J'ai planté le drapeau des opprimés sur l'autel des sacrifices. Autrement dit, j'ai déposé une bombe devant une école maternelle et la salope m'a pété dans la gueule !

— Vous faisiez partie d'un mouvement ?

— Oui, monsieur ! J'ai lutté pour l'indépendance de la Seine-et-Marne mais d'autres prendront la relève. Après la Corse, le Pays basque et la Bretagne, il y aura la Corrèze, les Bouches-du-Rhône, l'Eureet-Loir, la Mayenne, le Val-d'Oise et j'en passe. Plus tard, les arrondissements de Paris réclameront leur autonomie et ce sera au tour des quartiers, des rues, des immeubles. Dans les appartements, les familles ne se laisseront plus oppresser par un potentat qui décide de l'adresse du domicile, du mode de vie et de l'endroit des vacances. Et, quand chacun aura enfin la possibilité de ne s'opposer qu'à lui-même, il pourra se supprimer pour avoir la Paix !

Il était temps d'aller en Enfer pour voir avec quel engrais Satan faisait pousser les fleurs du mal.

Imaginons le père Noël sur le toit de l'Empire States Building de New York. Il trébuche contre un vieux paratonnerre et pique une tête dans une cheminée qui venait d'ôter son chapeau pour le saluer. En chute libre, il descend plus de cent étages et se plante le crâne dans une bûche qui crépite au rez-de-chaussée. C'est exactement la sensation que j'ai ressentie quand quelqu'un a crié « GO ! ». Le plancher de mon casier s'est ouvert sous moi et je suis parti sans avoir eu le temps de saluer mes voisins. Alors que j'entendais crier mes compagnons d'infortune, je m'amusais comme un pilote débile qui aurait oublié son parachute. C'est comme si je m'étais trouvé à la place du mercure dans un thermomètre gradué à l'envers. Plus je descendais, plus il faisait chaud.

Je suis arrivé à destination en pleine canicule. Durant ma vie de brave homme, j'ai souvent rêvé d'emmener ma femme au club Méditerranée de Djerba ou d'Agadir mais les obligations professionnelles m'en ont toujours empêché. Quel plaisir de quitter la froidure de l'hiver et, d'un coup d'aile, de se retrouver sous les chauds rayons du soleil. Pour un prix dérisoire, on peut manger, boire, dormir à volonté, faire de la planche à voile, du ski nautique, du pédalo avec le voisin et du gringue à la voisine. Seulement, voilà, le salopard qui accueillit ce nouvel arrivage de damnés n'avait rien à voir avec les gentils organisateurs de chez Trigano.

C'était une sorte de cuisinier comme on en voit dans certains restaurants à base de viande grillée. La toque douteuse et le tablier carrément dégueulasse, armé d'une fourchette à entrecôte, il piqua les pauvres âmes qui venaient de tomber dans la braise. D'un adroit coup de poignet, il les lançait dans des bacs de distribution.

— Malvenue aux Enfers ! cria-t-il. Ici, rien n'est gratuit ! Vous allez pouvoir avaler des couleuvres, boire le calice jusqu'à la lie, vous endormir sur vos illusions, recevoir des coups de planche à voile sur la gueule, faire du ski pour vous casser la jambe, du pédalo pour noyer le voisin sans vous taper la voisine.

Rien à dire. Quand on s'adresse aux établissements de crédit, il faut savoir payer le prix du bonheur prématuré. Quelques irréductibles voulurent protester mais ils furent calmés par des coups de manche de fourche. L'âme au beurre noir, ils se laissèrent enlever par des livreurs obscènes qui saluèrent le cuisinier en faisant des grimaces.

Je fis partie du premier contingent. Nous n'étions que trois dans le bac de récupération. Vraisemblablement, notre livreur devait porter le récipient sur ses épaules car de nombreux cahots nous projetaient contre les parois. Tout à coup, je pensai à l'appareil photo que saint Matthieu avait infiltré dans mon subconscient et j'eus peur de dégâts éventuels. Ce serait quand même trop bête d'avoir tiré une charrette si lourde pour casser mes brancards à cent mètres de l'arrivée.

Mes deux camarades de croisière, s'étant bousculés involontairement à la faveur d'un dos d'âne, en profitèrent pour se battre. Dans cette espèce de grand plateau en métal, leurs coups résonnaient comme des chocs d'enclume. Calé dans un coin du ring, je regardai ces deux lumières minables qui tentaient de se court-circuiter.

Sur la terre, le spectacle de deux hommes qui se battent m'a toujours rempli d'interrogations. Comment se fait-il que le gnon dans les gencives soit le dernier argument des civilisés ? Ça commence toujours par des échanges de paroles traduisant des points de vue différents. Les insultes ne tardent pas quand les paroles s'envolent et que les aigris restent. Ensuite, les membres se détendent lorsque la tension monte et c'est le pugilat crétin, la bagarre idiote d'où il ne sortira que deux imbéciles qui, parfois, iront trinquer ensemble au bar des Andouilles réconciliées. Cet exemple — primaire, j'en conviens — est valable dans le domaine des échauffourées de grande envergure. Après s'être tapé tant de fois sur la figure, les Français et les Allemands se paient des tournées au bar de l'Europe.

— Terminus, tout le monde descend !

Le porteur fit basculer le bac. Perdant l'équilibre, je fus aspiré vers le coin du plateau où les deux énervés continuaient de se battre. Le combat stoppa lorsque nous nous retrouvâmes au sommet d'un tas d'âmes qui ressemblait à un mini-terril du Nord. Près de moi, un écriteau indiquait : « ESPRITS COMBUSTIBLES 1er CHOIX. » Nous étions dans une cave à charbon.

Une cave qui aurait fait pâlir de jalousie le plus gourmet des viticulteurs. Une lumière rose éclairait un vaste sous-sol dont les voûtes grandioses étaient soutenues par plusieurs rangées de piliers. Entre ceux-ci, de longues avenues se dirigeaient vers une abside à demi masquée par un autel monumental. Des centaines, voire des milliers de tas semblables à celui sur lequel je me trouvais balisaient les allées de cette incroyable cathédrale érigée à la gloire du carbone. Dressée sur le monticule qui venait de m'accueillir, mon âme n'en croyait pas ses yeux. Si lointaine que pût être l'extrémité de la nef, je voyais distinctement les plus petits détails de l'hémicycle. Brusquement, j'eus mal à la tête que je n'avais plus. Un doux ronronnement se déclencha dans mon moi intérieur et je compris ce qu'il se passait. La caméra de *Paradis-Soir* venait de se déclencher et mon regard n'était plus qu'un système vidéo en quête des secrets de l'ennemi. A partir de cet instant, je devins vraiment le reporter de Dieu.

Une véritable boulimie s'empara de ma soif de voir. La faim et la pépie se mélangèrent pour former un appétit insolite qui me fit avaler toutes les images qui se présentaient à moi. Chaque amas de houille spirituelle était étiquetée selon sa qualité, comme les bouteilles millésimées d'un chai de grands crus. La variété des combustibles était trop importante pour entrer dans le détail mais je pus remarquer les principaux traits de la collection. « ASSASSINS DÉLICATS : *Anthracite fine* », « MEURTRIERS VIOLENTS : *Charbon naturel* », « CRIMINELS NOTOIRES : *Coke super-chauffant* », « SALAUDS DIVERS : *Boulets agglomérés* », « VOLEURS, RÉCIDIVISTES, DÉLINQUANTS, etc : *Briquette moyenne.* » Les tas étaient légèrement mouvants. Dans les ondes douces qui les faisaient remuer, on sentait l'inquiétude des âmes devant la peur du creuset. Je remarquai la différence de hauteur entre les monticules voisins et celui sur lequel je me trouvais. Elle était assez grande. Il est vrai que je devais faire partie des combustibles rares car nous n'étions pas trop nombreux, empilés les uns sur les autres.

Quelques démons charbonniers passaient dans les allées. Armés de pelles, ils remettaient en place les rares candidats à l'évasion qui rampaient sur le sol comme des escargots fuyant le panier dégorgeoir. Dans le calme le plus complet, ils vérifiaient le bon fonctionnement des poêles minuscules placés près de chaque pilier. Au centre de l'autel, je pus voir une petite salamandre faite de carbone pur. Un projecteur tournant lui faisait prendre les teintes de l'arc-en-ciel et des éclats de diamants balayaient la voûte principale avec les couleurs du prisme. Entourant le fourneau sacré, des tables de logarithmes supportaient de vieux grimoires ainsi qu'une veilleuse où scintillait la Calorie Maîtresse, la Grande Unité qui nous fait vivre pour mieux nous brûler.

Je devais me trouver dans une sorte de sanctuaire consacré à des cérémonies initiatiques, dans un lieu interdit aux profanes. Au fond de cette incroyable cave, une porte s'ouvrit. Je vis entrer une longue colonne d'êtres revêtus de sacs à charbon, le visage masqué par des loups de mica, tenant des pinces à braises entre leurs mains. Ils se placèrent devant les marches conduisant à l'autel. Celui qui semblait être le chef des officiants fit deux pas en avant. Il leva sa pince dans un geste solennel et la clarté rose disparut brusquement pour faire place à une lumière d'un rouge intense. Une chaleur insupportable envahit la cave. Des ombres de flammes dansèrent contre les murs et des crépitements de bois sec rompirent l'inquiétant silence. Trois coups furent frappés contre le portail.

— Qui est là ? demanda le personnage principal.

Une voix parvint de l'extérieur.

— Quelqu'un qui a froid.
— Quel est ton nom ?
— Satan, prince des démons, alias Lucifer et Belzébuth. Ouvrez vite, on se les gèle dehors !
Il devait faire tellement froid dehors que la voix claquait des dents. L'officiant baissa sa pince et enchaîna :
— Es-tu animé de mauvaises intentions ?
— Oui, je suis quelqu'un qui vous veut du mal !
Le grand prêtre se retourna vers les assistants et leur posa la question rituelle :
— Peut-on faire entrer Satan, empereur des Ordures, roi des Salauds ?
Le groupe se consulta. Des murmures se firent entendre pendant que le chef se curait les griffes des pieds avec sa pince à braise.
— Arrêtez vos conneries, cria Satan à travers le portail. Si vous n'ouvrez pas tout de suite, je serai obligé de me mettre les miches dans un grille-pain !
Personne ne répondit au Grand Vulgaire. Il était certainement l'inventeur des rites dont il était la victime. Fasciné par le spectacle, j'ouvrais tout grand mon objectif. Ma caméra intérieure tournait rond.
L'officiant reprit sa première position, face à l'allée principale conduisant au portail.
— Qu'il entre !
Une musique hurlante éclata dans tous les sens. Une multiphonie de sons lourds et stridents perça le tas d'âmes sur lequel j'étais juché et son soubresaut faillit me faire perdre l'équilibre. C'était une mélodie furieusement physique qui attaquait le moral. Des percussions et des synthétiseurs allièrent leur agressivité à la violente ouverture du portail.
Sous une incroyable poussée, les deux vantaux

de la lourde porte se brisèrent contre le mur intérieur et Satan apparut dans une vapeur d'eau.

J'en pris plein ma lentille focale. Dans le flou de ma vision, je pus tout de même distinguer les contours de l'ennemi, puis la netteté revint grâce à l'augmentation de la chaleur. L'ange déchu était enfin devant moi. Un manteau pourpre l'enveloppait entièrement, ne laissant apparaître qu'un visage sans surprise. C'était celui que j'avais déjà vu dans les bouquins de mon enfance et dans les allégories démoniaques.

Les décibels augmentèrent jusqu'à l'insupportable. Des chœurs hurlants se mirent à psalmodier l'Ode à Satan :

— Notre père qui êtes en enfer
que votre gnon soit sans pitié
que votre beigne arrive
ici comme sur la terre.

Il y eut des vivats. Les prêtres lancèrent leurs masques en l'air.

— Malvenue au Grand Lucifer ! Que Dieu l'oublie et qu'il se protège lui-même !

Satan se dirigea doucement vers les marches de l'autel. Lorsqu'il passa devant mon tas d'âmes, son regard se dirigea vers moi. Je fis clignoter ma pauvre lueur jaunâtre. Continuant son chemin sous les acclamations, il s'approcha du principal officiant et lui donna un coup de genou dans les parties.

Suivant les intonations de sa voix qui, brusquement, changea de registre, la musique haussa le ton de deux octaves. Le prêtre venait d'entamer une tyrolienne endiablée. Lorsqu'il eut terminé la coda, le silence revint. Le diable s'adressa à lui :

— Par ta faute, les frimas m'ont gelé les valseuses. Je te rends ton intention car un malfait n'est jamais perdu.

Deux servants ôtèrent le manteau de pourpre et Satan se montra dans toute sa splendeur. Vêtu en Grand Echanson des Celliers de la Géhenne, sa queue prudemment remisée dans une cartouchière fixée à la taille, il monta les marches de l'autel. Après avoir ouvert le foyer de la salamandre précieuse, il donna ses ordres :

— Qu'on amène les échantillons des nouveaux damnés. Les affectations seront faites selon mon mal plaisir.

Les diables charbonniers s'éparpillèrent dans les allées pour prélever une âme dans chacun des amoncellements. Une main crochue s'empara de la mienne et me déposa sur un coussin d'air. En rectifiant ma position, je dirigeai mon œil-caméra vers la file indienne qui s'étirait jusqu'au démon. Un à un, il plongeait les esprits dans le fourneau. Un thermomètre géant, placé au centre de l'abside, donnait la valeur des différentes chaleurs dégagées. A travers la porte transparente du foyer, on pouvait remarquer des intensités lumineuses dissemblables. Les serviteurs donnaient des précisions sur la qualité des produits :

— Malfaisants communs. Petite envergure. Basse valeur calorique !

Dans ce cas, la température montait à peine et la clarté était imperceptible. Satan donnait la sentence :

— Suppression totale dans l'incinérateur n° 1.

Un éclair dans la salamandre, et l'échantillon était pulvérisé à jamais. Une énorme trouille s'empara de mon ego. Avec une rapidité fulgurante, je revis mes classes au Purgatoire, mon entraînement avec Marchoukrev. J'entendis à nouveau les conseils et les promesses de saint Pierre et de saint Matthieu. S'il y avait une erreur quelque part, je pouvais dire adieu au fauteuil fleuri qui devait m'attendre à la droite du Seigneur. Toutes les horreurs que je venais de commettre sur Terre deviendraient inutiles si, par la faute d'un oubli divin, je passais inaperçu aux yeux de Satan. Etait-il possible d'avoir été, gratuitement, l'auteur de sacrifices inutiles, d'avoir fait souffrir mes malheureux parents adoptifs et tant d'autres innocents qui ne pouvaient rien comprendre aux impénétrables desseins de Dieu ?

— Spécialistes du mal. Remarquables dispositions. Valeur calorique moyenne !

Il se passa quelque chose dans la salamandre. La température monta très haut dans le thermomètre. Satan trancha :

— Préservation de l'âme par catalyse. Utilisation des congénères dans l'alimentation des volcans.

L'échantillon fut détruit malgré ces paroles presque rassurantes. Paniqué, je pensais dans le désordre. C'était foutu ! Malgré mes dons, mon art, mes capacités, j'allais terminer ma mission dans un anéantissement total.

La main de Satan me tomba sur le coin de la pensée. Je tentai de m'accrocher aux poils qui poussaient sur sa paume et, lorsqu'il ouvrit les doigts pour me faire tomber dans le foyer, j'étais encore pendu à ses crins, retardant mon agonie. Il secoua sa patte velue pour se débarrasser de mon âme gluante qui lui collait à la peau comme une poignée de confiture. Un poil cassa et je tombai dans le poêle.

La porte venait de se refermer. Malgré ma condition particulière d'impur esprit, je ressentais des sensations physiques. La première fut une odeur épouvantable, émanant sans doute de ceux qui venaient d'être supprimés. La deuxième me donna l'impression d'être devenu une truite au bleu quand je plongeai dans cette marmite infernale. M'attendant à l'ignoble souffrance, je me mis à prier par instinct et surtout pour attirer l'attention du Très-Haut afin qu'il se rendît compte que j'étais très bas. A mon grand étonnement, rien ne se produisit. Aucune douleur n'était venue me mettre en péril et je me sentais à l'abri dans cette tour d'ivoire qui m'isolait des malades de l'extérieur. Un peu calmé, je regardai à travers la porte vitrée de la salamandre. Mon servant fit l'annonce d'usage :

— Rare échantillon du mal en personne. Réfractaire à la chaleur. Spécimen unique.

J'ai toujours accordé une certaine importance au travail bien fait. Je me sentis flatté dans mon amour-propre. Le démon regardait le thermomètre avec beaucoup d'intérêt et c'est la raison qui le fit retarder son jugement. Personne n'osa troubler sa contemplation et le silence complet revint dans la cave.

C'est au moment où les visages commencèrent à refléter la surprise que je compris qu'il se passait quelque chose d'anormal. Les démons commencèrent par transpirer, puis ils furent obligés de s'éponger avec leurs sacs à charbon. Le diable, qui n'avait pas l'air de souffrir de la chaleur, avait les yeux rivés sur les degrés. Le mercure venait de dépasser la cote d'alerte. Moi, j'étais dans le plus grand confort. Ma caméra dévorait l'ensemble d'un bel appétit et léchait les moindres détails comme on suce un os de pigeon. Ma peur avait disparu. L'âme appuyée contre la vitre du four, je croyais enfin aux vertus de la climatisation.

Mes spectateurs commencèrent à se plaindre du brusque changement de climat. Le Grand Prêtre voulut attirer l'attention de Satan.

— Ne crois-tu pas, Super-Connard, qu'il faudrait tourner le bouton ? On va crever, là-dedans !

Le diable n'entendait plus. En extase devant mes capacités thermiques, il avait les mains jointes. Ses lèvres remuaient à peine mais il me sembla qu'à son tour il priait. J'en eus l'oreille nette quand j'entendis :

— Merci à Dieu d'avoir créé une chose aussi répugnante que l'humanité. Amen.

C'est à ce moment précis que le thermomètre explosa. Des flots de mercure envahirent la cave et je produisis une lumière si aveuglante que les diables hurlèrent de douleur en se cachant la figure. La rétine brûlée, ils tentaient de gagner la sortie en nageant dans le vif-argent. La porte de la salamandre fut arrachée par la déflagration.

— Silence ! cria Satan, ou je vous envoie tous dans l'incinérateur.

La menace était si froide que le mercure se solidifia, emprisonnant les nageurs.

Le démon était monté sur l'autel pour éviter le déluge. Il me récupéra dans sa main pour me porter à la hauteur de son regard. Là, je plaçai ma caméra face à lui et plantai un brutal zoom en avant jusqu'au fond de ses yeux. Il considéra longuement la chose que j'étais devenu à force de volonté et me fit un sourire qui dégagea ses canines.

— Je t'ai vu mourir, dit-il. Tu as fait du bon travail sur la Terre. Sois le malvenu, Aimé Lachaume.

Les pieds sur le bureau, calé dans un profond fauteuil, un énorme cigare à la bouche et une bouteille de whisky à la main, je dégustais la mort.

Mes exploits terrestres avaient fortement impressionné Satan qui venait de me nommer conseiller technique au Département de la recherche criminelle. Autrement dit, je devais étudier les nouvelles façons de nuire à Dieu par l'intermédiaire des hommes. Je devais aider à la découverte de nouveaux fléaux pour que la rancœur du démon pût se manifester de façon moderne. Depuis l'invention de la bombe atomique, il s'ennuyait ferme, car elle tardait à vraiment faire ses preuves. Oh ! bien sûr, il y avait eu celle d'Hiroshima mais, à côté de ce qu'on pourrait faire aujourd'hui, c'était un pet de lapin. De temps en temps, Satan reprenait un peu d'espoir à chaque tension entre l'URSS et les Etats-Unis. Dès que les deux présidents commençaient à s'engueuler, il fonçait sur son périscope après avoir fait des paris insensés avec ses principaux collaborateurs. Malheureusement, la détente internationale le remettait dans une inquiétante apathie. Ces fausses joies lui dégradaient de plus en plus le caractère et il se calmait avec des expédients en utilisant son pupitre à cataclysmes. Mon arrivée en Enfer lui donna un peu d'espoir.

Il vit tout de suite que je n'étais pas un savant. Je n'avais pas les dons d'Einstein ni de Léonard de Vinci, mais le démon pensait que mon désir de faire le mal pouvait stimuler les pensées des chercheurs. La fonction crée l'organe.

Je fus donc rapidement installé dans un confortable appartement au neuf cent dix-huitième étage du building de la Guerre. Comme au Purgatoire et au Paradis, certaines apparences de la vie étaient visibles et palpables. Pour me mettre dans de bonnes dispositions, je fus même crédité d'un corps fait d'un ersatz de chair qui me donnait les moyens d'utiliser les sens que j'avais perdus en mourant. Je pouvais fumer, boire, manger, sentir, etc. Il m'arriva même de sentir une réaction en contrebas à la vue des contreforts d'une diablesse roulée comme une contrebasse. Seulement, j'avais perdu tous mes sentiments belliqueux. Mon humeur agressive s'était éteinte avec mon dernier souffle. Il me fallait constamment truquer pour apparaître diabolique mais, devant l'enjeu de la partie, je me tirais assez bien de cet embarras. Tous les jours, Satan me téléphonait pour savoir si je n'avais pas une mauvaise idée à lui soumettre. La sonnerie retentit au moment où j'allais allumer un autre cigare. J'eus d'abord la standardiste.

— Allô ! monsieur Lachaume, ne quittez pas. Vous avez M. Satan sur la deux.

— Lachaume ?

— Maljour, Grand Nuisible, c'est à quel sujet ?

— Où en es-tu ?

— Je tue le temps.

— C'est déjà ça, fit-il en raccrochant.

Je n'avais, malheureusement, pas trouvé grand-chose à mettre sous la dent de mon nouvel employeur. La deuxième phase de ma mission consistait à recueillir le plus de renseignements possible au profit de Dieu et, comme j'étais devenu l'un des bras droits du démon, cela me fut relativement facile. Le lendemain de mon arrivée, on me donna un laissez-passer pour tous les territoires de l'Enfer. Je devins Observateur officiel du gouvernement.

Le métier d'observateur m'a toujours intrigué. Gagner sa vie en observant ce que les autres font me semble être la reine des combines. Tous ces voyeurs accrédités qui se rincent l'œil à regarder des pauvres mecs transpirer sur un porte-plume, un pinceau, une caméra, une scène, une cuisinière ou un manche de pioche ne connaissent pas leur bonheur. Moi, chaque fois que j'ai voulu observer quelque chose, on m'a toujours fait payer. Et je ne parle pas des prix pratiqués par Mme Lucette pour avoir le droit de mater par le trou du mur de la chambre 12.

Si l'observateur se contentait d'observer, il y aurait moindre mal, mais la plupart sont doublés d'affreux mouchards. Ils vont raconter partout que vous avez loupé votre bouquin, votre peinture, votre film, votre pièce, votre plat ou votre mur. C'est comme si j'avais dit, après avoir regardé par le trou de la chambre 12, que monsieur le Ministre avait raté sa pute !

Bref, j'avais la position d'un espion double dans le camp adverse. Dès ma nomination, je fus pris entre deux feux et il me fallut déployer des trésors d'imagination pour que Satan continuât à croire que j'étais son allié. La mort ayant effacé toute la méchanceté que le Ciel m'avait donnée, je fis appel à mon sens de la création. Il n'était pas question de trahir mon véritable patron et de faire de nouvelles crasses aux hommes. J'inventai donc une série de vacheries irréalisables parce que floues ou trop compliquées. Le diable se délectait à m'entendre les lui expliquer, ce qui me permettait de gagner du temps et d'avoir les mains libres pour espionner ses installations et découvrir ses intentions.

J'éteignis mon cigare avant de me rendre au Conseil des sinistres qui avait lieu à date régulière. La salle était pleine lorsque j'arrivai. Je reconnus les ténors de l'assassinat industrialisé qui, depuis la création du monde, avaient tant fait pour éviter de dangereuses poussées démographiques. La suppression des géniteurs est-elle nécessaire pour préserver son propre espace vital ? Ma mère, qui était une brave femme, avait noyé presque tous les enfants de Miquette. Il est vrai que Miquette n'était qu'une petite chatte de gouttière. Ces nettoyages par le vide m'ont toujours beaucoup affecté. J'en parlerai à Dieu, si je le vois un jour.

Autour de la table, je remarquai quelques inconnus. Des visages sans noms, des mains blanches qui avaient dû tirer des ficelles noires dans les coulisses du crime. Je pris place entre Landru et Petiot, ces modestes artisans promus à un bel avenir et qu'une faillite imprévisible avait rayés de la liste des VIP.

La séance se passa dans la monotonie habituelle. Cette fois-ci, l'ordre du jour fit état des projets en voie de réalisation. Intensification des guerres de religion. Propagation de nouveaux médicaments dangereux, délivrés sans ordonnance dans les épiceries du tiers-monde. Au dernier recensement, la chimie incontrôlée aurait fait plus d'un million de morts. Ensuite, on en vint aux petites guerres sourdes, celles qui n'osent pas dire leur nom. L'invention de l'automobile permet d'éliminer, en un an, plusieurs centaines de milliers de personnes, rien qu'en Europe. Le tueur motorisé ne risque pas grand-chose car l'automobile est l'une des rares armes en vente libre. On appelle ça « accident ». L'ouverture de la chasse est aussi une bonne affaire pour le diable. En France, uniquement, il y a un million huit cent vingt-cinq mille chasseurs. Tous les week-ends, c'est une grande armée qui se lève autour de votre résidence secondaire. Je possédais la mienne en pleine Beauce. Pour être tranquille. Un dimanche, j'ai compté cent quarante-quatre coups de fusil et ma fille a reçu les plombs destinés à un malheureux canard de mon étang.

Le Conseil s'attarda sur les grandes manifestations sportives, genre football. Les bagarres entre CRS et supporters; la violence et le vandalisme lui permettaient de voir l'avenir sous d'excellents augures. Satan n'était pas mécontent des progrès faits en ce domaine.

— Nous grignotons, nous grignotons, dit-il en se frottant les pattes de devant. Lachaume, avez-vous des idées nouvelles ?

Et voilà ! La question que je redoutais me tomba sur le coin de la tranquillité. Je devais avoir une sacrée bosse. Pour gagner du temps, je pris l'air le plus méchant possible et me lançai dans une diatribe contre l'humanité.

— Il faut supprimer la Terre ! hurlai-je en essayant de baver pour donner plus de vérité à ma rage. Ça sera le seul moyen efficace de rayer la France de la carte du monde ! Et, si la France n'existe plus, il n'y aura plus de Bretagne ! Quand la Bretagne sera pulvérisée, le village de Plougreleau aura disparu !

— Du calme, du calme, tenta Satan.

Les yeux hors de la tête, je déversai ma haine truquée sur les malheureux Plougreleaunois.

— Ecrasons Plougreleau et ses habitants ! La place de la mairie doit être réduite à néant ! Surtout l'impasse Julien-Kermadou parce que, au n° 3, il y a un marchand de cidre qui s'appelle Yves Le Trouduc et qui a couché avec ma fiancée pendant que je faisais mon service militaire ! En supprimant la planète, c'est cet enfant de putain que je vise !

— Allons, allons, Lachaume, fit le démon. Ne vous énervez pas. Buvez un verre d'eau, ça va passer.

Au comble de la fureur, je sautai sur la table pour piétiner les dossiers. A grands coups de pied, je fracassai les verres et les carafes.

— A mort les marchands de cidre ! Les tenanciers au poteau !

A travers le brouillard de ma colère, j'aperçus

Hitler qui me regardait avec une certaine admiration. Il m'encouragea :

— Bravo ! Il a raison. A bas les bougnats !

Satan se fâcha tout rouge.

— Ça va pas recommencer, non? Silence, Lachaume ! Les rancunes personnelles n'ont aucune place dans mon œuvre. Ici, nous travaillons pour la collectivité et je ne favoriserai jamais les intérêts particuliers. La séance est levée.

Je regagnai mon appartement, pas mécontent de m'être tiré d'un mauvais pas, une fois encore. Mon système d'espionnage électronique avait dû retransmettre des renseignements importants et j'en ressentais une légitime fierté. Je n'étais pas loin de me prendre pour James Bond. Tout le décor des films de 007 était reconstitué autour de moi mais une pénurie de nanas se faisait cruellement sentir à l'intérieur de mes sous-vêtements. Quand on pense que Sean Connery s'envoie une fille chaque fois qu'il sort son flingue, ça donne envie de tirer. Bien sûr, mon corps n'était qu'une prothèse prêtée par le démon. Seulement, voilà, l'imitation était tellement réussie que je faisais des appels de phares dès que je croisais une damnée possédant une carrosserie grand sport. Elles restaient toutes insensibles à mes feux de détresse. La mort dans l'âme, je pensais que celles qui étaient en Enfer avaient pourtant dû être de belles salopes. J'en étais à ce point de mes réflexions philosophiques quand l'une de ces allumeuses me croisa dans la porte à tambour de mon immeuble.

Superbe ! J'en ai pourtant connu des pièces de collection, des objets rares, des originaux de valeur, des œuvres d'art que j'ai même flattées de la main avec l'air désabusé de l'amateur éclairé. Mais celle-là ! Merci, mon Dieu ! Pardon, merci, mon diable !

Celle-là dépassait en beauté lubrique tout ce qu'un spécialiste du fusil à Mickey aurait pu imaginer. Afin de bien décrire la plastique de la dame en question, il faut commencer par le haut, comme pour une pièce montée. Quand on déguste une femme avec les yeux, il faut toujours commencer par les parties supérieures et descendre lentement vers les surprises que vous réserve son architecture.

D'abord, le regard se pose sur la chevelure, fouille légèrement cette jungle qu'on devine parfumée de senteur femelle, puis il descend sur le front pour frôler les sourcils. Il ne lui est pas interdit de s'abriter dans les ourlets des oreilles et de profiter de la douceur des lobes. Puisqu'il s'appelle Regard, il plonge dans les yeux qui ne sont pas les siens et se baigne, tout nu, dans ces lacs bordés de roseaux. Après s'être séché à la fraîcheur des joues, il se frotte aux ailes du nez et se réchauffe à la tiédeur des lèvres. En se laissant glisser dans la fossette du menton, il arrive jusqu'au cou et s'arrête, désemparé, à la naissance des seins. Là, le regard a besoin d'un passeport pour franchir la frontière. Il ne pourra pas faire autre chose que d'imaginer les avantages d'une terre étrangère. Il contournera les creux et les vallons jusqu'aux jambes qui, finalement, se mettront en mouvement pour échapper aux investigations. Le regard restera seul, abandonné, regrettant que des mains ne lui aient pas porté secours.

Je viens de décrire l'examen classique du connaisseur. Celui auquel je me livrai, en voyant la fille à travers la vitre de la porte, était tout autre. Une sorte de happement glouton qui ne laissait aucune place à la poésie. Le mets en valait la peine. Il devait provenir d'un « quatre étoiles » dont les contours méritaient un sacré détour. Ce qui me permit de placer la mignonne en tête du Gault et Millau de la fesse, c'est qu'elle était à poil ! Je pus donc me rendre compte de la qualité du produit. Rien que de l'extra-fin, du premier choix. Brune corneille, légèrement métissée, les yeux couleur d'espoir. Tout en rondeurs mouvantes avec un sourire en forme de programme de gala. Un vrai piège monté sur des jambes qui donnaient envie de s'en faire un collier.

La merveille me regarda curieusement et s'écroula sur le sol, bloquant la porte à tambour. Coincé dans mon compartiment, je ne pouvais plus pousser le battant. En essayant de débloquer le système, je me demandai, non sans une certaine fatuité, si elle n'avait pas éprouvé un grand choc émotionnel en découvrant la pureté de mes traits.

Il m'était impossible de ne pas secourir quelqu'un en danger. J'ai toujours fait preuve de civisme lorsqu'une personne se trouvait en difficulté sur le bord d'une route. Surtout si elle était belle.

Deux ou trois pauvres diables m'aidèrent à pousser la porte pour dégager la splendeur chocolat qui gisait sur le marbre.

— Vous la connaissez ? me demanda l'un des secouristes malgré lui.

Je m'entendis répondre que je ne connaissais qu'elle, que ses parents étaient mes amis, que je l'avais couchée sur mon testament et qu'elle habitait l'appartement 306 au neuf cent dix-huitième étage.

— Il faut appeler un docteur, fit un trouble-fête en lui donnant des petites claques sur les joues.

Cet imbécile allait la réveiller ! Je stoppai ses bonnes intentions.

— Je suis médecin. Aidez-moi à transporter cette pauvre fille chez elle.

Nous prîmes l'AGV[1]. Pendant les cinquante secondes qu'il nous fallut pour monter au neuf cent dix-huitième étage, j'eus peur qu'elle ne se réveillât avant d'arriver chez moi. Après l'avoir allongée sur un canapé, les aides s'en allèrent avec mes remerciements. La superbe créature était toujours évanouie.

Le bouche à bouche que je tentai de lui faire ne fut pas une bonne idée. A peine avais-je collé mes lèvres sur les siennes qu'elle se réveilla pour me balancer une claque magistrale qui m'envoya dinguer deux mètres plus loin. Elle se remit debout, comme propulsée par un ressort, et empoigna une lampe de chevet visiblement destinée à mon crâne.

— Espèce de dégoûtant ! Un geste de plus et vous prenez cet objet d'art en pleine figure !

Je me fis tout petit devant cette décision qui pouvait porter préjudice à l'équilibre de mon visage. Avec ma voix la plus rassurante, je lui expliquai sa présence chez moi :

— Vous vous êtes évanouie en sortant de l'immeuble et on vous a transportée ici. J'étais en train de vous donner les premiers soins.

Elle laissa retomber son bras sans lâcher la lampe.

— J'ai encore eu une syncope ? dit-elle en ayant l'air de se poser personnellement la question. Ça ne m'étonne pas, je fais trop l'amour !

Quoi ? Pourquoi fallut-il que j'ouïsse ce mot au moment où je regrettais de n'avoir aucune Eve à me mettre sous l'Adam ? L'amour pouvait donc exister en Enfer ?

— Qu'est-ce que vous avez dit ? questionnai-je, les yeux ronds et la bouche en cœur. Vous faites l'amour ?

1. Ascenseur à grande vitesse.

Je me souviens d'une locomotive à vapeur que le père Noël m'avait apportée quand j'étais petit. Lorsque je découvris ce superbe cadeau devant la cheminée, je ne pus m'empêcher de questionner mon père :

— Elle marche, papa, la locomotive ?

J'avais là, devant moi, une motrice qui pouvait peut-être siffler trois fois ! Il me suffisait d'avoir la bonne clef pour remonter son mécanisme. Je m'empressai de détendre l'atmosphère.

— Je me présente, fis-je. Aimé Lachaume, conseiller technique de Satan. A qui ai-je l'honneur ?

— Je m'appelle Asmodée, répondit-elle, détendue par mon air de ne plus y toucher. Je suis fonctionnaire au ministère des Relations sexuelles.

Ah ! Quel bonheur ! Enfin une fonctionnaire qui pouvait fonctionner pour le plaisir de l'usager. Une employée de l'Etat qui pouvait ouvrir son guichet en respectant les lois de l'hospitalité. Il devait y avoir la queue bien avant l'ouverture des bureaux. Une fois encore, j'admirai cet agent du gouvernement, debout devant moi, dans le plus simple appareil.

Elle était dans la position de l'attente verticale. Campée sur deux jambes sublimes, légèrement écartées pour donner de l'assise à son centre de gravité, Asmodée me proposait la plus jolie des règles de trois : deux seins remplis d'orgueil et un triangle soyeux, beaucoup plus attirant que celui des Bermudes. Les matheux savent qu'avec la règle de trois on cherche le quatrième terme d'une proportion quand les trois autres sont connus. Il aurait fallu être aveugle pour ne pas voir la solution que j'avais envie de proposer et qui était plus qu'encombrante. Asmodée fut-elle sensible à cet hommage ?

Je n'en saurai jamais rien. Elle fit une mise au point qui rabaissa mon enthousiasme :

— Je ne voudrais pas qu'il y ait un malentendu. Premièrement, je ne peux rien faire pour vous car je suis programmée pour n'avoir des rapports qu'avec les êtres vivants. Deuxièmement, je ne suis pas une femme et je ne l'ai jamais été. Je suis un démon succube, c'est-à-dire que je profite de chaque nuit pour me rendre sur Terre et m'unir à un homme.

— Ça vous arrive souvent ? demandai-je, ébahi.

Elle laissa tomber la lampe de chevet et s'affala sur le canapé. Une grande lassitude apparut dans ses jolis yeux verts.

— Souvent ? Dites plutôt que je travaille à la chaîne. Il me faut corrompre les réfractaires du plaisir, les insoumis de la volupté, les rebelles du désir. Il me faut séduire les ennemis du lit à deux places qui ne touchent à leur sexe que pour faire pipi.

— Vous avez beaucoup de clients ?

— Tous les bigots, les tartufes et les apeurés de la zézette qui se figurent que le danger est à l'entresol. Quand j'arrive à les convaincre pendant leur sommeil, ils prennent ça pour un cauchemar et leur comportement s'en trouve perturbé. Il y en a qui foncent au confessionnal dès le lendemain et d'autres qui achètent un imperméable pour faire la sortie des lycées.

Je n'avais plus du tout envie de conter fleurette à cette Mata-Hari. En la regardant de plus près, la duplicité du démon apparaissait par tous les pores de sa peau de satin.

— Dans quel but faites-vous ça ?

— Pour dégrader la discipline qui est la force principale de toutes les armées. Surtout celle de Dieu. Nous luttons contre les dix commandements et, petit à petit, la victoire se dessine. Nous avons déjà sapé bien des valeurs morales.

Le ronflement d'un buzzer se fit entendre. Asmodée appuya sur son téton gauche et le bruit stoppa.

— Excusez-moi, dit-elle en abandonnant mon canapé. Il est l'heure que je reprenne mon service.

Je la raccompagnai à la porte.

— Vous retournez sur terre, cette nuit ? Ça n'est pas raisonnable, fatiguée comme vous l'êtes.

Elle passa devant moi en ondulant de l'outil principal et se retourna pour répondre à ma question.

— Cette nuit, ça sera plus facile. Je ne ferai l'amour qu'une cinquantaine de fois avec des hommes qui vivent en vase clos et pour qui la femme est interdite pendant les heures de travail.

— Des... légionnaires ? tentai-je, au hasard.

— Non, répondit-elle. Une compagnie de jésuites !

Avant qu'elle ne disparût dans la cage de l'ascenseur, ma caméra la suivit avec un travelling arrière. Ce qui devait être une super-séquence pour mes amis de *Paradis-Soir* !

Au fil des jours, des mois, des années ou des siècles qui passaient — je n'avais toujours aucune notion du temps mesuré par les hommes —, je transmis tous les secrets que je pus découvrir grâce à ma fonction privilégiée. Les plans du démon étaient aussi nombreux que variés. Doué d'une patience peu commune, il attendait son heure en disposant des mines dans les terrains invisibles de la pensée humaine. Devant le danger que représentait cette nouvelle forme de guerre, je souhaitais ardemment que mes SOS fussent entendus par les services secrets du Père Eternel.

La publicité subliminale était la plus redoutable des armes de l'Enfer. A travers les médias : presse, radio, télévision, les enfants étaient les premiers touchés. Leur subconscient, aussi facilement impressionnable qu'une pellicule vierge, acceptait les messages les plus nocifs sans se rendre compte de leur existence. Les accumulations d'horreurs, proposées par les journaux écrits, parlés ou télévisés, étaient reçues journellement comme des choses presque normales. La fréquence des informations-catastrophes supprimait, peu à peu, le sensationnel, et la banalité entrait dans le domaine de l'interdit. Au fin fond de la Géhenne, Satan était à la régie, heureux de toute cette publicité qui faisait si bien vendre ses produits. Par mimétisme, les hommes tuaient et volaient de plus en plus, incontrôlés par une police débordée qui négligeait les attaques dans le métro, les viols et les cambriolages. Des syndicats de délinquants se formèrent pour réclamer des statuts et la reconnaissance de leur profession. Les assassins se groupèrent au sein d'un puissant holding et la « Murder Company » posséda des filiales dans toutes les capitales du monde. Grâce à une justice qui fit pencher sa balance en faveur des hors-la-loi, les victimes furent emprisonnées à leur place. Lorsqu'il était impossible de le faire pour cause de mort, la famille de l'assassiné était tenue pour responsable. Elle se voyait infliger une peine en rapport avec le préjudice qu'elle avait subi. C'était un excellent moyen de dissuader les futurs porteurs de plaintes qui risquaient d'encombrer encore plus les locaux de la police.

La libre circulation dont je bénéficiais à travers les laboratoires de Satan me permettait d'enregistrer les expériences de moyens nouveaux. Certains étaient encore au stade de l'hypothèse mais laissaient prévoir une effroyable application. Ne pouvant recevoir aucun message des agents du Ciel, il ne me restait plus qu'à espérer que les miens seraient bien reçus pour que Dieu se penchât sur leur importance.

Sous la cocotte-minute du Moyen-Orient, le démon avait fait brancher une soufflerie géante. Des milliers de diables manœuvraient d'énormes soufflets de forge qui attisaient un feu d'enfer. Par un vidéo-témoin, on pouvait voir des armées de fanatiques s'entre-tuant sur un sol chauffé à blanc. A leurs pieds, s'amoncelaient les cadavres des imbéciles, morts au nom de la guerre sainte et de la bêtise humaine.

Dans le domaine de la conquête du Paradis par les armes, Satan ne manquait pas d'idées. Il avait déjà dessiné les futurs drapeaux des nations dont il aurait prochainement le contrôle sans réserve. Le croissant était devenu pleine lune, une faucheuse à côté d'un pilon avaient remplacé la faucille et le marteau et les dollars s'étaient substitués aux étoiles.

Un document exceptionnel entra en ma possession. Sous prétexte d'apporter une idée personnelle, je fus admis au premier bureau des stratégies. On me montra la maquette filmée des prévisions concernant la guerre totale. Ses auteurs étaient partis d'une convention qui admettait le non-emploi de la bombe atomique mais qui ouvrait la grande porte de la chimie et de la bactériologie. Il ne restait, sur la Terre, que trois puissances ayant éliminé les pays parasites et qui se trouvaient face à face, chacune dans un coin du triangle. J'assistai à l'élimination des deux plus faibles. Aucune explosion n'eut lieu, aucune arme n'entra dans le jeu. Les hommes s'éteignirent pour le compte, attaqués dans leurs entrailles par les émanations et les microbes. Les infiniment petits et les éléments radioactifs naturels furent les plus forts. Il ne resta qu'une nation souveraine qui prit possession de la Terre entière. C'est alors que le diable sortit de son trou. Il devint l'Empereur de la planète et déclara une guerre ouverte à l'univers. De sa nouvelle plate-forme, il lança ses Super-Satanic qui éteignirent tous les astres. Seul, le plus grand et le plus chaud des soleils fut préservé. Satan s'y installa avec ses innombrables légions de damnés qui trouvèrent une chaleur sans avoir besoin de l'entretenir. Ce domaine avait des frontières communes avec le Paradis.

Le film d'anticipation se terminait par la capitulation de Dieu. Celui-ci, abandonnant son domaine à son ancien collaborateur, disparaissait à tout jamais en jurant, mais un peu tard, qu'on ne l'y prendrait plus.

Dans l'absolu, cela me fit une grosse impression. Ce n'était, évidemment, qu'une expression des fantasmes de Satan mais il fallait prendre garde à sa mégalomanie. Quel est l'homme des cavernes qui aurait pu penser à l'existence de l'électricité et à la présence de l'atome ?

La véritable folie est de ne pas croire aux rêves les plus fous.

9

Le bruit se répandit comme une traînée de poudre. Les premières rumeurs furent d'abord incroyables et le Paradis tout entier demeura sceptique.

Puis vinrent les communiqués officiels qui laissèrent tomber la nouvelle écrasante. La stupeur paralysa les élus et les lieux de délices se trouvèrent plongés dans le plus profond silence. Dieu avait perdu la foi !

Selon les dernières informations, il avait été transporté d'urgence au service de réanimation de la croyance où un célèbre professeur en théologie venait de lui donner les premiers soins. C'était-il Dieu possible ? La question fut sur toutes les lèvres. Si le Patron fermait boutique, il allait y avoir des licenciements en masse, et comment faire pour se recycler ? L'autogestion demande des qualités de direction que les employés ne possèdent pas forcément. Au Paradis, la crainte avait remplacé la joie, les couleurs s'étaient ternies, il n'y avait plus de musique et les bienheureux étaient malheureux.

Dieu commença à douter de lui-même lorsqu'il eut connaissance des premiers rapports de Pierre Attier, alias Aimé Lachaume, sur les agissements du démon. Depuis deux mille ans, personne ne lui parlait de cette Terre qui avait été fatale à son fils et dont il ne s'inquiétait plus, préoccupé par des soucis de nature universelle. Il lui était arrivé de rester plusieurs siècles sans avoir une pensée pour cette petite boule qui fait du gringue au soleil en tournant autour de lui. Le Seigneur se demanda s'il n'avait pas des trous de mémoire.

Il s'était effondré sur son bureau lorsqu'on lui avait démontré que Satan accordait une grande importance à cette planète et, surtout, qu'il était sur le point de l'envahir complètement. Etant donné que Dieu est en même temps omnipotent, omniprésent et omniscient, il se convoqua lui-même en séance exceptionnelle. Selon les lois démocratiques en vigueur au Paradis, il informa le peuple qu'il allait se réunir tout seul pour une importante conférence au sommet dans les hautes régions du Ciel. On rassembla les plus beaux nuages pour en faire une résidence propice à la réflexion divine. L'enchanteur Merlin fut choisi comme architecte et construisit en très peu de temps une nébuleuse extra-galactique à deux pas de la mer Paraditerranée avec loggia et parking. Dieu s'y retira pour examiner en détail les microfilms envoyés par Pierre Attier témoignant des activités subversives de l'Enfer.

Un important service d'ordre entourait la retraite du Père Eternel placé sous la protection des Compagnies divines de sécurité. Des consignes formelles avaient été données à tous les anges qui interrompirent leurs vols pour ne pas troubler le silence nécessaire à la concentration. Eole et Jupiter furent priés de stopper leurs productions de vents et d'orages. Petit point isolé dans le calme des grands espaces, l'ermitage de Dieu était le symbole de la méditation.

Malheureusement, à l'intérieur de ce temple de la sagesse retardataire, il y avait un pauvre être suprême qui se prenait la tête à deux mains. Devant les preuves accablantes de la suprématie de Satan sur la Terre, le Très-Haut en fut, finalement, réduit à faire son autocritique. Il éteignit le projecteur qui, pour la millième fois, venait de lui démontrer le complot de Satan et l'involontaire complicité des hommes.

Le Seigneur recula jusqu'au fond de sa solitude et disparut dans l'invisible. Seule sa pensée demeura présente. Elle éclata comme un coup de canon, creva le toit de la résidence et s'envola dans le cosmos après s'être habillée du son de la voix humaine. Bien au-delà des confins de l'univers, on put entendre la confession de Dieu :

— Ô vous qui m'écoutez sans comprendre, savez-vous combien votre Père est malheureux ? Ô vous, mes enfants, qui connaissez le bonheur d'avoir eu des parents, saurez-vous jamais les tourments de ceux qui n'en ont pas eu ? Je suis l'Orphelin du Monde, celui qui n'a ni père ni mère. Je me suis fait tout seul au milieu du chaos, issu du ventre de ma propre volonté, dans un but qu'il m'a fallu découvrir et que je n'ai pas découvert. Pourquoi ai-je créé la matière et la vie ? Pour quelles raisons se battent-elles l'une contre l'autre ? Qui m'a donné le droit et le pouvoir de contrôler l'existence des fourmis et de les écraser selon mon bon vouloir ? Pourquoi ai-je inventé les maladies, la souffrance et la mort ? A quoi me servent vraiment les différences qui vous divisent ? Je n'en sais rien. Vous non plus d'ailleurs, mais c'est ce qui vous permet de vivre en pensant que la raison du plus fort est toujours la meilleure. Bien sûr, je récompense les bons et Satan punit les mauvais. Maintenant, lorsque je réfléchis, je me demande si tout cela est bien utile, car je n'ai peut-être pas eu raison de vous plonger dans une marmite d'eau bouillante pour vous regarder nager. Ô vous qui m'écoutez en commençant à comprendre, il est possible que j'aie besoin de vous ! Oui, Dieu a peut-être besoin des hommes pour le sauver du néant d'où il vient ! Sans cela, à quoi servirait le jeu cruel dont, souvent, vous m'accusez ? Vous ne pouvez savoir à quel point je comprends vos doutes quand les souris ne voient jamais le chat. J'ai parfois songé à me montrer à vous, mais la pièce aurait été finie et j'ai trop le sens du théâtre pour permettre aux spectateurs de partir à l'entracte. Si je me suis amusé à vos dépens dans une partie de cache-cache, ne m'en veuillez pas. Je suis peut-être resté trop longtemps dans le placard et je n'ai pas vu Satan qui vous indiquait la mauvaise direction. Je fais mon mea culpa et vous appelle à l'aide. Je ne crois plus en Moi !

Les paroles de Dieu semblaient s'adresser aux vivants mais les seuls qui les entendirent furent les habitants du Paradis. Les agences de presse diffusèrent l'allocution au Purgatoire et la consternation s'empara des deux pays. Personne ne comprit pourquoi le Père avait fait un discours à l'intention des hommes alors que ceux-ci ne pouvaient pas l'entendre. Après bien des analyses politiques, il fallut se rendre à l'évidence : Dieu était en pleine crise mystique et son discours ressemblait à un appel au secours. S'il s'était adressé aux hommes, c'est qu'il avait besoin de contacts.

Son ministère en fut très inquiet. Pourvu qu'il n'aille pas commettre l'erreur de se montrer à la clientèle ! Est-ce que les clients de la banque Rothschild ont vu le patron derrière un guichet ? Est-ce qu'on vous présente Monsieur Meuble quand vous achetez une étagère ? Non. C'est le meilleur moyen pour faire s'écrouler un édifice fondé sur le respect du mystère et le besoin de craindre l'inconnu. Il fallait à tout prix cacher la maladie du Patron. C'est ce qui amena saint Pierre à convoquer Staline qui payait ses fautes au Purgatoire. Le « génial père des peuples » prit place sur le tabouret démocratique que lui désigna le premier ministre de l'Eglise catholique, apostolique et romaine.

— Je te falut, Ftaline, fit saint Pierre en remettant son dentier en place. As-tu fait bon foyage ?

— Inconfortable. Je ne suis pas habitué à l'aviation moderne et les angios-réacteurs m'indisposent.

D'ailleurs, j'ai toujours eu horreur de la réaction. Pourquoi m'as-tu fait venir, petit père ?

Saint Pierre prit son temps avant de répondre. C'était lui qui posait les questions et non pas ce séminariste défroqué qui avait préféré la faucille au goupillon. Par charité, il lui tendit néanmoins une tartine de caviar.

— Nous avons des ennuis au plus haut degré, dit-il enfin. Dieu vient de tomber malade et nous ne savons que faire. Par définition, il est irremplaçable...

Staline l'arrêta dans son élan.

— Personne n'est irremplaçable, c'est la doctrine qui compte. Crois-tu que le restaurant ferme quand le cuisinier meurt ?

— Tu ne vas tout de même pas comparer l'œuvre du Seigneur à un buffet gastronomique ?

— C'est une métaphore, s'excusa le Russe. Si les clients sont satisfaits, c'est le principal. L'important, c'est qu'ils ne voient pas la cuisine.

Pierre, troublé par ces paroles, alla donner un peu de nourriture au couple d'esturgeons qui nageait dans un aquarium. Staline aurait évidemment préféré être reçu au Paradis avec des drapeaux soviétiques, mais la présence de ces poissons compatriotes était une attention à laquelle il fut sensible. Il comprit tout de suite que ses conseils valaient leur pesant de caviar.

— En URSS, continua-t-il, lorsque le Président est enrhumé, le bureau politique fait jouer *L'Internationale* pour couvrir le bruit de sa toux. Si la quinte persiste, il doit garder la chambre pour ne pas refiler sa bronchite aux camarades. Il est toujours néfaste que le peuple soit gouverné par un type qui envoie des postillons pendant ses discours. Libre à lui de cracher ses poumons mais qu'il le fasse chez lui. Cela permet de préparer l'avenir dans la sérénité car le malaise des grands rend les petits malades. Mourir en pleine possession de ses moyens est une preuve de l'efficacité d'un régime. Personne n'a le temps de se rendre compte de l'échange des clefs et les cambrioleurs éventuels sont découragés par une maison constamment occupée par les propriétaires.

— Les hommes ne peuvent pas savoir que Dieu est malade, assura saint Pierre, ils sont sans nouvelles de lui depuis si longtemps !

— Si la gestion est mauvaise, la société fait faillite. Votre président n'a aucun dauphin qui puisse officiellement prendre l'affaire en main. Jésus est trop jeune et sa fonction d'ambassadeur malheureux a probablement gêné une carrière qui s'annonçait brillante. Crois-moi, petit Pierre, tu n'as pas d'autre solution : il faut guérir Dieu.

Pierre se leva, montrant ainsi que l'entretien était terminé.

— Merci, Joseph. Ton pragmatisme peut nous être utile. Tu peux rejoindre le Purgatoire où ta peine sera allégée pour services rendus.

Ils s'embrassèrent à la slave et Staline fut emmené par deux anges gardiens. Après avoir refermé la porte de son bureau, saint Pierre s'essuya les lèvres.

— J'ai horreur d'embrasser quelqu'un sur la bouche, fit-il tout haut. Surtout un communiste !

Le SAMU s'était occupé du transfert de Dieu. Une ambulance l'avait conduit au département des urgences où on le mit aussitôt sous perfusion.

Le Service de réanimation de la foi était un établissement ultramoderne qui s'occupait des déficiences spirituelles et des anorexies de la croyance.

Sur Terre, le monde médical se plaint souvent de la surabondance des malades qui ont du mal à trouver un lit dans les hôpitaux, mais au Paradis il y avait de véritables cohues dans les salles d'attente. Les âmes souffraient presque toutes de maux contre lesquels on ne pouvait pratiquement pas lutter. Elles perdaient la foi à cause de l'accoutumance au merveilleux. N'ayant plus besoin d'espérer puisque la récompense était acquise, les lauréats se laissaient facilement envahir par une somnolence de fin de banquet. L'évidence avait remplacé l'espoir et, pour maintenir l'ambiance, on redonnait un coup de gonfleur aux âmes qui se sentaient à plat. A la fin du traitement, l'enthousiasme revenait mais l'effet, seul, était soigné. Pour que la cause soit supprimée, il aurait fallu créer une foi nouvelle dans un super-Seigneur promettant des délices inconnues. Tout cela n'étant, bien sûr, qu'une vue de l'esprit car, si Dieu avait eu un père, il y a longtemps que tout le monde l'aurait su. Pour l'instant, il était seul avec ses problèmes, branché sur un goutte-à-goutte qui tentait de lui redonner le tonus que ses soucis lui avaient fait perdre.

Autour du lit divin, les plus éminents docteurs en théologie étaient rassemblés. Ce fut le Pr Teilhard de Chardin qui, le premier, prit la parole lorsque Dieu revint à Lui.

— Que s'est-il passé, Seigneur ?

L'Eternel, qui avait, encore une fois, pris l'apparence humaine de ses interlocuteurs, égalisa sa barbe blanche sur le drap du dessus.

— Mon bon Teilhard, dit-il d'une voix faible, je ne crois plus en Moi.

Un murmure se fit entendre. Chardin réclama le silence.

— N'est-il pas sacrilège de te demander la raison de cette perte de confiance en Toi ?

— J'ai pris connaissance des rapports sur les activités de l'Enfer. Satan possède un armement des plus modernes et, en cas de conflit, nous serions dans l'impossibilité de lutter à armes égales. Il a déjà investi une grande partie de la Terre, ce qui lui donne une place forte pour nous attaquer de front. Je suis le seul responsable de cet état de choses. Quand on prétend diriger les troupes, il faut savoir prévoir la défense. Mea culpa.

En se mettant la main sur la poitrine, Dieu débrancha l'un des tuyaux du goutte-à-goutte. Les docteurs se précipitèrent pour faire une nouvelle jonction.

— Qu'est-ce que c'est ? demanda le Seigneur en désignant le flacon rempli d'un liquide incolore.

— Un sérum antistress, répondit timidement un jeune interne en religions appliquées.

Teilhard de Chardin tapota sur l'oreiller pour lui redonner du gonflant. Il essaya d'en faire autant avec la parole.

— Vous êtes en dépression, mon Dieu, tout simplement. Quand on a trop de responsabilités, cela arrive un jour ou l'autre. Vous souffrez de la maladie des chefs d'entreprise et votre univers a évolué malgré vous. J'avais depuis longtemps prédit les conséquences d'une telle expansion après mes études sur les phénomènes physiques et biologiques. Si vous n'y prenez garde, les hommes et la matière vont vous découvrir. S'ils vous rejoignent, l'unité s'accomplira et vous vous évanouirez dans la fusion totale.

Dieu resta silencieux. Il ferma les yeux et, après un long moment, il dit tout bas :

— Ainsi, la pièce serait terminée. Je pourrais

disparaître à mon tour en inventant une mort qui me serait propre.

— Vous n'avez pas le droit d'abandonner vos enfants, reprit Teilhard. Ils ne sont pas encore adultes. Peut-être les avez-vous laissés jouer avec des allumettes mais vous pouvez encore éteindre le feu.

Le Père Eternel ne semblait plus écouter les paroles du philosophe. Il n'avait pas ouvert les yeux et semblait prier. Mais qui ?

Lorsqu'il regarda à nouveau les personnages qui l'entouraient, ce fut pour dire, doucement :

— Laissez-moi. J'ai rendez-vous avec Moi-même.

Respectant la volonté du Seigneur, ses médecins le quittèrent. Dans les couloirs de l'hôpital, ils croisèrent la Vierge Marie qui venait prendre des nouvelles. Teilhard de Chardin la rassura et elle s'en retourna, discrète, comme toujours.

Dehors, le Paradis avait perdu son identité. Dans les rues, on pouvait croiser des âmes en peine. Les lieux de prière et de recueillement fleurissaient partout comme une chaîne de solidarité spontanée venant au secours du Chef blessé. Les élus avaient retrouvé leur foi pour en faire cadeau à Celui qui ne croyait plus en Lui. La ferveur revenait en eux comme au bon temps de la vie et l'on pouvait voir, dans le regard des vieux saints, une lumière de jeunesse retrouvée.

Des bulletins de santé furent communiqués régulièrement. L'état était stationnaire, disait-on. *Paradis-Soir* consacrait toutes ses éditions à Dieu. Il retraçait la carrière du Grand Architecte, partant de la Genèse jusqu'à ces heures éprouvantes, soulignant les phases les plus importantes de son œuvre, essayant de rassurer en insistant sur le caractère éternel de la présence divine. Les titres se voulaient résolument optimistes : « DIEU N'A JAMAIS EU DE COMMENCEMENT ET N'AURA JAMAIS DE FIN. »

Saint Pierre apparut chaque jour au journal télévisé. Fort des conseils de Staline, il se montra serein pour assurer que Dieu, malgré un léger malaise, s'occupait toujours des affaires du Paradis. Il fit même allusion au prochain anniversaire de son fils en disant qu'il serait présent à la cérémonie. Mais, dans les couloirs de la télé, le Premier ministre était nerveux, inquiet, autoritaire. Il limogea séance tenante un journaliste qui avait eu cette phrase malheureuse : « Le Paradis est bloqué à la circulation car les voies de Dieu sont impénétrables. » Le pauvre présentateur s'était retrouvé au placard pour un temps indéterminé.

Les séances du Conseil avaient lieu sans interruption. Tous les papes et les hauts dignitaires de l'Eglise entouraient les fidèles apôtres. Les grands représentants des autres religions étaient présents dans cet aréopage qui, pour une fois, montrait une harmonieuse palette des couleurs de la peau. Grâce à leurs efforts coordonnés, l'administration du Ciel aurait pu être citée en exemple à certains incapables qui dirigent des foutoirs pour exploiter des ignorants.

Mais le temps était long. Dieu avait interdit toute visite. Les lignes téléphoniques furent débranchées et aucun médecin ne pouvait voir le Malade. Devant ce silence, saint Matthieu tournait en rond à la rédaction du journal. Il fit venir Marchoukrev dans son bureau.

— Et Attier ? Est-ce qu'on y pense ? Si le Patron déclare forfait, ce pauvre type va rester en Enfer ! Pour qui va-t-il nous prendre ?

L'agent instructeur, qui pour une fois n'avait

pas reçu d'instructions, ne put qu'émettre des hypothèses.

— Peut-être pourrait-on passer au plan n° 3 ? Avec l'accord de Pierre, bien entendu.

— Vous êtes dingue ! Le plan prévoit une entente directe entre les deux Grands. Il n'y a que Dieu lui-même qui peut faire libérer Attier. Ce genre de transaction ne se traite qu'à l'échelon suprême.

Marchoukrev avait une formation militaire. Les choses de la diplomatie lui étaient aussi inconnues qu'un bouquet de roses au milieu d'une chambrée. Il insista :

— Et si le général donne sa démission avant qu'on récupère notre agent, on aura fait tout ça pour rien ?

Matthieu dut se rendre à l'évidence. La catastrophe serait de taille. On aurait envoyé ce reporter sur la Terre pour qu'il s'y livrât à de mauvaises actions et son entrée aux Enfers n'aurait servi qu'à produire les documents qui avaient détruit le moral de Dieu. Le piège risquait de se retourner contre eux, donnant à Satan une victoire complète.

— Non, non, ce n'est pas possible, fit Matthieu en se reprenant. Le Patron ne peut pas nous laisser tomber. Il a eu un coup de pompe, c'est tout.

— Je souhaite qu'il ne s'agisse que de cela, répondit l'adjudant. J'espère aussi que Satan ne possède pas un KGB qui lui apprenne nos difficultés. Dans ce cas, il faudrait agir vite. Nous sommes trois impliqués dans cette affaire : vous, saint Pierre et moi.

— Avec l'accord de Dieu, ne l'oubliez pas.

— Je sais. Mais, lorsque les choses tournent mal, c'est souvent le subordonné qui trinque. Comme je suis le moins gradé, je m'inquiète.

Matthieu décrocha le téléphone et demanda la

ligne directe du Premier ministre. Il l'obtint dans les trente secondes.

— Pierre ? Ici Matthieu. Marchoukrev est dans mon bureau. Il vient de soulever le problème Attier... Tu y as déjà pensé ? Oui, bien sûr... Je comprends qu'on ne puisse rien faire pour l'instant... Oui, mais je suis aussi journaliste et je ne peux pas laisser un collègue dans ce que tu penses. Ne m'interromps pas tout le temps ! Bon, d'accord... Je vais le lui dire.

Il raccrocha.

— Il faut attendre et s'en remettre à la Providence.

Marchoukrev poussa un soupir déçu.

— C'est dommage, dit-il, j'ai toujours rêvé de faire un coup d'Etat. Vous regretterez peut-être d'avoir négligé mon idée.

— Quoi qu'il en soit, répondit sèchement saint Matthieu, les gouvernements militaires ne sont pas très catholiques.

C'est dans le hall de *Paradis-Soir* qu'après avoir quitté le rédacteur en chef Marchoukrev croisa Shkrr, l'archange.

— Vous avez des nouvelles de ce photographe ? demanda l'androgyne.

— Oui, mais pour lui, ça sent plutôt le roussi !

— C'est malheureux, il était plutôt sympathique.

Et le beau capitaine s'envola par la fenêtre.

Marchoukrev préféra se rendre à pied au centre d'entraînement dont il dépendait. Son état d'ange lui permettait d'emprunter la voie des airs mais il avait besoin de mettre de l'ordre dans ses idées en marchant. De plus, il n'avait pas fait faire la révision technique de son système de propulsion et cela n'aurait pas été prudent de décoller sans la garantie du garage. Depuis quelque temps, l'instructeur entendait un petit bruit dans son train d'atterrissage et il avait terminé son dernier vol sur les fesses. Le frottement contre la piste avait causé un certain dommage à son anatomie avec impossibilité de s'asseoir de façon normale.

Pensant que la marche lui ferait du bien, Marchoukrev emprunta l'allée Luia. C'était l'une des plus larges avenues du Paradis qui, habituellement, était fréquentée par de joyeux cortèges chantant le bonheur de ne plus vivre. L'ange-adjudant fut très triste de constater que la morosité avait remplacé la joie. Dans les massifs de fleurs on ne voyait plus que des soucis, les saules qui bordaient l'allée étaient devenus pleureurs, les saints sortaient des églises avec des peaux de chagrin et les cloches avaient le bourdon. On ne parlait plus ni de grèves ni de revendications. Le Père était malade et sa maison en péril. Cela suffisait pour que les enfants redeviennent raisonnables.

Marchoukrev s'appuya un moment contre un pommier d'amour dont les fruits commençaient à se rider. Devant la peine qui l'entourait, il se sentit coupable d'avoir eu des pensées à l'encontre de Dieu. Il plongea au fond de sa conscience d'ange et découvrit la graine d'orgueil qui avait déjà commencé à le contaminer. Avait-il vraiment pensé à faire un coup d'Etat ? Peut-être, mais c'était uniquement pour prendre du plaisir à l'action, comme tout brave militaire qui rêve de baroud. Jamais il n'avait songé à empiéter sur les décisions du Seigneur comme ce salopard de Satan qui n'avait pas hésité à s'emparer de la moitié du pouvoir.

Malgré les excuses qu'il tenta de se forger, l'instructeur ne fut pas tranquille pendant le reste du chemin. Il se demanda si Dieu — qui sait tout — n'était déjà pas au courant de ce qui lui avait trotté par l'esprit. Il se vit donnant sa démission de l'armée céleste et exilé dans l'incandescence de l'Enfer. Il imagina ses pauvres ailes brûlées et les plumes de son croupion passées à la flamme comme celles d'un vieux poulet grillé. Un frisson le parcourut et il rentra bien vite se mettre à l'abri dans la basse-cour de sa caserne.

Au Paradis, on ne fait pas le compte des jours qui passent. Le pays des merveilles s'étiolait de plus en plus et, dans l'ombre des jardins, les âmes recroquevillées sur elles-mêmes guettaient le moindre bruit d'espoir. Aucune pendule ne mesurait la durée de l'attente et Dieu semblait avoir abandonné son domaine. Un silence de plomb avait tué les chants et la musique. Pour la première fois, la mort passait la tondeuse sur l'herbe tendre d'un printemps qui se disait éternel.

C'est alors qu'un grondement sourd se fit entendre. Comme un rugissement interminable venu de très loin, il s'enfla pour devenir assourdissant. Le Paradis tout entier se réveilla et se remit debout, pressentant l'apocalypse. L'effroi gagna le plus humble des élus et une panique indescriptible envahit les maisons, les rues, les boulevards, les places. Les vibrations faisaient trembler les nuages qui se disloquèrent, tombant sur la cité comme de gigantesques morceaux de coton. Tout fut recouvert par un épais brouillard qui paralysa bientôt les mouvements de la foule apeurée.

Dans son bureau, saint Pierre tenta d'appeler les services de sécurité mais le téléphone ne répondait plus. Il ne put sortir du ministère, un énorme cumulus venait de bloquer la porte. Des centaines de fonctionnaires étaient à genoux dans les couloirs, priant avec ferveur pour ne pas être obligés de faire des heures supplémentaires en restant bloqués sur les lieux de travail. Saint Pierre voulut prendre l'ascenseur pour se rendre sur la terrasse de l'immeuble mais le courant était coupé. Il releva sa belle robe blanche et, quatre à quatre, il gravit les marches des dix étages pour arriver, essoufflé, sur le toit du ministère.

Un fabuleux spectacle de son et lumière le cloua sur place. Les nuages arrivaient au ras de la terrasse qui donnait l'impression d'être une île carrée, perdue au milieu d'un océan d'ouate blanche. Plus un mètre de sol n'était visible. Jusqu'à l'horizon, quelques crêtes de buildings émergeaient dans le désordre d'un archipel qui aurait pu être créé par une subite révolution géologique. Au-dessus de tout cela, un ciel rouge palpitait comme un chapiteau de toile aux prises avec un ouragan. Des éclairs fulgurants suivaient les différentes intensités sonores d'un roulement de timbale qui se transforma en folie wagnérienne.

Pierre traversa la terrasse en courant. Renversé par le vent, il parvint à se remettre debout en s'accrochant au garde-fou. Les mains soudées à la barre d'appui, il leva la tête vers le Ciel et hurla sa prière à Dieu :

— Ne fais pas cela, Seigneur ! Nous ne voulons pas mourir une deuxième fois pour des fautes qui nous échappent. Nous respectons ta fureur mais nous voulons en comprendre la raison...

Une musique dissonante et cuivrée couvrit le discours du Premier ministre. Une bourrasque le projeta sur le sol. Trois séraphins le relevèrent. Luttant contre les coups de vent, ils réussirent à le traîner jusqu'au hangar des angioptères où quelques appareils se préparaient à décoller en catastrophe.

— Il faut quitter le Paradis, votre Sainteté, dit un des aviateurs. Je vais vous conduire sur Souplina où je possède un alto-stratus secondaire. Vous y serez en sécurité.

— Souplina, la planète molle ? Certainement pas. Vous allez me piloter jusqu'à l'hôpital. Si le Seigneur agonise, je veux être là pour recueillir son dernier soupir.

— Il nous sera impossible d'aparadir sur l'angioport de l'Hôtel-Dieu. La tour de contrôle a disparu dans le brouillard et toutes les communications sont coupées.

— C'est un ordre, rétorqua saint Pierre. Nous aparadirons à vue. Du reste, on distingue, à peu près, les contours de la terrasse de l'hôpital. Regardez.

On voyait, en effet, une vague plate-forme dans le lointain. A travers la fenêtre du hangar, le séraphin évalua les difficultés qu'il allait avoir pour se poser dans cette purée de nuages. Tous les siècles de vol qu'il totalisait risquaient de disparaître dans un accident aérien et, par la même occasion, sa retraite prochaine s'en trouvait compromise. Pendant quelques secondes, il revit le petit alto-stratus qu'il venait de se faire construire sur Souplina, la planète au confort moelleux. Saint Pierre mit fin à son rêve.

— Qu'est-ce que vous attendez ? Le temps se couvre !

Le Ciel était devenu rouge foncé. Contrairement à l'habitude, la pluie ne tombait pas. Elle sortait de la masse cotonneuse déposée sur le sol pour s'élancer vers le haut et, comme le chapeau d'un jet d'eau, elle revenait vers son point de départ en fines gouttelettes de douche.

Le séraphin était prêt. Il faisait partie de ces employés modèles pour qui la déontologie était la ligne la plus pure de la conduite à tenir. Le sens du devoir allait remplacer les indications des contrôleurs du Ciel. Déjà ses trois paires d'ailes vrombissaient, faisant de lui l'angioptère privilégié d'un transport historique qui allait peser lourd dans la balance de son destin.

Une bulle de plastique transparent venait d'être fixée sur ses reins à l'aide d'une sous-ventrière en silicium anodisé pour éviter le magnétisme bipolarisé qui est le principal ennemi des engins à suspension giratoire. L'habitacle ne pouvait accepter qu'un passager, compte tenu de la faible puissance du porteur.

Saint Pierre s'installa sur l'unique siège qui se trouvait à l'intérieur de la bulle et le séraphin mit les gaz à fond. Le corps du pilote prit la position horizontale sans modifier celle du passager qui bénéficiait d'un système à rotule lui permettant de conserver l'équilibre, quelles que soient les perturbations des mouvements. Malgré la poussée du vent, la porte du hangar fut ouverte et le cavalier du ciel s'élança dans le vide, à l'assaut d'obstacles invisibles. A cheval sur l'ange, Pierre avait oublié la gravité du moment. Heureux comme un gosse sur un manège, il ne contrôlait plus ses impressions personnelles.

— C'est super, cria-t-il au pauvre séraphin qui battait des ailes comme un forcené. Plus vite ! Plus vite !

— Je ne peux pas, répondit le pilote. Si j'accélère, on va péter un joint de culasse !

Saint Pierre était aux anges. Au milieu de l'ivresse de la vitesse, il pensa au temps où il devait ramer pour faire avancer sa barque sur le lac de sa jeunesse. Il eut une bouffée d'admiration pour les temps modernes.

— C'est chouette, le progrès !

— Qu'est-ce qu'elle dit, Sa Sainteté ? hurla le séraphin qui faillit prendre une antenne de télé en pleine poire en tournant la tête.

A chaque coin de nuage, il y avait un piège. Ils faillirent encadrer la lunette de l'Observatoire et ils évitèrent, de justesse, le dernier étage de la maison de repos des saints fatigués. Le vent avait redoublé d'intensité et la musique était devenue furieuse. La terrasse de l'hôpital apparut brusquement au détour d'une montagne de vapeur. Le séraphin freina à mort. Saint Pierre, qui n'avait pas mis sa ceinture de sécurité, piqua du nez contre le pare-brise de la bulle.

— Carotum cuitos, fit le pilote en faisant un signe de croix qui aggrava son déséquilibre.

— Qu'est-fe que fa feut dire ? demanda le Premier ministre qui avait perdu son dentier.

— Ça veut dire qu'on va se casser la gueule !

Dieu était debout dans sa chambre. Autour de Lui, tout était pulvérisé. Le mobilier et les instruments de médecine avaient été réduits en miettes par l'énorme révolte résultant de la réflexion divine. Le bruit qui envahissait le Paradis venait du tréfonds de la pensée du Seigneur et les secousses sismiques étaient engendrées par ses mouvements de colère. Le lion enragé était en train d'abattre sa cage.

Après le départ de ses docteurs, Dieu s'était replié sur Lui-même. Il fit l'analyse détaillée des différentes phases de son œuvre et se rendit compte que le but recherché ne pourrait jamais être atteint sans un notable changement de cap. Il sut qu'il ne contrôlait plus totalement l'évolution des êtres humains et de la matière. Cette prise de conscience le conduisit à Satan, une fois de plus. Les hommes trouvaient beaucoup plus de plaisir dans le mal que dans le bien et le Veau d'or faisait des petits. Dieu regretta d'avoir négligé l'Ennemi. Il avait oublié le termite qui rongeait sa maison et qui s'appelait Lucifer.

C'est alors que le Céleste Vieillard sentit monter en lui ce fameux courroux qui ne l'avait jamais repris depuis le bon vieux temps du déluge. Les symptômes ne le trompèrent point. Cela commença par un frémissement du psychisme qui provoqua le léger tremblement ressenti par les paradisiens. Ensuite, un déferlement d'adrénaline dans le mental produisit l'effondrement du climat. Quand la colère éclata dans l'esprit du Seigneur, ce fut une symphonie déréglée, assourdissante, menaçante.

Dieu se leva de son lit, arrachant les tuyaux de son goutte-à-goutte. Son visage était effrayant. Des éclairs jaillirent de ses yeux et son regard se transforma en un double rayon laser qui foudroya les objets de la pièce. La voix qui sortit de sa poitrine emplit l'hôpital comme un roulement de tonnerre. Levant les bras au Ciel, l'Eternel déclara la guerre à Satan :

— Belzébuth, si tu m'entends, prépare-toi à subir ma vengeance ! Lucifer, je reprends le chemin des batailles pour délivrer mes soldats !

Et Dieu se mit à grandir. Son corps enfla au rythme de sa fureur. Il devint énorme pour toucher les murs et le plafond qui s'écroulèrent autour de lui. Sa tête creva le toit de l'immeuble au moment où l'angioptère de saint Pierre tentait d'aparadir pour la troisième fois.

— Nom de Lui ! hurla le Premier ministre en voyant la terrasse éclater sous la poussée du Patron. Ça va chauffer !

Le séraphin donna un grand coup de manche à gauche pour éviter de se prendre le train dans les cheveux du Très-Haut. Il remonta dans les airs pour décrire un cercle d'observation.

Les épaules de Dieu démolirent les deux derniers étages de l'hôpital qui tombèrent ainsi qu'un château de cartes. Le torse apparut, puis les hanches et enfin les jambes. Dressé sur les dix-huit étages épargnés, le Seigneur ressemblait à un cèdre majestueux autour duquel saint Pierre volait comme un moustique affolé. La voix divine se fit entendre à nouveau :

— Gens de chez moi, oyez l'appel de votre Père ! A l'image de cet immeuble qui se brise sous ma puissance, je vais anéantir l'empire du diable. Le temps de paix est révolu. Ainsi que ces nuages qui remontent vers le firmament, une fois de plus je vais montrer aux hommes le chemin du Ciel.

Sans qu'il fît un geste, toutes les nuées quittèrent le sol. Aspirées par une hotte invisible, elles regagnèrent les hauteurs d'où elles étaient venues, noyant au passage le pauvre angioptère en perdition.

— Je n'y vois plus rien ! hurla le séraphin, complètement paniqué.

— Virez sur la droite ! s'étrangla saint Pierre.

Il y eut un choc. Le dentier du Premier ministre lui sauta encore des gencives.

— Qu'est-fe que f'est que fa ? fit-il.

Ils s'étaient brusquement immobilisés. Sauf une sorte de balancement nullement désagréable, ils ne semblaient pas avoir subi le moindre dégât. En revanche, la visibilité était nulle.

— Où fommes-nous ? demanda Pierre.

— Je ne sais pas, répondit le séraphin, mais

vous pouvez descendre. Je crois que nous sommes sur du dur.

Saint Pierre ouvrit la portière de la carlingue. Lorsqu'il descendit, son pied rencontra une matière étrange, faite d'une élasticité assez ferme et sur laquelle poussait une fine végétation, drue et souple. En agrippant le marchepied de la bulle, il mit la main sur son râtelier qu'il se fourra aussitôt dans la bouche. Avec une élocution beaucoup plus œcuménique, il s'inquiéta de l'état de santé de son pilote.

— Si Sa Sainteté voulait bien défaire la boucle de ma courroie, je pourrais me débarrasser de cette cabine qui me distend la peau du ventre, répondit l'aviateur.

— Je voudrais bien, mon pauvre ami, mais dans ce noir je n'y vois rien du tout.

L'obscurité était complète. La voix de Dieu semblait venir de très loin et ses paroles incompréhensibles ajoutaient à l'insolite de la situation. Saint Pierre trouva au hasard la boucle du ceinturon. Le séraphin put se débarrasser de cette bulle qui lui sciait les reins.

— Je donnerais cher pour savoir où l'on est, dit Pierre. Avançons, on verra bien...

Comme des aveugles, ils se dirigèrent les mains en avant. Leurs doigts rencontrèrent des parois inégales, faites d'anfractuosités humides et graisseuses. La végétation du sol se poursuivait sur ces murs tourmentés.

— Ça ressemble aux mines du roi Salomon, remarqua le séraphin avec nostalgie.

L'inquiétude gagnait Pierre. Il connaissait le Paradis à fond et rien, ici, ne lui rappelait les endroits familiers qu'il fréquentait depuis deux mille ans. Pendant un court instant, il pensa qu'il s'agissait peut-être de l'antichambre de l'Enfer.

Dieu n'avait-il pas dit que la guerre contre l'Antéchrist était déclarée ? Il ne comprenait plus comment ils avaient pu s'égarer à ce point en si peu de temps.

Tout à coup, le pilote poussa un cri de joie.

— Saint Père, j'ai trouvé un cierge dans ma poche.

Une lueur jaillit, bienfaisante. La lumière dansa avec l'ombre et ils purent admirer la beauté du site qui ne ressemblait à rien de connu. Ils se trouvaient dans une grotte rose et blanche, une sorte d'intérieur de coquillage géant. Une porte monumentale leur barrait le passage. Pierre frappa.

— Y a quelqu'un ? cria-t-il.

La phrase se multiplia dans la cascade d'un écho qui n'en finissait plus. En s'approchant du Premier ministre, le séraphin enflamma, par mégarde, les fins roseaux qui poussaient çà et là. Une sonnerie stridente se fit entendre.

— Qu'est-ce que c'est ? demanda saint Pierre, éberlué.

— On dirait le téléphone ! s'étonna l'ange en piétinant les herbes qui brûlaient.

Il n'avait pas tort. Près de la porte, se trouvait une petite trompe dont la forme se rapprochait de celle d'un récepteur téléphonique. Pierre s'en empara aussitôt.

— Allô ! qui est à l'appareil ?

Un puissant organe vocal envahit la caverne. C'était celui du Maître de l'Univers.

— Vous allez sortir d'ici, immédiatement ! Je ne sais pas comment vous êtes entrés dans mon oreille, mais c'est insupportable ! Vous avez cogné sur mon tympan et mis le feu à mes poils. Raccrochez ma trompe d'Eustache et sortez tout de suite !

L'instinct de survie les fit retrouver leur chemin à

la vitesse grand V. Lorsqu'ils arrivèrent au jour, ils purent récupérer l'angioptère dans le creux du pavillon d'une immense oreille, auprès de laquelle le gouffre de Padirac n'était qu'un trou de souris. Les deux égarés de l'espace reprirent leur vol avec impatience. Le temps était clair et ils disparurent au lointain, fuyant les représailles du Seigneur qui avait encore grandi.

Il s'était débarrassé de l'hôpital comme on enlève une pantoufle : en secouant le pied. L'écroulement du bâtiment ne provoqua aucun accident, la foule ayant été évacuée par les compagnies divines de sécurité.

Les bienheureux avaient retrouvé la béatitude de leur sourire. Le Chef Vénéré était guéri et sa colère rassurante. Certains vieux paradisiens se souvenaient d'une autre fois où sa taille avait atteint les mêmes dimensions et où son exaspération avait frôlé la catastrophe. C'était au retour de son fils. Quand Jésus était rentré de son voyage sur Terre, blessé à mort, humilié, vaincu par les ignorants, Dieu avait failli faire exploser l'univers. C'est une femme qui sauva le monde. La douce Marie pria son époux d'épargner les humains et de leur donner une autre chance. Il se laissa convaincre en pensant que, si l'erreur est humaine, sa femme était peut-être l'avenir des hommes.

La standardiste enfonça la fiche pour établir la communication. Sa voix veloutée annonça que la jonction était faite :

— Seigneur, vous avez M. Satan sur la deux.

Dieu décrocha le téléphone rouge.

— Satan ? Dieu à l'appareil...

La voix du diable était à peine audible. Une espèce de gargouillis, perdu dans les parasites, sortit par les petits trous du combiné. Il est vrai que la distance qui sépare le Paradis de l'Enfer est immense. Dieu insista :

— Parlez plus fort, je ne vous entends pas. Il y a de la friture...

— C'est normal, répondit Satan. Je viens de récupérer un car de Belges que j'ai fait tomber dans un ravin. On les a mis dans l'huile pour faire des frites. Attendez..., je coupe le gaz.

La liaison devint subitement plus nette. Dieu dut se contenir pour ne pas protester. Les histoires belges commençaient à lui hérisser l'auréole et il pensait sérieusement à faire de nos voisins du Nord les martyrs de l'humour facile. Il employa, néanmoins, le ton de la diplomatie qui s'imposait pour les contacts de grande importance :

— Quel temps fait-il chez vous ?

— Sec et chaud, ironisa le démon. Pourquoi m'appelez-vous ?

— Vous avez toujours refusé la présence de notre ambassade sur votre territoire. Je suis bien obligé de vous téléphoner moi-même pour les cas spéciaux.

— Le jour où vous accepterez un consulat de l'Enfer, j'examinerai la question. De quoi s'agit-il ?

Dieu appuya sur l'enregistreur. La mauvaise foi de Satan faisait qu'il était capable de renier ses propres paroles. Il pouvait tout promettre et ne rien tenir. Le magnétophone était destiné à faire un montage truqué au cas où le traître reviendrait sur ses dires. Sa voix caractéristique serait calée sur la musique d'une chanson de Julio Iglesias, intitulée *Pauvre diable.* S'il ne respectait pas ses engagements téléphoniques, le disque pourrait être immédiatement diffusé par satellite jusqu'au plus profond de l'Enfer. Quand on sait à quel point Satan exècre Jules l'Eglise, on comprend la valeur de la précaution.

— Il s'agit d'un troc qui peut vous intéresser, précisa Dieu. J'ai, entre les mains, une bonne dizaine de fanatiques qui croyaient gagner le Paradis en exécutant les crimes dont vous étiez l'instigateur. Plusieurs de ces kamikazes ont été interceptés par mes agents avant qu'ils ne prennent la direction de l'Enfer. Je vous échange un ayatollah contre un de vos pensionnaires.

— Sacrevous ! jura le diable. Il faut que l'affaire soit importante pour que vous me proposiez une telle disproportion. De qui s'agit-il ?

— D'un nommé Aimé Lachaume.

Il y eut un grand silence à l'autre bout de la ligne. Dieu crut que la communication venait d'être coupée.

— Allô ! cria-t-il, ne coupez pas, mademoiselle. Je suis en liaison avec l'Enfer...

La standardiste, qui devait écouter aux portes, répondit aussitôt :

— Je n'ai rien fait, Seigneur. Quand on téléphone après vingt heures, les lignes sont surchargées parce que c'est moins cher. Vous aviez l'Inter ?

— J'ai pas dit l'Inter, hurla Dieu, j'ai dit l'Enfer !

Satan s'interposa.

— Je suis toujours là. Je réfléchissais.

— Alors ? Que pensez-vous de ma proposition ?

Le démon ne sembla pas convaincu.

— Ce Lachaume est pour moi une excellente recrue. Il m'est arrivé de la Terre d'assez rares certificats de mauvaise conduite et je ne vois pas pourquoi m'en priver pour un soi-disant gardien de la Foi et de la Loi qui s'est laissé prendre à mon piège.

— Qu'allez-vous en faire ?

— M'en servir contre vous, répondit Satan.

Son rire éclata comme une bombe. C'était le même que Dieu entendit, pour la première fois, le jour où il dégrada Lucifer. Lorsque ses ailes furent arrachées, l'Ange déchu emprunta l'escalier de service qui menait vers l'Enfer et, pendant les siècles que dura sa descente, ce rire résonna contre la porte du Paradis. L'Eternel abattit les atouts qu'il avait gardés dans sa manche.

— Ecoute-moi, Lucifer. Tu as levé contre moi des légions entières en leur faisant croire qu'elles devaient tuer en mon nom, tu leur as inculqué la haine de l'athée et tu as accroché des clefs d'un Paradis en plastique aux canons de leurs mitraillettes. Tu as fait revivre la secte des haschischin[1] sous les ordres d'imams qui ne sont infaillibles que dans l'horreur. Pour mieux les asservir, tu leur promets mon domaine et tu les attends au coin de leur mort pour les jeter dans ton ignoble fournaise. Alors, écoute-moi bien, voilà ce que je vais faire...

Satan ne disait rien. Très loin, là-bas, il devait écouter le céleste Général aux milliards d'étoiles.

— ... Je vais leur donner ce que tu leur as promis. Lorsqu'ils seront tous arrivés chez moi, je dévoilerai ta supercherie et je les ferai renaître pour mieux te combattre. Méfie-toi d'une armée qui se soulève pour écraser son chef.

— Quel nom vous avez dit ? demanda timidement le démon.

— Aimé Lachaume.

Satan ne put s'empêcher de marchander. Il prit un ton doucereux :

— Si vous avez quatre ou cinq ayatollahs et quelques imams, je suis d'accord. Si c'est pas trop

1. Mot arabe signifiant : assassin.

demander, un assortiment de mollahs me ferait bien plaisir.

— Je ferai un mélange, répondit Dieu. L'échange devra se faire le jour de Pâques, lorsque les cloches reviendront de Rome. L'attention générale sera détournée par les embouteillages qui ont lieu généralement à cette époque. D'après les indications de Bourdon futé, nous déterminerons l'endroit en temps utile.

Dieu raccrocha sans attendre. La première phase de son plan était en place et, depuis bien longtemps, il n'avait pas ressenti l'agréable sensation d'agir. Pendant sa « maladie », l'heureuse époque de sa jeunesse lui était revenue en mémoire. Il avait revu le temps béni de la création et, surtout, cette merveilleuse semaine de labeur qui s'était prolongée en empiétant sur le week-end. Sans une bénéfique prémonition syndicale, il aurait été capable de travailler le dimanche. Lorsqu'on est passionné, la pendule tourne dix fois plus vite.

Malheureusement, Dieu se rendait compte qu'après avoir terminé son œuvre les hommes s'étaient élevés tout seuls, à la diable ! Il regrettait d'avoir mis le pilotage automatique beaucoup trop tôt. Le dernier coup d'œil qu'il avait donné sur les instruments de bord, il y a deux mille ans, avait été lourd de conséquences pour Jésus. Le Père constatait avec amertume que les hommes n'étaient pas devenus meilleurs pour autant et qu'il fallait tout reprendre à zéro. Les preuves que Pierre Attier venait de lui fournir montraient que la Terre allait bientôt se faire complètement annexer par l'Enfer. Dieu pensa que posséder des colonies n'était pas chose facile. Il suffit d'un moment d'inattention pour qu'un jour ou l'autre on se les fasse piquer par le voisin.

Elle était pourtant si belle, cette Terre qui tournait autour du Soleil comme une danseuse étoile. Dieu avait-il vraiment oublié l'une de ses plus jolies ballerines qui dansait dans l'ombre et la lumière, vêtue par la dentelle des continents sur des décolletés d'océans ? La Terre ne peut être que femme, ronde et chaude, féconde et stérile selon son humeur, dure et douce à la fois. Elle nourrit ses amants et les tue pour se repaître de leur chair qui la fait vivre. Chaque détail de son corps est une musique qui se regarde. Elle a des parfums qui se boivent et des caresses qui s'écoutent. Pour ce pauvre petit puceron à deux pattes qui s'appelle Dupont, Smith, Muller ou Mohammed, il faudrait l'éternité avant qu'il découvre tous les secrets de cette rose fascinante. Trop courte vie qui nous échappe avant d'être allés jusqu'au fond du jardin.

La deuxième partie du plan de redressement auquel Dieu avait pensé allait certainement provoquer une très grande surprise. Saint François s'était chargé de convoquer le gouvernement au grand complet pour qu'il fût informé de ces décisions importantes. Le discret secrétaire frappa à la porte du cabinet présidentiel.

— Seigneur, tous vos ministres vous attendent dans la grande salle du Conseil suprême.

Un aboiement joyeux ponctua la phrase de saint François et un petit chien bâtard fit irruption dans le bureau. Se faufilant entre les jambes du secrétaire, il gambada jusqu'à Dieu en jappant de plus belle et, d'un bond, il sauta sur ses genoux pour lui lécher le visage.

— Oh mon Dieu ! fit François, aussi rouge que confus. Ici, Clairon, couché !

— Laissez, laissez, parvint à dire l'Eternel entre deux coups de langue. Les chiens sont mes amis car ils savent aimer sans demander de salaire en retour. Est-il vrai que, sur Terre, on pense que les animaux ne sont pas admis dans ma maison ?

Saint François triturait sa ceinture de corde comme une rosière intimidée.

— C'est un bruit qui court, murmura-t-il en baissant les yeux.

— C'est stupide ! D'où vient cette légende ?

Le petit saint s'enhardit jusqu'à faire quelques pas en avant. L'amitié qu'il portait aux bêtes avait souvent décuplé son courage. Sur la route de Spolète, n'avait-il pas rencontré les oiseaux pour leur dire que le Seigneur était avec eux ?

— Maître, je crois que les hommes s'arrogent le privilège d'être les seuls à bénéficier de vos récompenses. Ils pensent que vous n'avez créé les animaux que pour satisfaire leurs plaisirs et leurs estomacs. En ce qui me concerne, j'ai toujours pensé que les abattoirs étaient placés sur la première marche du Paradis. Ne croyez-vous pas que, si les bœufs pouvaient parler, le steak-frites aurait beaucoup moins de succès ?

Stupéfait de son audace, saint François recula vers la porte. Dieu caressait le petit chien qui s'était lové dans les replis de sa robe et il pensait que, s'il devait un jour refaire le monde, la souffrance des bêtes ne servirait plus à des fins gastronomiques. Il se souvint des temps lointains où les chiens étaient doués de parole. Chefs de chantier du Créateur, ils parcouraient le globe terrestre au moment où celui-ci n'en était qu'à ses fondations et ils vérifiaient l'avancement des travaux en allant du pôle Nord au pôle Sud. Ils contrôlaient la pousse des végétaux, le mouvement des premières marées et les phénomènes d'une nature qui venait de naître. Les lévriers furent les premiers messagers du Grand

Architecte. Ils portaient les ordres divins dans tous les coins du monde et, pour faciliter les contacts, toute la gent canine pouvait s'exprimer à l'aide de la parole, au lieu d'aboyer comme elle le fait maintenant.

Mais, un jour, une levrette frivole s'attarda auprès d'un beau mâle, superbe sloughi d'Afrique du Nord qui lui conta fleurette dans les sables du désert. La belle était porteuse d'un « télégramme » qu'elle tenait entre ses crocs et qui faillit s'envoler avec le simoun lorsqu'elle embrassa son amant. Galant, le sloughi mit le message à l'abri sous sa propre queue qu'il replia contre son ventre. Longtemps, ils restèrent accouplés au creux des dunes. Quand ils se séparèrent, le message avait été emporté par le vent. Pendant des jours et des nuits, ils le cherchèrent aux quatre coins du Sahara mais la levrette dut revenir vers Dieu, bredouille et repentante. Le Père se fâcha. En guise de représailles, il ôta la parole à tous les chiens et à leurs descendants puis il signifia qu'il la leur rendrait le jour où le message serait retrouvé. Tous les chiens actuels se souviennent de ces conditions et c'est pour cela qu'ils reniflent sous la queue des autres afin de voir si le « télégramme » n'y est pas caché.

Dieu se leva et déposa le petit bâtard dans les bras de saint François.

— D'où vient-il, celui-là ?

— De l'autoroute des vacances. Ses maîtres l'avaient laissé sous les roues d'un camion pour mieux profiter des congés payés.

Avant de quitter le bureau, Dieu regarda François en caressant encore une fois Clairon.

— Décidément, il faudrait revoir beaucoup de choses, dit-il en refermant la porte derrière lui.

Dans la vaste salle du Conseil suprême, tous les grands du Paradis étaient réunis. Les ministres de la Volonté divine, représentés par les archanges Gabriel, Michel et Raphaël, formaient une haie d'honneur en croisant leurs ailes. Lorsque Dieu entra, les trompettes se mirent à sonner. Il va sans dire que sa taille était redevenue normale après les incidents de l'hôpital et qu'il put passer aisément sous la voûte de plumes blanches.

Il traversa la salle à pas lents, bénissant au passage les fidèles alliés qu'il reconnaissait, agenouillés dans une attitude de totale soumission. Sous un dais de soie bleue, étoilée de blanc, le trône étincelait de mille feux, entretenus par saint Jean. Lorsque Dieu s'y fut assis, les trompettes se turent et un silence total régna dans l'assistance pourtant composée de plus de cinq cents élus. Toutes ces âmes d'élite étaient statufiées dans l'attente. Le Seigneur laissa errer son regard sur les êtres et les choses qui, malgré leur spiritualité, prenaient forme pour son bon plaisir.

Les lieux ne ressemblaient à aucun temple connu. Aucune cathédrale n'avait l'apparence de cette nef futuriste faite de matériaux ignorés dont les molécules irradiaient une lumière dorée. Le plafond, le sol et les murs étaient invisibles et, pourtant, on se sentait à l'intérieur de quelque chose. Une merveilleuse quiétude émanait de ces frontières secrètes qui supprimaient la notion de l'abri ou le désir d'être protégé. A travers elles, on pouvait voir un azur qui ne semblait plus inaccessible. A part le dais et le trône de Dieu, il n'y avait aucun objet du culte dans ce vaisseau interuniversel qui était la synthèse de toutes les églises.

Au premier rang, face à lui, le Père vit son fils, entouré de ses apôtres. Il lui fit un clin d'œil auquel

Jésus répondit par un sourire complice. Une colombe vint se poser sur le dossier du trône et Dieu tapa alors dans ses mains. Toutes les têtes se levèrent dans sa direction et il prit enfin la parole :

— Vous qui êtes aux cieux et qui croyez en Moi, je vous en remercie car, sans vous, je n'aurais aucune raison d'être. Que voudrait dire un chef sans soldats et que serait une main sans ses doigts ? Vous comprendrez qu'étant autoritaire par définition je ne vous demande pas votre avis quant aux décisions que j'ai prises. Je veux seulement vous associer à mes projets pour que vous vous sentiez responsables au cas où ça tournerait mal.

Jésus, qui avait déjà été confronté à de tels problèmes, fit un imperceptible geste de la main à l'intention du Père. Sans nul doute, ce signe l'incitait à modérer ses propos car il n'est pas nécessaire de décourager les travailleurs avant qu'ils soient associés à l'entreprise. Dieu continua, indifférent :

— J'ai donc pensé qu'il me fallait encore envoyer quelqu'un sur la Terre afin de reprendre en main une situation qui se dégrade de plus en plus.

Tous les apôtres se tournèrent vers Jésus qui regardait son Père avec une certaine inquiétude.

— Les hommes, enchaîna Dieu, vivent entassés sur la planète. Livrés à eux-mêmes, ils cherchent à se distraire dans cette banlieue surpeuplée et la criminalité vient d'atteindre le seuil du supportable. Les HLM, autrement dit les Humanités à loyauté modérée, se fissurent de plus en plus et il est temps d'y mettre bon ordre. J'ai décidé de refaire une seconde fois l'expérience que j'ai tentée il y a deux mille ans.

Il stoppa brusquement son discours en voyant que son fils n'était plus à sa place. Son regard le rattrapa au milieu de l'allée située à gauche de la salle. Se faisant le plus petit possible, Jésus avançait vers la sortie en marchant sur la pointe des pieds.

— Quo vadis ? demanda le Père. Tu peux regagner ta place car ce n'est pas toi qui vas redescendre. Il me faut un Messie inconnu qui emploiera des méthodes nouvelles. Ton passage sur la Terre a laissé des traces qui ne pourraient que nuire à ton anonymat.

Soulagé, Jésus regagna sa place sous les applaudissements spontanés des apôtres.

— Après avoir mûrement réfléchi, reprit Dieu, et bien que cela puisse surprendre certains d'entre vous, je vais vous faire part de ma volonté suprême.

Ménageant le suspense, il se leva calmement. Les cinq cents élus en firent autant et se figèrent dans une respectueuse attitude. On entendit une mouche voler. La colombe quitta le dais pour fondre sur l'insecte qui troublait le silence. Après l'avoir happé en plein vol, elle revint prendre sa place sur le perchoir. Alors, seulement, Dieu annonça la nouvelle.

— Je vais envoyer ma fille sur la Terre.

Une explosion de joie retentit au fond de la nef. Toutes les représentantes du Mouvement de libération de la sainte poussèrent des hourras victorieux en lançant leurs auréoles en l'air. Au milieu des cris d'allégresse, on put reconnaître la voix de Jeanne d'Arc qui dominait nettement celle des autres :

— Enfin, un poste à haute responsabilité ! Vive le Mouvement de libération de la sainte ! Merci, mon Dieu.

10

Depuis un certain temps, Satan ne m'adressait plus la parole. Lorsque nous nous croisions dans les couloirs de l'Enfer, il passait devant moi, indifférent, sans un regard. L'œil du diable ne me manquait pas mais son mépris me procura bientôt une inquiétude qui ne fit qu'augmenter pour se transformer en une véritable peur. Chaque fois que je me trouvais en présence du démon, une sueur glacée envahissait mon être spirituel. Compte tenu de la température élevée qui régnait en ces lieux et de la froideur de Satan à mon égard, j'attrapais constamment des chauds et froids qui me faisaient éternuer aux mauvais moments.

Je venais d'être convié à un méchoui géant donné en l'honneur de Vulcain, dieu du Feu. Une demi-douzaine de membres de la Maffia grillaient sur des broches, installées sur un terrain de la banlieue du noyau terrestre. Ces gangsters notoires venaient de trouver la mort au cours d'un règlement de comptes dans un bar de Marseille, et, devant le caractère exceptionnel de cet arrivage, Satan avait organisé une petite sauterie. Pendant que les âmes des maffiosi rôtissaient sur leurs tringles, toutes les « huiles » de l'Enfer se faisaient des ronds de jambe en parlant des derniers potins.

Satan leva son verre et réclama le silence.

— Je porte un toast à Vulcain, dieu du Feu et du Fer, ainsi qu'à Vénus, sa charmante épouse.

Je découvris la femme du Maître des Forges, entourée par une brigade de diablotins qui avaient empesé leurs queues afin de lui rendre hommage.

Ces derniers ne manifestaient pas l'empressement qu'on aurait pu attendre d'eux. Une légère déception se lisait dans leur comportement car — à quoi bon se le cacher — Vénus avait pris un coup de vieux !

Vers la fin de ma première vie sur Terre, je me doutais déjà que l'amour perdait légèrement ses lettres de noblesse. La libération des mœurs, la pilule et l'avortement avaient relégué le romantisme au fond du grenier. Les poèmes étaient remplacés par le coca-cola, les robes de dentelle par le jean délavé et la rougeur des filles par la verdeur de leur langage. A part quelques attardés qui cueillaient encore le muguet dans les chemins creux, il ne restait plus grand monde dans les jardins de Marivaux. Malgré tout, en regardant Vénus de plus près, on voyait qu'elle avait de beaux restes. L'amour physique était encore assez bien représenté par la forme des seins et des hanches mais le visage témoignait d'une certaine fatigue. De légères sacoches apparaissaient sous les yeux et le menton avait tendance à doubler sa mise.

Quant à Vulcain, il vaudrait mieux ne pas en parler. Le patron de la sidérurgie était en aussi mauvais état que celle de la France. Il savait que le plastique allait bientôt remplacer sa vieille carcasse de fonte et d'acier et qu'il profitait actuellement de ses dernières étincelles de gloire. Il répondit aux compliments du démon.

— Je te remercie, Grand Néfaste. Que tu veuilles encore faire appel à mon expérience m'honore et me ravit. Malheureusement, je suis un dieu rouillé et il va falloir te diriger vers des technologies plus modernes que le fer et le feu. Tu as besoin de cerveaux jeunes et inventifs comme celui dont tu m'as déjà vanté les mérites. Comment s'appelait le propriétaire de cette âme délicieusement perverse ?

Le visage de Satan s'assombrit. Sa réponse avait le ton du regret.

— Aimé Lachaume. En lui, j'avais mis tous mes espoirs, pensant que ses idées pouvaient augmenter notre croissance industrielle. Depuis qu'il est parmi nous, son apathie est presque totale et les inventions diaboliques qu'il avait eues sur Terre se sont évanouies depuis que je lui ai donné quartier libre aux Enfers. Cet inutile, le voici !

Le démon pointa son index crochu dans ma direction. Frigorifié par cette menace directe, je sentis à nouveau le rhume me monter aux narines et je lâchai un éternuement qui aurait pu faire la fortune d'un marchand de Kleenex. Mes postillons éteignirent la bougie plantée au milieu d'un énorme gâteau à la crème qui se trouvait devant moi.

— A vos souhaits, fit Vénus en dégrafant son corsage sous prétexte d'y prendre un mouchoir.

— A mes souhaits, rectifia Satan dont je devinais la colère contenue. Cet incapable est capable d'éteindre tous les feux de l'Enfer avec sa rhinite et, si ça continue, on n'aura plus de chauffage !

Tremblant de la tête aux pieds, je fis un pas en arrière comme pour m'éloigner des reproches du diable. Mon épaule heurta une torchère qui se décrocha pour tomber dans un chaudron d'eau-de-mort. La lumière disparut dans un grésillement.

— Qu'est-ce que je vous disais ! hurla le démon. Non seulement on va se les geler mais on se pétera la gueule dans le noir !

La véritable nature du Maître des Ténèbres suinta brusquement par les crevasses de ses expressions. Vénus et Vulcain toussotèrent pour masquer leur gêne. Si je n'avais pas déjà perdu la vie, la peur que je ressentais m'aurait sans doute été fatale. La fête prenait une tournure dramatique. Elle faisait penser à ces réunions familiales où l'on s'embrasse aux hors-d'œuvre en gardant les insultes pour le dessert. Tous les convives avaient cessé leurs propres conversations afin de mieux profiter d'une noyade qui allait mettre un peu de fraîcheur dans la lourdeur du climat.

— Ex... excusez-moi, bredouillai-je.

Satan était hors de lui. Il prit tout le monde à témoin.

— Vous l'entendez ? Il s'excuse ! Celui en qui j'avais mis tous mes espoirs, ce minable déchet que j'avais placé au premier rang des ordures s'excuse ! Ici, le remords est un défaut, et la contrition, un signe de faiblesse !

Vénus s'approcha du démon et tenta de le calmer.

— Allons, allons..., laissez-moi un moment seule avec lui. Je vais lui rendre l'éclat du neuf, faites-moi confiance.

— Ta brosse a perdu ses poils, mémé, répondit Satan qui ne se contrôlait vraiment plus.

Vulcain se précipita pour venger l'honneur de sa femme. Levant le bras dans l'intention de frapper le démon, il poussa un cri de douleur et se massa la clavicule. Satan avait esquivé le coup.

— Quand on a du vert-de-gris dans les roulements à billes, dit-il au dieu des Métaux, on va se faire voir à la casse !

En disant cela, le diable s'était retourné vers son agresseur. Sa queue balaya les braises du tournebroche et s'enflamma aussitôt. Il fit un bond tel un chat qui viendrait de sauter sur la plaque d'un fourneau allumé. La fin de sa phrase se perdit dans un étranglement sonore dont les accents douloureux ne laissaient aucun doute sur le genre de sensation ressentie. Une fois de plus, l'appendice satanique allait provoquer des représailles.

Comme Tom, expédié dans les airs par Jerry, Satan pédala en faisant du surplace. Ses furieux mouvements de roue libre laissèrent assez de temps à quelques gardes du corps pour placer un baquet d'eau à l'endroit présumé de la chute. La rapidité de l'intervention permit la réussite de l'opération. Le démon retomba assis dans le baquet.

— Qu'on massacre tout le monde ! ordonna-t-il dans un sanglot et au milieu d'une vapeur d'eau qui sortait du récipient.

Vénus — qui n'était pas rancunière — sut trouver les mots pour apaiser la rage de Satan. Connaissant ses faiblesses, elle lui râpa les cornes avec sa lime à ongles.

— Là, là, doucement, murmura la déesse. Nous comprenons vos sautes d'humeur. Oublions cet incendie...

— Cet incident, rectifia Vulcain.

— ... cet incident, convint-elle. Continuons la fête.

Témoin de ce qui allait déclencher mon malheur, j'étais incapable de bouger. Paralysé par ma frayeur, je me sentis abandonné par Dieu et destiné à être puni comme n'importe quel pécheur de bas étage. Mon aventure allait se terminer par un fiasco total.

Satan laissa tomber son rafraîchissement et, d'une voix mielleuse, il prononça l'arrêt de mort de ma pauvre âme tant éprouvée :

— Vu les circonstances aggravantes qui viennent de se produire, la présence de l'âme d'Aimé Lachaume n'est plus utile parmi les damnés d'élite. En conséquence, je la condamne à remplacer la bougie du gâteau d'anniversaire confectionné en l'honneur de Vulcain et de Vénus. Aimé Lachaume prendra la place de l'objet qu'il a détruit par son inconscience et périra par les flammes. Que la sentence soit exécutée.

Avant d'avoir eu le temps de me rendre compte de ce qui m'arrivait, trois mercenaires m'empoignèrent et je me retrouvai planté au milieu de l'immense moka. La crème au beurre m'arrivait à la hauteur des hanches. Impossible de me dégager de l'immonde pâtisserie qui ressemblait aux sables mouvants de la baie du mont Saint-Michel. Je voulus crier, appeler à l'aide, mais aucun son ne sortit de mon être qui s'enlisait encore plus au moindre geste.

Dans un flou presque total, je vis les invités du diable qui applaudissaient. En surimpression, l'image de mon médecin de famille m'apparut avec assez de netteté pour me faire revivre la dernière consultation qu'il m'avait donnée quelques jours avant de mourir. Encore une fois, il me conseillait de ne pas abuser des sucreries qui risqueraient de m'être fatales. Il disparut au moment où je fus aspergé de rhum par un effroyable sommelier qui brandissait une allumette géante. Suffoquant dans la crème et l'alcool, entre deux hoquets, j'entendis Satan :

— C'est à Vulcain que revient l'honneur de souffler cette bougie qui symbolise l'anniversaire de son mariage avec la déesse de l'Amour.

Un chœur chanta « Joyeux anniversaire » et je vis Vulcain gonfler sa poitrine pour la transformer en soufflet de forge. C'est au moment où le sommelier allait m'enflammer qu'un diablotin arriva en courant pour dire au démon :

— Satan, Dieu te demande au téléphone.

Devant l'importance de l'appel, la cérémonie fut interrompue. Le diable quitta l'assistance et, à bout de force, je m'écroulai dans le moka.

Une saupoudreuse dansait devant moi lorsque j'ouvris les yeux. Enlacée par une jolie main de femme, je la voyais valser au centre d'un nuage blanc d'où s'échappait cette pluie qui me faisait du bien. Devant tous ces visages penchés sur moi, je compris que j'étais allongé sur le dos et que quelqu'un était en train de me talquer les endroits sensibles. L'autre jolie main me retenait les pieds que j'avais envie de faire gigoter pour augmenter le plaisir. Sans comprendre, je refermai les yeux et les poings sur cette enfance inattendue. Heureux et protégé, refusant la logique, je me sentis dans la peau d'un bébé en bonne santé. Cependant, une légère inquiétude vint troubler mon bien-être. Etait-ce encore une nouvelle plaisanterie de mes employeurs ? M'avait-on renvoyé encore une fois sur la ligne de départ pour une nouvelle expérience ? Le doute m'assaillit et j'eus envie de piquer une rogne de nouveau-né pour que Dieu entendît mon refus. A force de repartir de zéro, mon embrayage patinait et il n'était plus question de prendre des risques dans une course de stock-cars. Persuadé que j'allais pousser un vagissement, je bloquai ma respiration pour mieux faire exploser mes cris de mécontentement. A ma grande surprise, c'est ma belle voix d'homme qui se fit entendre.

— Qu'on me foute la paix, une fois pour toutes ! Je ne veux plus jouer les cobayes !

La révolte me catapulta dans la position assise et la honte alluma ses projecteurs. J'étais tout nu devant les complices du diable, les jambes écartées, montrant un sexe enfariné qui pendait lamentablement sur une table à langer.

Un vieux réflexe de vivant précipita ma main sur un linge qui me servit de couvercle. Bien sûr, il était inutile de dissimuler cet attribut factice qui ne m'était donné que pour mémoire mais je n'avais jamais pu oublier les conseils de ma mère. Pendant toute mon existence, je n'avais montré mon zizi qu'aux femmes qui m'en faisaient la demande, aux docteurs qui réparaient les dégâts occasionnés par certaines de ces dernières et à quelques copains de régiment, friands de comparaisons. Tout cela explique mon désarroi devant une assemblée d'étrangers, qui, dans le fond, se moquaient éperdument de ce truc idiot qui ne servait plus à rien.

Maternelle, Vénus mit la main sur mon ventre.

— C'est fini, dit-elle doucement. Tout va bien maintenant. Je viens de faire votre toilette car vous aviez du gâteau partout.

Tout me revint subitement : la crème, la bougie, le rhum, l'allumette et l'appel téléphonique du Sauveur qui n'avait jamais tant mérité ce nom. Assis en tailleur sur cette table ridicule, je me sentis soudain très fatigué. Une grande lassitude qui me fit regretter l'existence de Dieu. Sans lui, j'aurais pu m'endormir pour l'éternité et profiter d'un sommeil de plomb payé avec cette belle somme d'emmerdements que la vie vous fait mettre de côté.

Ma pensée sacrilège s'effaça. Mes spectateurs s'écartèrent pour laisser la place à Satan qui me tendit une grande cape noire.

— Habillez-vous, me dit-il. Dieu vient de me fournir une meilleure occasion de me débarrasser de vous.

Je ne sais pas si mon enveloppe contenait un cœur mais j'entendis l'espoir donner de grands coups à l'intérieur de moi-même. Un battement qui n'en finissait plus et qui me propulsa hors de la table. Plongeant dans la cape que je transformai en mur d'enceinte pour me protéger des regards, je ne pus m'empêcher de demander des précisions en bafouillant lamentablement :

— Quoi ? Co... comment ? Dieu s'intéresse à moi ?

Satan esquissa un geste d'ignorance qui voulait démontrer le peu d'attention qu'il accordait à mon avenir. Néanmoins, son orgueil le poussa à se vanter publiquement de la bonne affaire qu'il venait de réaliser.

— Je ne sais pas ce que l'Ennemi compte faire de ce minable, mais le jeu en vaut la chandelle qu'il a failli être. Je vais échanger cet amateur contre une dizaine de professionnels du crime que Dieu détenait en otages. Gardes, emmenez-le !

Ô mon Dieu qui êtes aux cieux, que votre nom soit sanctifié !!! Tous les cris de gloire, de victoire, de remerciement me revenaient en mémoire. Vive la France ! Vive l'Algérie française ! Vive le Québec libre ! Vive n'importe quoi pourvu que ça vive !... J'avais envie de danser la carmagnole, la gigue-douille serbo-croate, le rigodon chinois... Pour quitter ces lieux maudits, j'étais prêt à faire n'importe quoi : des nouilles au gratin, les pieds au mur, des dettes. J'aurais même été capable de voter socialiste avec les deux mains ! Cette idée folle me rappela un chant d'allégresse que j'entonnai dans la plus pure inconscience :

— On a gagné ! On a gagné ! On a gagné !

L'un des gardes qui m'emmenait me glissa quelques mots à l'oreille, sur un ton qui se voulait amical :

— Chante pas ça, tu risques de le regretter.

C'est dans l'euphorie la plus complète que je

suivis les deux démons. Nous marchâmes longtemps dans le dédale de l'Enfer pour arriver sur un terrain hérissé de tours métalliques et de rampes de lancement. Des coupoles, des dômes sortaient du sol ainsi que des monticules fabriqués par des taupes géantes. Malgré la totale obscurité, je pus distinguer les Super-Satanic 21, braquées vers le haut, prêtes à traverser la Terre dans toute son épaisseur. Ma caméra intérieure avalait goulûment cette nourriture empoisonnée.

Nous fûmes bientôt au pied d'une sorte de navette spatiale. Une porte s'ouvrit automatiquement, libérant un escalier qui se déplia jusqu'à nous. En haut des marches, je vis apparaître une superbe démone en tenue d'hôtesse de l'air, arborant un sourire et une plastique capables de combler le déficit de bien des compagnies aériennes. Elle me fit un signe gracieux pour m'inviter à monter puis elle se retourna avant de disparaître à l'intérieur de l'engin. Comme toutes les diablesses, elle possédait un appendice caudal beaucoup plus discret que ceux des mâles. Le sien était ravissant. Couvert de poils blonds et soyeux, il sortait par une fente pratiquée dans une jupe genre Coco Chanel et portait un nœud de satin à son extrémité. Dans le noir, je vis très vaguement qu'il y avait une inscription sur le tissu du ruban. Mon gardien sympa devina ma curiosité.

— C'est les couleurs de la compagnie, me renseigna-t-il. « AVEC AIR-ENFER, VOYAGEZ SANS VOUS EN FAIRE. »

— Vous faites de la pub ? demandai-je, plus que surpris.

— Les Américains vendent bien des billets pour aller sur la Lune. Je ne vois pas pourquoi nous n'en ferions pas autant en pensant au jour où nous aurons conquis le Paradis.

L'hôtesse, impatiente, réapparut dans l'encadrement de la porte.

— Montez, dit-elle, nous allons relever l'escalier.

Sa beauté agit sur moi comme un aimant. Une seconde plus tard, je découvris l'intérieur de la navette.

Rien à voir avec celle que la télévision montre de temps en temps, à la faveur d'un voyage expérimental ou de la réparation d'un robot satellisé. Celle-ci ressemblait beaucoup plus à un harem de luxe qu'à un laboratoire des curieux de l'espace. Ce qui sautait d'abord aux yeux, c'était le grand lit dont le baldaquin était en pure soie de Bagdad. Il occupait presque la moitié de la cabine, ne laissant la place qu'à une dizaine de poufs placés sur de somptueux tapis orientaux. Quelques lampes en cuivre ciselé laissaient échapper une lumière dorée et un parfum poivré. Un magnifique chat persan vint se frotter contre mes jambes.

— Couché, Khomeini ! intima l'hôtesse.

La bête sauta sur un guéridon et, après un deuxième bond, disparut dans un coffre à bagages. C'est en suivant les évolutions du chat que je vis la faute de goût détruisant l'harmonie de ce décor, digne des Mille et Une Nuits. Six diables, vêtus de noir, étaient assis sur des strapontins vissés aux parois droite et gauche de l'avion. Ils tenaient sur leurs genoux de longues boîtes sombres qui avaient l'air d'être les étuis d'armes redoutables. La démone de l'air me fit asseoir sur l'un des poufs et se plaça elle-même au bout de l'allée centrale, face aux passagers. Mes deux gardes du corps s'installèrent derrière moi et l'hôtesse parla en me regardant fixement :

— Nous atteindrons le mur de l'Enfer, frontière commune entre nous et le Paradis, en un certain temps de vol qualifié. Ce déplacement n'est pas un voyage d'agrément mais une mission gouvernementale protégée par le secret d'Etat. Nous devons procéder à l'échange de personnes, sous le contrôle des services de renseignements des deux pays en présence, et, de ce fait, aucune fausse manœuvre ne sera tolérée. Tout manquement aux ordres serait impitoyablement sanctionné par les défenseurs de Satan...

Les yeux de la démone allèrent successivement à gauche et à droite de la cabine, dans le but de me démontrer que, lorsqu'une hôtesse disait quelque chose, ce n'était pas forcément en l'air. J'en fus persuadé en voyant les diables noirs ouvrir leurs étuis. Six fourches chauffées à blanc sortirent de leur thermos pour me menacer à titre préventif.

— ... Les conditions de vol à travers la matière, précisa-t-elle, nous conduisent à faire la démonstration des scaphandres de sauvetage. En cas d'immobilisation de l'appareil à l'intérieur d'un solide quelconque, tirez sur le cordonnet. Une perforeuse se mettra automatiquement en marche. Lorsque nous aurons traversé l'écorce terrestre, des boissons chaudes vous seront servies. Veuillez attacher vos ceintures et vous abstenir de parler.

Un ronronnement de réacteur se fit entendre. Je fermai les yeux pour m'abandonner à cette quiétude inconnue depuis si longtemps et, plongé dans un état second, j'entrepris de rassembler mes idées qui couraient dans tous les sens. Il m'était impossible de compter le temps qui s'était déroulé depuis ma véritable mort, c'est-à-dire la première. Le repos éternel m'avait donné tellement de boulot que je n'aurais pas été surpris de trouver des durillons sur la paume de mon âme paumée. Jamais l'AFP ne m'avait infligé un travail aussi harassant, aussi dangereux et aussi peu rémunéré. En deux mots, depuis mon décès, j'étais crevé !

Une voix profonde me fit revenir à la surface.

— Ici, le commandant de bord. Décollage immédiat.

La trouille ! La grande peur bleu foncé — celle qui provoque des fuites dans les endroits privés — m'immobilisa beaucoup mieux que ma ceinture et me rappela les doux instants de panique qui m'indiquaient parfois le véritable prix de la vie. Je n'avais pourtant plus de raison de me faire du mauvais sang puisque le mien ne circulait plus. C'était un vieux réflexe. Je n'ai jamais aimé l'avion, cette mécanique qui vous arrache du plancher des vaches pour vous envoyer au pays des oiseaux dans un épouvantable bruit de lourdeur menaçante. Il n'y a que l'homme qui pense à se doter des membres que la nature lui a refusés. Est-ce qu'on a déjà vu un serpent avec des pattes ou un éléphant avec des ailes ? On peut penser que le progrès est inévitable et qu'il appose un label de qualité sur l'emballage de la vie, mais le prix du danger fait toujours partie des contributions directes. Bien sûr, l'avion est pratique et peut-être moins dangereux que le pot de fleurs que vous risquez de recevoir sur la tête, au milieu du confort de votre marche à pied. Il n'empêche que j'ai toujours préféré confier mon existence à mes semelles qu'à des réacteurs insensibles qui ont l'air de se foutre des passagers. Chaque fois que j'ai pris l'avion, j'ai toujours regardé avec frayeur la grosse turbine qui allait devenir ma maman le temps d'un vol. Le moindre filet d'huile suintant le long de sa robe me flanquait une déprime que je combattais à coups de whiskies. Il est prouvé que les transports aériens occasionnent plus de frais aux trouillards alcooliques qu'à ceux qui boivent de l'eau dans une complète détente.

Le doux ronronnement se transforma en rugissement et la navette décolla à la verticale. L'accélération fut tellement subite que je me retrouvai enfoncé dans le pouf jusqu'aux yeux. Quelques instants plus tard, ma propre pesanteur disparut et l'engin se calma en atteignant sa vitesse de croisière.

Ce fut un voyage exclusivement ascensionnel. Parti du centre de la Terre, l'appareil entra dans un couloir de navigation qui pouvait être comparé au rayon qui relie le moyeu à la jante. Nous étions dans une sorte de gaine protectrice qui évita tout frottement contre la matière. A travers les hublots, je vis les atomes crochus qui nous faisaient des grimaces en essayant de nous bombarder avec leurs noyaux, des particules qui tentaient de nous suivre en pédalant comme des folles sur leurs cyclotrons.

L'hôtesse était aux petits soins pour moi. Au fur et à mesure que nous approchions de la croûte terrestre et afin d'éviter tout refroidissement, elle me servit un cocktail brûlant : une sorte de mixture composée de deux tiers d'hydrogène et d'un tiers d'oxygène. Lorsque je me rendis compte que c'était de l'eau chaude, je pensai avec nostalgie aux bonbons que la compagnie Air Inter offrait à ses passagers au début de son exploitation. J'ai assisté à la dégradation des services de cette honorable société aérienne et je me demande maintenant si la compression du budget ne l'obligera pas, un jour, à supprimer les fauteuils, la carlingue et, finalement, l'avion lui-même. Le voyageur risque d'être placé, tout seul, sur la piste avec un suppositoire à réaction, une boussole et la médaille de saint Christophe.

Je n'étais, heureusement, plus concerné par cette évolution à rebours. Nous venions de traverser l'écorce de cette vieille boule de glèbe quand un masque se décrocha du plafond et tomba devant moi.

— Pour éviter d'être contaminés par certaines pensées humaines, dit la diablesse, veuillez mettre ces filtres protecteurs.

Très loin de la Terre, nous eûmes le droit d'ôter nos masques. Les démons gardiens avaient l'air complètement abrutis. Le passage que nous venions de faire dans le domaine des vivants avait légèrement perturbé leur état de santé car leur organisme n'était pas immunisé contre les pires radiations émises par les hommes. L'hôtesse montra également un visage fatigué mais peu à peu chacun reprit son apparence première et leur saine méchanceté réapparut.

Sur un ordre du commandant, nous attachâmes nos ceintures et la navette freina progressivement pour s'arrêter enfin sur un large cumulo-nimbus en forme de piste d'atterrissage. Les démons me firent descendre de l'appareil en me poussant dans le dos avec leurs fourches, heureusement refroidies. Nous étions à environ cent mètres d'un mur de nuages noirs, hérissé de miradors. Des diables, ressemblant étrangement à des sentinelles militaires, se trouvaient au pied de la triste muraille qui s'étirait à perte de vue. L'hôtesse me tendit sa jolie patte griffue pour me dire adieu.

— Vous avez devant vous la frontière commune entre le Mal et le Bien. La marche à suivre va vous être donnée dans quelques instants.

Elle regagna le haut de l'escalier et se tint à son

poste d'accueil, immobile. C'est un haut-parleur qui s'adressa à moi.

— Avancez jusqu'à l'échelle que vous voyez entre les deux sentinelles qui se trouvent devant vous...

Effectivement, je vis, sur le flanc du mur, plusieurs barreaux superposés. Chacun d'eux était numéroté.

— ... C'est l'échelle de Beaufort, continua la voix anonyme. Les degrés vont de zéro à douze. Lorsque vous allez l'emprunter, votre calme doit être parfait et égal au chiffre le plus bas. Si vous êtes animé d'intentions belliqueuses, vous déclencherez une perturbation du temps qui peut atteindre force douze selon votre état caractériel. Vous en seriez la première victime.

Les six démons, plus mes deux gardes personnels, me conduisirent devant l'échelle.

— Montez !

Doucement, je gravis les marches pour arriver en haut du mur.

— Halte !

Seule, ma tête dépassait. Agrippé au dernier barreau, je vis enfin le panorama du bonheur. De l'autre côté de la frontière, un ciel bleu s'offrait à mon regard et des senteurs de printemps arrivaient jusqu'à moi. J'aperçus une autre navette, d'une blancheur éclatante, sur une piste nuageuse que les rayons du soleil peignaient en rose.

Tout à coup une dizaine de têtes patibulaires émergèrent de l'autre bord du mur et se figèrent comme je l'étais moi-même. Les inconnus se trouvaient vraisemblablement accrochés aux barreaux d'échelles jumelles que je ne voyais pas. Lors de mes reportages dans l'Orient en guerre, j'avais tellement photographié ces visages tourmentés par leurs révolutions que je les reconnus sur-le-champ. Ils faisaient partie de cet immense troupeau de moutons assassins sous les ordres d'un lion religieux. La haine qui transpirait par les pores de leurs âmes me fit penser qu'ils pouvaient peut-être cacher une crinière sous la laine de leur pelage.

— Vous allez monter sur le mur en même temps, reprit le haut-parleur. Ensuite vous redescendrez de l'autre côté sans vous adresser la parole. A la moindre tentative, vous serez transpercés par les flèches de la justice.

Les huit démons se tenaient derrière moi, en contrebas, me menaçant de leurs fourches. Leurs bras étaient levés, comme ceux des harponneurs attendant la baleine. Derrière les anciens combattants de l'Islam, le même nombre d'anges brandissait des crucifix dans leur direction.

— En avant !

Dans un impeccable mouvement d'ensemble, nous nous hissâmes sur le faîte du mur. Au moment du croisement, l'accident eut lieu. Un jeune mollah tomba à genoux et hurla, le visage tendu vers le ciel :

— Où es-tu, Allah ? Pourquoi as-tu laissé Satan prendre ton visage ? Nous avons cru être tes soldats et nous sommes tombés dans une embuscade !

Une fourche entra dans sa poitrine qu'il offrait pour la dernière fois à ses généraux et, l'âme transpercée, il tomba dans le camp du Mal.

Je me ruai sur les premiers barreaux d'une échelle qui était vraiment de secours et me laissai glisser jusqu'en bas pendant que les malheureux otages commençaient leur descente aux Enfers. Comme un fruit mûr, je tombai dans les bras de saint Matthieu.

— Ça va ? me demanda-t-il, paternel.

Le journaliste du Seigneur était en costume de voyage. Vêtu d'une robe que Courrèges aurait pu dessiner, il ressemblait à un marine en tenue de débarquement moderne. Casqué d'une calotte protège-nuque, la poitrine à l'abri derrière un rabat pare-balles, il portait une dizaine de goupillons offensifs qui pendaient à sa ceinture. Je vis mon patron à travers le flou de l'incrédulité.

Je me souviens de l'entrée des Alliés dans le Paris de la Libération. Les petites Françaises se jetaient à bouche que-veux-tu sur les Américains et, pour une Lucky ou une tablette de chewing-gum, combien de culottes ont été lancées par-dessus les moulins ? A mon tour, la joie me fit perdre le sens de la mesure. Me précipitant sur mon Zorro, je l'enlaçai et, confondant les lieux, les époques et les personnages, je hurlai :

— Vive de Gaulle !

D'après certains témoignages, je suis resté assez longtemps dans cette maison de repos. Située dans le quartier résidentiel du Paradis, elle m'offrit le grand confort et les soins nécessaires à la guérison de mon âme. J'étais revenu des Enfers dans un état de complète prostration malgré la sollicitude de saint Matthieu qui me tint la main pendant tout le parcours. Mon état avait empiré dans la navette du retour et je fus hospitalisé dès mon arrivée. Les docteurs en théologie qui vinrent m'examiner diagnostiquèrent un traumatisme psychique assez grave. Excusez-les du « peu » ! Moi qui avais été un type à peu près normal pendant ma présence sur la Terre, voilà que je meurs et qu'on m'expédie au Purgatoire. C'est déjà surprenant quand on est en train de regarder un film à la télé. Ensuite, on me renvoie sur la planète dans la peau d'un criminel pour tomber dans les filets du diable. Enfin je manque d'être transformé en combustible dans la

Grande Chaudière. Il faut être solide pour ne pas avoir autre chose qu'un choc émotionnel !

Je ne me souviens plus de mon arrivée au Paradis. J'ai dû perdre connaissance dès les premières secondes de ma libération et je le regretterai toute l'éternité. Quel dommage d'avoir raté les plus beaux moments du voyage. J'ai connu un petit retraité de la SNCF qui avait passé toute sa vie à la consigne de la gare de Lyon. Pendant trente-cinq ans, il a regardé les bagages avec une folle envie d'évasion. Dans ses rêves, il se transformait en valise et visitait tous les pays du monde. A part un séjour militaire à Nancy et les inévitables vacances au Tréport, il ne connaissait rien des chemins qui mènent autre part. Par une ironie du sort, sa femme tenait les lavabos à l'aéroport d'Orly. Lorsqu'elle retrouvait son mari, elle avait la tête encore pleine des annonces qui parlaient de Tahiti, des Seychelles, des Antilles. Entre deux chasses d'eau, elle se voyait à Rio de Janeiro. Une madame pipi de couleur lui ouvrait la porte des toilettes brésiliennes et elle laissait un pourboire royal. Dix francs nouveaux ! Un jour, la châtelaine de nécessité fit une surprise à son mari : deux billets d'avion pour Rio, payés avec vingt ans d'économies prélevées dans la soucoupe rampante ! Les gentils petits vieux s'embarquèrent dans un superbe DC 10. Leur voyage fut un ravissement. Pendant tout le vol, ils attendirent leur arrivée au-dessus de la fameuse baie de Rio dont ils possédaient la carte postale. Malheureusement, fatigués, ils s'endormirent lorsque l'avion survola le Pain de sucre et le Corcovado. A leur retour, l'avion décolla dans la brume et, jusqu'à leur mort, ils conservèrent la carte postale sur leur cheminée, entre deux chiens en plâtre et la médaille du travail.

Moi, je n'avais pas vu, non plus, le Paradis d'en

haut. Je m'étais réveillé alors que j'étais déjà en vacances. Marchoukrev, qui avait tant fait pour me détruire, fut pour moi un véritable reconstituant. L'adjudant s'était transformé en infirmière et c'est lui que je vis en premier, penché sur ma conscience retrouvée. Contrairement à la brute qui m'avait appris la méchanceté, je vis, devant moi, un ange de douceur. Son apparence elle-même avait changé. Ses traits s'étaient affinés et son sourire dispensait des excuses qui n'en finissaient plus. C'est dans le baume lénifiant de sa voix que j'appris mon admission au Paradis :

— Pierre Attier, je suis heureux de vous revoir. Votre mission a été une réussite totale. Grâce à vos efforts et à votre sacrifice, nous avons découvert les plans de l'Ennemi. En récompense, vous êtes dispensé du Purgatoire et une place vous attend à la droite du Seigneur.

Jamais je n'avais eu d'avancement aussi rapide. Au cours de ma carrière, mes plus dangereux reportages ne m'avaient rapporté que des primes de risque et des félicitations. A cette vitesse-là, j'aurais dû être patron de l'AFP après la guerre d'Algérie.

— Vous avez brûlé les étapes, continua Marchoukrev.

— Brûlé ? fis-je avec horreur. Ne prononcez plus jamais ce mot. J'ai l'impression d'avoir des cloques partout !

— Calmez-vous. J'ai une nouvelle qui va faire du bien à vos irritations. Dieu, dans sa munificence, vous accorde l'état de sainteté.

Je pris l'information sur le coin du halo qui entourait ma gloire naissante. Comme un halo ne peut pas avoir de coin, parce que c'est un cercle, je mesurai le déséquilibre de ma perception. Soudain j'eus tendance à tout mélanger. Comment ? J'avais commis les pires fautes terrestres sous le nom d'Aimé Lachaume et je me voyais honoré comme un prix Nobel ? Devinant ma pensée, Marchoukrev me rassura.

— C'était pour le bien de la société. On ne fait pas d'omelette sans casser des œufs et la raison d'Etat est souvent la meilleure. Aimé Lachaume ne fut que la barbouze du bon Dieu.

— Et c'est parce que j'étais son artilleur qu'il va me canoniser ?

— Non. Lachaume n'a jamais existé en tant qu'enfant de Dieu. Il n'a été qu'une bombe lancée par le Ciel contre la citadelle de Satan. C'est le kamikaze Pierre Attier que nous récompensons.

Ainsi, j'allais faire partie de l'armée des saints. Moi qui n'avais jamais rien fait, durant mon existence, pour mériter un tel honneur, je me retrouvais au rang des bons élèves. Si je n'avais pas étudié la photographie, je ne serais jamais devenu le chouchou du président-directeur général. Ce qui prouve que les actions les plus héroïques sont presque toujours dues au hasard.

Subitement, je m'entendis poser une question :

— N'est-ce pas les hommes qui élisent leurs saints ?

Marchoukrev prit un air attristé et poussa un profond soupir avant de répondre :

— Si, mais en les bénissant ils se mettent parfois le doigt dans l'œil. Pour cette raison, ils ne voient pas toujours les humbles qui ne bénéficient d'aucune promotion. Nous sommes obligés de faire un filtrage à l'entrée du Paradis. Finalement, c'est ici que sont délivrés les véritables diplômes et les billets de faveur.

Je restai un moment silencieux. Je pensais à la surprise de tous ceux que j'avais connus sur Terre.

Je voyais la tête de mes copains de débauche me découvrant assis, à l'avant de l'autocar, à côté du Grand Conducteur.

Le seul détail qui mit un frein à mon enthousiasme, c'était le port de l'auréole. J'ai toujours été ridicule avec un chapeau et je n'ai jamais pu en garder un plus de huit jours. J'ai perdu tous mes couvre-chefs. Si le Paradis est un lieu de distraction, la mienne allait être mise à rude épreuve.

Je fus béatifié au cours d'une cérémonie où tous les saints connus et inconnus m'applaudirent. Ils étaient environ deux mille. Les premières de l'Olympia n'avaient jamais réuni autant de vedettes. Debout au centre d'un podium, saint Pierre m'auréola lui-même après avoir fait un discours qui vantait mon courage et mes mérites. Deux autres récipiendaires profitèrent de la fournée. Il s'agissait de défunts récents qui n'avaient pas attiré l'attention des gens d'Eglise, leur souffrance et leur générosité étant trop discrètes.

Le premier était un cocu congénital qui avait trimé toute sa vie pour une pouffiasse dont les amants avaient envahi le domicile conjugal à tour de rôle. En bon chrétien, il s'était refusé au divorce. C'est un plat d'amanites phalloïdes, servi par sa femme, qui l'avait conduit tout droit au Paradis. Le deuxième était un épicier arabe dont l'arrière-grand-père avait été tué pendant la conquête de l'Algérie. Son grand-père avait ciré les chaussures des colons pour recevoir des coups de pied au cul plus propres et son père était mort pour qu'il soit indépendant. Citoyen du monde, le petit épicier ouvrit sa boutique dans le XVIe arrondissement. Il se convertit au catholicisme pour plaire aux pratiques de la rue de l'Assomption et se maria avec une mandataire des halles. Son magasin fut plastiqué par un commando de xénophobes inconditionnels. Il perdit la vie, étouffé sous son stock de dattes et d'oranges.

J'ai beaucoup regretté qu'il n'y eût aucun photographe présent à la fête. J'aurais bien aimé envoyer des épreuves à ma femme qui était si fière de moi. Mais peut-être ne faisait-elle plus partie des brebis qui donnent encore du lait ? Il est possible que les amours égoïstes n'existent plus au Ciel et que Dieu ait réussi depuis longtemps le marché commun des beaux sentiments. Curieusement, j'avais oublié les liens affectueux qui unissent provisoirement les hommes. Peut-être que les vivants sont les seuls à avoir de la peine lorsqu'ils perdent un être cher. J'en étais presque persuadé car, depuis ma véritable mort, j'avais rarement pensé à ma famille. Il est vrai qu'avec tout le boulot que je venais d'abattre pour payer mon fauteuil il ne m'était pas resté une minute pour feuilleter un album de souvenirs. Comme disait Louis Jouvet dans un de ses films : « C'est très joli la beauté et les sentiments d'amour, mais faut bouffer d'abord ! »

Un superbe coin de ciel bleu me fut octroyé. Avec vue sur l'univers, ma nouvelle résidence possédait tout le confort moderne. Dans les parcs de mon Eden, à l'ombre de grands arbres généalogiques, je peignais des bêtes à bon Dieu sur du papier Jésus et j'allais écouter les trompettes célestes qui répétaient l'air du Jugement dernier sous des kiosques à musique sacrée. Parfois, des oiseaux de paradis venaient se percher sur mon épaule et me sifflaient la jolie chanson du bonheur.

Je fus canonisé peu de temps après ma béatification. L'événement eut un grand retentissement et *Paradis-Soir* me consacra une édition spéciale. Saint

Matthieu, dans un article de première page, relatait mes exploits et soulignait mon courage. Afin de ne pas me confondre avec le père de l'Eglise, on m'appela saint Pierrot. A partir de ce jour, je fus salué très bas par les autres bienheureux. Grâce aux privilèges que me conférait mon grade, je fis partie de la haute société et devins l'égal des plus grands élus. Saint Matthieu, qui, outre ses fonctions de journaliste, dirigeait une collection littéraire, me fit entrer dans un club d'écrivains dont il était le fondateur. Cette pléiade mère réunissait saint Marc, saint Luc et saint Jean. Ils me proposèrent de travailler sur un Evangile commun agrémenté de photos portant ma signature. Ne pouvant demander aux véritables personnages, auteurs de la divine aventure, de poser pour mon objectif, je fis appel aux grands comédiens. Les noms les plus célèbres du théâtre et du cinéma s'étaient regroupés dans la lumière du soleil. Le roi des projecteurs éclairait leur retraite de rayons orangés et c'est là que je mis en images *L'Odyssée* de Jésus, tournée dans les studios de Paradis-Orangis.

Ma mort s'écoulait dans un bonheur tranquille. Cette vie éternelle dont on m'avait tant parlé était enfin à portée de mon âme. Visuellement, j'étais toujours le reflet charnel d'un Pierre Attier dont l'enveloppe n'avait pas subi l'érosion du temps. Cela permettait d'être reconnu par d'anciens compagnons d'existence. Au hasard des rencontres, je saluai mon ancien professeur de math, deux copains de régiment et une péripatéticienne avec qui je n'eus aucune conversation car nous nous étions tout dit en d'autres lieux.

C'est au cours d'une promenade sans but que je rencontrai ma grand-mère maternelle. Le choc fut grand. Au bout d'une allée, je vis une ravissante jeune femme, d'environ vingt-cinq ans, qui avançait vers moi, vêtue à la mode 1900, sous une ombrelle de soie blanche. Comme tous les défunts, elle avait gardé l'apparence de son âge au moment de sa mort. C'est en donnant naissance à ma mère qu'elle s'était éteinte pour toujours. Lorsque nous nous croisâmes, elle s'arrêta net.

— Pierre !

— Mamy !

Il est peu courant qu'un homme ayant passé la cinquantaine appelle « Mamy » une jeune femme qui n'a même pas la moitié de son âge. Je voulus m'excuser mais elle ne m'en laissa pas le temps :

— Tu es mort, mon pauvre petit ? Quel dommage de ne pas t'avoir connu. Dire que je n'ai vu ta mère que quelques secondes avant d'arriver ici.

— Vous connaissiez nos visages ?

— Bien sûr, reprit-elle. Nous suivons la vie des membres de notre famille avec un chromoviseur. C'est un appareil qui ressemble à vos postes de télévision.

— Moi, je n'ai eu que votre portrait. Vous n'avez pas changé.

Elle me fit un merveilleux sourire qui m'aurait fait pousser le chant du coq lorsque j'en étais encore un. Gentiment, elle me demanda la permission de poursuivre son chemin.

— Tu comprends, continua-t-elle, j'ai rendez-vous avec ton grand-père.

— Vous êtes... ensemble ?

— Oh non ! se défendit ma jolie grand-mère. Ces choses-là n'existent plus ici. Comme il vient d'arriver du Purgatoire, je vais seulement l'accueillir.

Je me souvins que mon grand-père avait quatre-vingt-dix ans à sa mort. Ici-haut, le vieil homme allait revoir la fleur de sa jeunesse. En bas, cette disproportion des âges aurait fait la joie des concierges.

— Au revoir, Pierrot.

Grand-mère s'en alla. Un peu plus loin, elle se retourna pour s'excuser encore, en rougissant un peu.

— Ne m'en veux pas mais j'ai si peu connu mon mari...

Je me suis rué au Centre des télécommunications. On me prêta un chromoviseur que je réglai sur ma fréquence héréditaire et, sans attendre, je tombai sur mes enfants. Depuis le jour de mon enterrement, ils avaient trente ans de plus ! Déjà... Mon fils était devenu propriétaire du garage où je l'avais fait entrer comme apprenti. Pas mal... Ma fille venait de marier sa fille. Déjà... Un vieillard apparut en surimpression et je reconnus celui qui m'avait servi de père lors de ma mission. Il fallait être solide pour avoir résisté à mes coups de boutoir. Je fus surtout très étonné de le savoir encore en vie car, jusqu'à présent, je l'avais cru mort de chagrin. Pauvre Lachaume !

Un horrible crépitement se fit entendre et le poste tomba en rideau. L'ange dépanneur m'expliqua que mes deux vies différentes pouvaient produire des mélanges génétiques et qu'il était normal de constater des interférences dans la réception de l'image.

La vision revint, acceptable. Il y eut la brève apparition d'une sympathique petite vieille et un gros type à moustaches envahit tout l'écran. Il me semblait voir mon beau-frère. Alors là, je ne compris plus rien. Son sang et le mien n'avaient subi aucun mélange. Je n'avais rien d'héréditaire avec le frère de ma femme.

— Vos deux vies sont contradictoires, m'informa

le technicien. Ça flanque la pagaille dans les transistors.

Il donna un grand coup de poing sur le dessus du chromoviseur et je revis la petite vieille.

— Mais, c'est ma femme !

— Attendez, je vais vous dire ça, enchaîna le dépanneur en se mettant à quatre pattes pour regarder sous le poste.

— Dites donc, faut plus vous gêner ! fis-je en le bousculant du pied.

Il se releva, confus, m'expliquant que les liens de parenté s'inscrivaient en code sous l'appareil.

Je me sentis heureux de savoir que Brigitte était encore vivante. A bien réfléchir, ça n'était pas uniquement pour cette raison mais surtout parce qu'elle me donnait l'impression de ne pas s'être remariée. J'appuyai sur le bouton « Arrêt de l'image ».

Etais-je vraiment un saint ? Je ne le crois pas. Je me sentis tout à coup dans la peau de ces officiers FFI qui fleurirent spontanément à la Libération. J'avais dix-sept ans quand les gradés sont sortis de l'ombre. Dans une petite ville de trois mille habitants, j'ai vu éclore des cantonniers-lieutenants et quelques officiers de la dernière heure. Un vieux caporal d'infanterie avait même cousu des galons de commandant sur une vareuse qui n'avait résisté qu'au lavage. Le saint que j'étais devenu ne méritait pas son grade. Un relent de jalousie entachait la pureté de son état.

J'examinai les détails du plan fixe avec une certaine délectation. Je ne reconnus pas l'appartement où nous avions vécu et aucun objet masculin n'apportait de fausse note à l'humble décor. Mon orgueil d'ancien mâle en fut satisfait. Brigitte n'était plus qu'une dame âgée en train d'éplucher des pommes de terre dans un petit deux-pièces en attendant la mort. Sur le buffet de la cuisine, je vis la photo de notre mariage. A côté, dans un verre à moutarde, il y avait un bouquet de pensées.

Je quittai le Centre des télécommunications, la vie dans l'âme. Ma nostalgie me dirigea vers la porte du Ciel pour attendre celle qui avait été ma femme et mon amie. Avec un peu de chance, ses soixante-quinze ans allaient, peut-être, lui donner le droit à la grande croisière du troisième âge.

Comparées aux grilles du Paradis, celles du château de Versailles ressemblaient à du fil de fer barbelé. La porte de saint Pierre était sublime. Mille fers de lances se dressaient pour barrer le passage aux éventuels resquilleurs et un vidéophone géant contrôlait la tête des nouveaux arrivants. De l'autre côté, sur une vaste esplanade, des astronefs déversaient leur cargaison d'élus. Ces derniers se présentaient, en file indienne, devant les grilles qui ne les laissaient passer qu'un par un. Un portier vérifiait les visas d'entrée et un ange douanier fouillait les consciences qui paraissaient encore un peu lourdes.

Côté Paradis, le spectacle était permanent. Une foule de pensionnaires attendaient les arrivages dans l'espoir d'y découvrir un parent ou un ami. Je pris l'habitude de venir régulièrement m'asseoir près d'un petit bienheureux qui regardait la porte avec anxiété.

— Vous attendez quelqu'un ? finis-je par lui demander.

— Surtout pas, répondit-il vivement. Je viens ici pour me rassurer. Quand je n'ai vu personne de ma connaissance, je suis tranquille. Ma famille m'a tellement emmerdé qu'elle serait foutue de gâcher mon repos, rien que pour le plaisir.

Je me fis rassurant, par sympathie.

— Si les vôtres vous ont causé des préjudices, il n'y a aucune raison qu'ils montent au Paradis.

— Quoi ? Vous ne les connaissez pas ! Ils sont capables d'avoir soudoyé le curé de la paroisse pour me poursuivre jusqu'ici. Et pourtant, je ne l'ai pas volée, ma place. A quarante ans, j'ai tout abandonné pour devenir missionnaire au Sahara : mon usine, ma femme, mes enfants et ceux que j'avais faits à la bonne. Je me suis volontairement plongé dans la misère, moi, monsieur !

— Et votre famille ?

— Elle est tombée dans la misère en essayant de m'en sortir.

— C'est peut-être pour ça qu'elle vous en veut, avançai-je, timidement.

Son regard lâcha la porte d'entrée pour se poser sur moi. D'un ton grave, il me dit :

— Non. C'est parce que j'étais trop bon.

Un jour, les grilles s'ouvrirent, comme à l'habitude, et ma femme entra au Paradis. Elle fut tellement suffoquée de me voir qu'elle resta immobile, bloquant la file qui faisait la queue devant le guichet d'admission.

— Avancez, cria le contrôleur, vous allez provoquer un bouchon !

— Tu es là ? me dit Brigitte, émue.

— Je t'attendais, répondis-je, en la prenant par le bras.

Les mêmes paroles qu'à notre premier rendez-vous. Timides mais pleines de promesses. Nous marchâmes longtemps sous des tonnelles de vigne vierge, sans rien nous dire. Un peu plus loin, assis côte à côte, une petite chienne noire et un gros chat tigré attendaient leurs anciens maîtres. Nos quatre regards se parlèrent d'amour et nous nous séparâmes en silence. Les bonheurs de qualité ne font jamais de bruit.

Je meublais mon éternité avec tous les plaisirs spirituels décuplés par l'absence matérielle de ce corps encombrant qui rend l'homme si lâche devant ses passions. Les couleurs et les parfums du ciel m'avaient fait oublier les moments difficiles. Une seule chose me chagrinait : je n'avais pas encore vu Dieu. Evidemment, on en parlait beaucoup entre saints de bonne compagnie mais cela était loin de me satisfaire. Saint Pierre m'avait fait part de la satisfaction du Patron et de ses remerciements pour mes services. Je restais tout de même sur ma faim.

Voilà quel était mon état d'esprit en ce début de printemps paradisiaque. L'orage arriva sous la forme du capitaine Shkrr. L'archange venait de se poser sur le petit nuage qui me servait de terrasse et ses battements d'ailes produisirent un vent violent. Pour qu'elle ne s'envolât pas, j'enfonçai mon auréole jusqu'aux oreilles. La voix du messager éclata comme un coup de tonnerre :

— Dieu vous demande !

Il était là, devant moi, dans toute sa splendeur. Ce Dieu était celui de mon enfance. Assis sur son trône, vêtu d'une grande robe blanche avec barbe de même couleur, il avait le visage de mes images de catéchisme. Des rayons lumineux sortaient de son auguste silhouette. Sa main parcheminée appuya sur un interrupteur placé sur un des accoudoirs du trône. Les rayons s'éteignirent.

— On y voit assez clair comme ça, fit-il.

Le contre-jour disparut et je pus mieux distinguer les traits divins. C'était bien Lui !

— C'est ainsi que vous m'imaginiez ?

Il se produisit un embouteillage de formules

respectueuses dans mon cerveau qui perdit sa limpidité. Dans ma grande émotion, je ne trouvais plus les mots.

— Oui, votre Altesse... heu, votre Père... Pardon, je voulais dire le mien...

Rassurant, il me calma avec une bénédiction. Cela ramena de l'ordre dans mes idées.

— Oui, mon Dieu, je vous voyais tel que vous êtes. C'est même incroyable. Comment se fait-il que les hommes vous aient si bien reproduit sur leurs gravures ?

— C'est le contraire, répondit Dieu. C'est moi qui me suis adapté à leurs visions. C'est plus pratique pour être identifié. Du reste, je me sens bien dans la peau de ce vieillard chenu et cela me change de mes autres aspects. J'en ai certains qui feraient mourir de surprise vos congénères. Relevez-vous.

J'étais à genoux depuis le début de l'entrevue. Je pus m'asseoir avec satisfaction sur un petit tabouret rembourré qui fit du bien à mon saint siège. Pour quelles raisons Dieu m'avait-il reçu dans son bureau, ce PC que je découvrais en tremblant ? Je pensais, en toute bonne foi, que c'était pour me féliciter personnellement sur ma réussite en Enfer. Comme un enfant, conscient de ses bonnes notes, j'attendis les encouragements du Maître. A la place d'un prix d'excellence, je reçus un chèque de voyage.

— Vous allez retourner sur Terre, fit l'Eternel.

Qu'est-ce qu'Il a dit ? J'ai mal entendu ! Mes sens abusés ont sans doute provoqué un court-jus dans mes connexions ! Aurais-je des fils qui se touchent ? Y a-t-il un médecin dans la salle ? Voulez-vous répéter votre question ?

Puisque Dieu lit dans les pensées comme

Madame Soleil dans le marc de café, il accéda à ma demande :

— Vous allez redescendre sur Terre pour une autre mission.

Je tombai de mon tabouret, à genoux aux pieds du Très-Haut.

— Par pitié, suppliai-je, ne me renvoyez pas chez les fous ! Vous ne savez pas à quel point ils peuvent être dangereux !

Dieu mit la main sur mon épaule. C'était comme s'il venait de changer les fusibles de mon circuit électrique. Calmé, j'écoutai les directives du Seigneur :

— Rassurez-vous, Pierre Attier. Vous n'aurez pas de contact avec les hommes. Le seul être que vous rencontrerez sera une femme et vous lui annoncerez la naissance de ma fille. Devant le gâchis de l'humanité, je veux renouveler ma première expérience.

Les yeux ronds et la bouche ouverte, je fixai Dieu avec une pensée sacrilège. Etait-il possible de croire encore que les assassins de son fils n'existaient plus ? Avec un culot monstre, je me permis d'interrompre le Seigneur :

— Ne croyez-vous pas que c'est une opération suicidaire ? Tous les gens qui veulent la paix sont tués par les marchands de guerre.

— Je sais, confirma Dieu. Vos informations m'ont prouvé que le malheur est une bonne denrée marchande mais je ne peux m'avouer vaincu. Satan a déjà senti ma faiblesse. Si je ne réagis pas, ma divinité devient inutile et l'envahisseur prendra possession de mon domaine.

— Pourquoi votre « fille » ?

— Parce que j'ai fait la femme sensible et subtile. Elle possède des ondes que l'homme n'a pas. Je l'ai faite charmante et cruelle à la fois. Elle attire par sa grâce et se défend avec des armes invisibles. Souvenez-vous de Diane, cette chasseresse qui punit Actéon de l'avoir profanée. Elle dédaigna les chasseurs et aima un berger.

Si j'avais été une sainte, je serais tombée amoureuse de Dieu et j'aurais voulu enfanter cette fille en qui Il mettait tous ses espoirs. J'étais bien. Mon trac avait complètement disparu.

— Qu'attendez-vous de moi, Seigneur ?

— Vous allez regagner votre planète en conservant les attributs de votre sainteté. C'est-à-dire que vous n'allez pas renaître. Selon les situations dans lesquelles vous vous trouverez, vous pourrez être visible ou invisible. Il faudra rechercher la femme assez digne pour devenir la mienne. Lorsque vous l'aurez trouvée, elle entendra la nouvelle de votre bouche.

Je ne fus pas tellement surpris par le caractère de cette expédition. Vers la fin de la guerre d'Indochine, l'AFP m'avait chargé de trouver un correspondant à Saigon. C'est la femme d'un attaché d'ambassade qui fut choisie pour ses brillantes qualités de journaliste. Je lui fis part de la proposition de la maison mère, hors de la présence de son mari.

L'enjeu était incomparable et demandait, cette fois-ci, une diplomatie sans égale. Néanmoins, je ne voulais pas marcher sur les brisées d'un spécialiste.

— L'archange Gabriel ne va pas se vexer ?

— Gabriel est âgé, répondit Dieu. Il ne peut plus effectuer les long-courriers car il a de l'arthrose dans les ailes. De plus, j'aimerais que cette annonciation soit moins surnaturelle que la dernière. Elle devra être faite d'égal à égal, c'est-à-dire que vous reprendrez votre apparence humaine pour faire part de ma volonté à la femme que vous aurez sélectionnée.

Le Seigneur n'y allait pas avec le dos de la burette.

J'allais tout simplement servir d'agence matrimoniale.

— C'est moi qui devrai trouver la mère de votre... ?

— De ma fille, confirma-t-il. Je connais mal les femmes du XXe siècle. Je sais que vous avez de bonnes références de ce côté-là.

Très gêné, je tripotai les boutons de ma robe. Les nanas que j'avais fréquentées avaient trop de kilomètres à leur compteur pour que je pusse envisager que l'une d'elles fît l'affaire. Dieu devina mon tourment.

— Je ne vous demande pas de vous diriger vers vos relations. Il me faut du neuf et du fiable. En tant qu'expert, vous saurez me trouver l'exception.

— Selon quels critères ? demandai-je, faiblement.

— Tout d'abord, je ne tiens plus à ce que la mère de ma fille soit vierge. J'ai changé d'idée de ce côté-là et je suis beaucoup moins exclusif qu'avant. Je suis moins jaloux qu'il y a deux mille ans.

La simplicité du Créateur était exquise. Elle avait fait disparaître presque tous mes complexes vis-à-vis de Lui et j'avais l'impression de parler avec un ami. L'un de ces rares amis qui vous conviennent, vous rassurent et vous aiment. Je me permis une remarque :

— La virginité de Marie a beaucoup intrigué les gynécologues.

— Je le reconnais, reprit Dieu. C'est un détail auquel j'aurais dû accorder plus d'importance. Les temps ont changé et m'obligent à devenir plus rationnel.

Le Seigneur se leva pour se diriger vers la bibliothèque qui tapissait le fond du bureau. Il revint vers moi avec un dossier qu'il me tendit.

— Vous allez étudier ceci avant de partir. Ce sont les grandes lignes de votre mandat. Celle qui donnera naissance à ma fille ne devra plus être pauvre car c'est un handicap qui fait perdre du temps. Le fait d'avoir un compte en banque n'a jamais été contraire aux bons sentiments. Le Vatican pourra vous le confirmer.

Je ne pus m'empêcher de penser que Dieu voulait, cette fois, mettre tous les atouts de son côté. Notre siècle offrait des avantages non négligeables.

— Par sentimentalité, continua l'Eternel, je veux que ma fille naisse dans ce petit pays montagneux qui me tient à cœur et où les Arabes se rencontrent au bord d'un lac.

— Vous ne voulez tout de même pas parler de la Palestine ? osai-je demander.

— Vous êtes fou ! tonna Dieu, c'est trop dangereux. Je veux parler de la Suisse.

Je fus rassuré sur-le-champ. La neutralité des Suisses était une bonne assurance multirisques offrant des garanties bien supérieures à celles des Mutuelles du Mans.

— Je tiens beaucoup à ce que la mère de mon enfant soit mariée. Cela me permettra de rester en dehors du coup et de garder un contrôle occulte sur la famille. Comprenez-moi, Attier, il ne faut pas renouveler les erreurs commises. L'époque n'est plus la même et les hommes croient de moins en moins aux mystères qui nuisent à la preuve de mon existence. Je vais donc employer une logique qu'ils peuvent comprendre et vous en donner le premier échantillon.

Dieu ouvrit un tiroir de sa table de travail. Il me tendit une éprouvette réfrigérée.

— Voici la semence divine qui fécondera l'élue.

Allez en paix, saint Pierrot, votre responsabilité est grande et le sort du monde repose sur vos épaules.

Ecrasé par le poids du monde, je me levai, portant le nouveau Messie dans le creux de ma main. Pendant qu'un chant d'allégresse éclatait dans ma tête, je m'entendis poser une ultime question :

— Comment s'appellera votre fille ?

— Christine, répondit Dieu.

11

Je m'étais matérialisé dans les toilettes de l'hôtel Hilton à Genève. Ma mission faillit être compromise car un Chinois se trouvait déjà assis sur la lunette des w.-c. lorsque j'apparus face à lui. Sa surprise fut tellement grande qu'elle lui débrida les paupières et qu'il me regarda avec des yeux ronds.

Il m'avait fallu choisir un endroit tranquille pour reprendre une apparence humaine et le petit coin d'un grand hôtel me semblait tout désigné. Mon manque d'habitude dans le transformisme me fit commettre l'erreur. Le Chinois se releva d'un bond en essayant de remonter sa culotte à bascule. Il se mit à hurler dans sa langue maternelle :

— [illegible][1] !

Je disparus aussitôt afin d'éviter toutes complications diplomatiques. Par prudence, je projetai ma pensée dans les toilettes voisines. Après avoir vérifié que personne n'encombrait les lieux, je me métamorphosai pour de bon. Un détail m'avait échappé : le verrou ! Ayant oublié de l'enclencher, la porte

1. Au secours, y a quelqu'un dans mes chiottes !

s'ouvrit au moment où j'allais sortir. Je la reçus en pleine figure, poussée par le Chinois qui cherchait sans doute le pays des matins plus calmes. Il me reconnut et s'enfuit à toutes jambes en lâchant des mots à la limite de l'aigu :

— [illegible][1] !

Ça commençait bien ! Ce Jaune allait me mettre dans une purée noire. J'enviai l'archange Gabriel qui n'avait pas eu besoin de réalisme pour l'annonce faite à Marie. Sans perdre de temps, je sortis des toilettes pour me mêler à la clientèle hétéroclite qui se promenait dans la galerie marchande de l'hôtel. J'eus la sensation réconfortante de faire partie du cheptel fortuné des grands palaces. En passant devant un miroir, je découvris la forme que les esthéticiens du Paradis m'avaient donnée. C'était celle que j'avais eue durant la vie de Pierre Attier mais qui semblait avoir trempé dans un bain de jouvence. En quelque sorte, la mort m'avait rajeuni.

Vêtu d'un élégant complet bleu marine, tenant un attaché-case à la main, je me présentai à la réception de l'hôtel pour demander une chambre car les services touristiques du Ciel ne faisaient aucune réservation pour leurs envoyés spéciaux.

— Votre passeport, s'il vous plaît, me demanda un petit Suisse aussi mou qu'une fondue au fromage.

J'étais tranquille. Je venais d'avoir la preuve que Dieu ne m'avait pas fait descendre dans un hôtel complet. Il n'y a rien de plus désagréable, lorsqu'on a fait un long voyage, que d'entendre dire : « Y a plus d' chambre ! »

— Vous désirez une chambre ou un appartement ?

1. Insultes sino-coréennes intraduisibles en français.

J'optai pour l'appartement sans réfléchir. L'avenir du monde allait dépendre de moi et il était normal que je sois bien logé pour préserver mon moral et mon physique. C'est au moment où l'employé me demanda mon passeport pour la deuxième fois que j'eus une légère crainte. Fouillant mes poches, je ne trouvai aucune pièce d'identité. A son tour, le réceptionniste me fouilla du regard et, ne trouvant rien de plus, me dit :

— C'est peut-être dans votre mallette ?

Une fois de plus, la Suisse me prouva que l'ordre était nécessaire à la bonne marche des affaires. L'intérieur de mon attaché-case me sembla aussi bien rangé que les cantons de la Confédération helvétique. Le Seigneur avait tout prévu. Mon passeport était là, à côté d'objets de première nécessité comprenant des instruments de toilette, de l'argent liquide et quelques sous-vêtements. Au milieu de tout cela, un petit coffret Thermos contenant la future Divine Enfant et portant une inscription sur son couvercle : « A CONSERVER AU FROID. »

Mon appartement était superbe. Une véritable suite pour émir en goguette. Un salon somptueux, moquetté de partout avec des trucs super-modernes et le confort presse-bouton. Une chambre que ma sainte condition n'allait pas pouvoir rentabiliser comme elle l'aurait mérité et une salle de bains capable de convertir un clochard.

J'allais pouvoir préparer mon plan d'attaque en toute tranquillité. Après avoir mis l'éprouvette dans le frigo, j'ouvris la large baie vitrée qui donnait sur le Léman. Confortablement installé sur ma terrasse personnelle, allongé sur une chaise longue, je me mis à réfléchir en regardant le grand jet d'eau de Genève qui s'élançait vers cet azur d'où je venais.

Trouver la femme de Dieu n'était pas une mince

affaire. Bien sûr, j'étais mieux placé que lui pour faire une première sélection car mon expérience en la matière pouvait le servir beaucoup mieux que s'il avait voulu désigner son épouse de Là-Haut. On ne choisit pas sa fiancée avec un télescope. Cette solution de sagesse me plongeait tout de même dans l'expectative. La seule chose dont j'étais certain, c'est que le Seigneur avait peu d'idées préconçues sur la plastique féminine. Malgré cet avantage, j'allais devoir faire preuve d'un excellent jugement de valeur sur la moralité de la nouvelle Dame du Ciel. De plus, il fallait qu'elle fût en puissance d'époux et que le couple jouît d'une confortable fortune, selon les vœux de Dieu. Tout cela n'était pas si simple.

J'ouvris bêtement l'annuaire du téléphone. L'idée de contacter l'archevêché m'était venue pendant un instant mais je l'avais vite repoussée. Il n'y a rien de plus méfiant qu'un homme d'Eglise en ce qui concerne les miracles et je n'aurais jamais accepté qu'on me prît pour un escroc. Une réaction primaire me fit compulser les pages où de nombreux Rothschild donnaient leurs numéros de téléphone. Côté pognon, le nom était rassurant mais je pensai aussitôt qu'il pourrait être une entrave à l'opération de mon saint-esprit. Dans les pages jaunes de l'annuaire, je cochai quelques professions qui me parurent intéressantes : les métiers du bâtiment et, plus particulièrement, les couvreurs et les charpentiers. Je retins aussi quelques fabricants de montres à qui je téléphonai aussitôt. Ils me répondirent avec la précision qui les caractérise mais sans me donner aucun renseignement sur leur situation familiale. Quant à ceux qui perpétuaient le métier de Joseph, leurs femmes étaient déjà grand-mères ou ils n'avaient pas le moindre petit sou suisse.

C'est au hasard d'une conversation avec le barman de l'hôtel que j'obtins la première information valable. Il avait travaillé comme valet de chambre chez le propriétaire d'une très importante chaîne d'hypermarchés. Ce roi du libre-service venait de marier sa fille unique au fils d'un fabricant de chocolat réputé. Selon le barman, l'intégrité des deux familles ne faisait aucun doute et tous leurs membres étaient de fervents pratiquants. Je décidai de mener plus loin mon enquête.

La somptueuse villa des Shoudler n'avait pas que les pieds dans l'eau. Elle y était jusqu'aux genoux. Située au bord du lac, son jardin suspendu s'avançait sur les ondes pour protéger un immense garage à bateaux. Un gros cabin-cruiser ainsi qu'une vedette rapide y étaient ancrés. La maison, d'une blancheur laiteuse, s'allongeait sur la rive comme une star au soleil. Tout cela sentait le billet de banque tout neuf. Pendant plusieurs jours, je passai et repassai devant l'embarcadère privé grâce à une barque louée au port de plaisance de Genève. Je pouvais voir, ainsi, le côté pile de la villa et surprendre un peu de la vie intime de ses occupants.

Par une matinée où l'on sentait presque l'odeur des pâturages, je vis la famille entière prenant le petit déjeuner dans le jardin suspendu. Je me jetai hors de la barque sans hésiter. Agrippé au plat-bord, gigotant comme un fou, je hurlai au secours.

— C'est tout bon, on arrive ! répondit un homme jeune qui se leva tranquillement après avoir fini sa tartine.

Trois ou quatre personnes me lancèrent des paroles encourageantes et, quelques instants plus tard, un petit canot à moteur s'approcha de moi. Le jeune homme me hissa à son bord et je fus conduit à l'intérieur de la maison. Pour parfaire la vérité, j'avais gardé mes vêtements. Une large flaque d'eau s'étalait à mes pieds sur le tapis du salon.

— Je suis navré, dis-je sincèrement à celle qui devait être Mme Shoudler mère.

J'évaluai à environ quatre-vingts les kilos qu'elle bougea dans ma direction.

— Faites seulement, me dit-elle en regardant la flotte qui dégoulinait de mon pantalon.

L'hospitalité suisse n'est pas un vain mot. Je fus déshabillé, séché, empeignoirdé, abreuvé et rassuré. Le barman de l'Hilton ne s'était pas trompé. Cette famille semblait charitable et généreuse. Contrairement à sa femme, papa Shoudler ne devait pas peser lourd car il était aussi sec qu'un coup de blanc du Valais. Entre ces deux extrêmes, leur fille faisait une ravissante moyenne. Pas plus de vingt ans, brune avec de grands yeux noirs un peu timides, elle aurait pu s'appeler Marie.

— Ma fille, Berthe, fit maman Shoudler.

Rien n'est parfait, pensai-je en la saluant. Au moment où j'allais faire assaut d'amabilité, le gendre arriva avec des vêtements.

— Mettez ça, me dit-il. Excusez-moi, ce sont mes affaires et je n'ai rien d'autre à vous proposer. Vous êtes de G'nève ?

Un valet entra dans le salon et plaça un paravent devant moi. Je m'habillai en répondant à la question.

— Je suis français, en voyage d'agrément. J'aimerais vous remercier de m'avoir sauvé la vie. Voulez-vous accepter mon invitation à déjeuner à l'Hilton où je suis descendu ? Demain, par exemple ?

Pour faire mon trou dans le gruyère, il ne fallait pas perdre de temps. Le mari de Berthe hésita avant de répondre. Ce qui me permit de remarquer l'austérité du costume que je venais de mettre. Enfin présentable, je contournai le paravent.

— Demain, nous ne pouvons pas, s'excusa Mme Shoudler. Nous avons une vente de charité à Lausanne.

— Et mon office est à onze heures, ponctua le gendre.

En passant devant un miroir, je compris que je venais de mettre à côté de la plaque. J'étais habillé en pasteur !

Le ministre du culte me raccompagna lui-même à l'hôtel. Pour moi, il n'était pas question de pousser plus loin mes relations avec cette famille qui offrait pourtant de solides garanties mais qui rejetait l'autorité du Saint-Père de Rome. J'avais besoin de catholiques pur fruit pour éviter les pépins avec le pape.

Nous nous séparâmes dans le hall de l'Hilton. J'avais proposé au pasteur de lui rendre son costume tout de suite.

— Je redescends dans deux minutes...

Le protestant protesta :

— Je vous prie de n'en rien faire. Mon valet passera à la réception pour reprendre ma tenue.

C'est sur ces dernières paroles que nous nous sommes quittés. J'ai regagné ma suite en pensant à la petite Berthe qui allait sans doute avoir un bébé normal avec un mari pasteurisé. Cela valait peut-être mieux pour elle.

Il y avait plus d'un mois que j'étais arrivé sur Terre et j'en étais toujours au point de départ. Je passais mon temps à éplucher les carnets mondains de *La Tribune de Lausanne* et de *La Suisse*, j'écoutais la radio et j'allais aux concerts, aux vernissages, aux conférences. Rien. Pas la moindre Marie à l'horizon. Mes déceptions s'accumulaient de plus en plus et le bouquet final me fut fourni par une jeune fille qui avait attiré mon attention par ses mérites. Nommée rosière de Carouge, un quartier de Genève, elle se maria avec le président du jury qui l'avait engrossée le soir de son élection.

J'étais désespéré. Mes regards se tournaient vers le monde extérieur qui ajoutait à ma tristesse. Depuis trente ans, la dégradation de la planète était en plein progrès et la foire d'empoigne avait battu tous les records d'affluence. Les Russes mangeaient des frites en Belgique, la Corse possédait la bombe atomique, le dollar valait mille francs et la France était toujours dirigée par des amateurs. Seule la Suisse continuait à faire son beurre au milieu de cette immense baratte qui tournait à l'envers.

Le front contre la vitre de ma fenêtre, je regardais tomber la pluie. Si j'avais pu téléphoner à Dieu, je lui aurais demandé de me rapatrier car la vie commençait à me faire un peu mal. Je lui aurais dit que Christine allait souffrir autant que son demi-frère et qu'il était impossible d'empêcher les hommes de jouer à la guerre. Je l'aurais supplié de traiter les consciences avant la naissance afin que les enfants ne soient pas méchants dès leurs premiers cris. Perdu dans ma nostalgie, je suivais machinalement le vol des mouettes du Léman qui venaient mendier des miettes jusque sur les terrasses. Le mauvais temps avait tenu les fenêtres fermées et condamné les oiseaux à la diète. Malgré la bourrasque, je fis quelques pas vers le balcon. J'avais envie de parler avec les mouettes.

— Salut, les filles ! Je m'appelle saint Pierrot. Moi aussi je vis dans le Ciel.

Des rires en cascade accueillirent ma déclaration.

Une trentaine de mouettes rieuses étaient en train de se foutre de moi.

— C'est pas la peine de vous marrer comme des folles, fis-je, un peu vexé. Dieu m'a mis en cage et je tourne en rond pour trouver la sortie.

Ce que je venais de dire amusa beaucoup les oiseaux. Sauf une mouette un peu plus blanche que les autres. Elle vint se poser sur la barre d'appui, en silence.

— Bonjour, mademoiselle. Vous voulez partager mon croissant ?

Elle ne toucha pas aux miettes que je venais de lancer vers elle. Deux petits yeux vifs étaient fixés dans les miens. Curieusement, je me sentis gêné.

— Vous êtes seule, vous aussi ? Peut-être cherchez-vous l'oiseau rare, comme moi ? Le monde est si vaste que je désespère de trouver ma colombe.

La mouette s'envola, décrivit un grand cercle pour chasser les autres qui piquèrent vers le lac en lançant des cris réprobateurs. Elle revint se poser au même endroit.

Motivé par je ne sais quoi, je m'entendis poser la question qui était mon problème.

— Je cherche la fiancée de Dieu.

Pour la première fois, la mouette poussa un cri. Elle battit des ailes en faisant du surplace et s'envola à nouveau pour revenir vers moi et repartir plus loin. Ce manège semblait dire : « Suivez-moi, jeune homme. » Elle était maintenant au-dessus du lac, en direction du pont du Mont-Blanc, à peine visible.

Instinctivement, je me ruai sur le téléphone pour demander une paire de jumelles. Le concierge m'informa qu'il y avait une longue-vue sur le toit de l'hôtel. En repassant devant la baie de ma chambre, je revis l'oiseau. Il était revenu à quelques mètres de la fenêtre.

L'ascenseur mit un temps fou pour me conduire au solarium. Une longue-vue sur pied était braquée sur l'autre rive du lac et, avec avidité, je collai mon œil contre l'objectif. Je vis la mouette qui m'attendait sagement en faisant du surplace. Elle battit encore des ailes et fila comme une flèche. Grâce à la puissance focale de l'appareil, je pus la suivre jusque de l'autre côté du Léman. A cet endroit, le lac accouche du Rhône en se rétrécissant car les Suisses n'ont jamais rien fait comme tout le monde. Les temples de l'horlogerie et de la banque m'apparurent en gros plan. Un petit point blanc volait en surimpression.

Tout à coup, il s'immobilisa sur une grosse lettre plantée sur le fronton d'une imposante maison grise. Je lus un B. Il était flanqué à gauche et à droite d'un C et d'un L. La mouette disparut sans s'envoler et je découvris le sigle qui désignait certainement un des plus gros coffres-forts des temps modernes : CBL.

Le Crédit bancaire du Léman abritait la nouvelle Marie et l'archange Gabriel avait peut-être oublié son arthrose pour me le faire savoir.

A partir de ce moment, les événements s'enchaînèrent avec une grande rapidité. J'appris, sans aucune difficulté, que le P.-D.G. du CBL venait de se marier avec une femme beaucoup plus jeune que lui et de condition modeste. C'est dans le château ancestral du comte Philippe de Varnaz, situé près de Montreux, que je fis ma première apparition.

Pour ne pas renouveler mon erreur des toilettes de l'hôtel Hilton, je concentrai bien ma pensée sur la chambre de France de Varnaz en mettant l'accent sur mon désir de la trouver seule, endormie. Je savais, après avoir téléphoné sous un faux prétexte, que le comte était en voyage d'affaires à Zurich. Mon esprit parcourut instantanément les quatre-vingt-dix kilomètres qui séparent Genève de Montreux et je repris forme devant le lit de la comtesse.

Elle dormait paisiblement, allongée sur le dos. Eclairé par un rayon de lune, son visage n'était pas beau. Il était sain, rassurant, vrai. Libre de tout maquillage, il possédait le calme des plaines incultes où l'homme n'avait pas encore planté le soc. Enfant, dans l'attente du rêve qui la ferait femme, France se donnait au sommeil comme une amoureuse. J'allais devoir entrer, par effraction, dans son jardin secret.

— France, murmurai-je, il ne faut pas avoir peur. Dieu m'a confié la clef de ton âme pour y déposer la graine qui fera germer le blé nouveau. Tu seras la terre vierge où l'enfant du Ciel va trouver ses racines. Fais fleurir la rose que Dieu appellera Christine.

Seul un sourire modifia le visage de France. Mon premier message était enregistré.

Durant l'absence du comte, qui dura une semaine, je revins toutes les nuits dans le repos de sa femme. Son sourire m'attendait déjà comme un ami. A chaque fois, je déposais dans son subconscient les instructions du Père. Il fallait les administrer à doses homéopathiques pour ne pas troubler un cerveau qui allait avoir besoin de toutes ses facultés. Malgré la pureté de mes sentiments, j'avais l'impression de me trouver dans la peau d'un Casanova qui n'aurait profité que des femmes endormies. Debout, appuyé contre les montants du lit, je fécondais l'innocence de France avec des paroles qui étaient les caresses de Dieu.

— Je viens dans ton sommeil pour préparer ton corps. Demain, souviens-toi du bonheur d'à présent et appelle ton roi pour t'offrir à lui.

La nuit qui précéda le retour du comte, je pris un autre rendez-vous avec sa femme.

— Tu ne me reverras jamais plus dans tes rêves mais tu me reconnaîtras dans ta vie. Je laisse ma carte de visite au plus profond de toi pour que tu saches que je suis le correspondant de Dieu sur la Terre.

Pour la dernière fois, je refis mon fulgurant trajet Montreux-Genève et me retrouvai dans mon appartement de l'Hilton.

Le travail accompli m'avait donné une certaine satisfaction mais le plus difficile restait à faire. Il allait falloir rencontrer Philippe de Varnaz et lui expliquer que sa jeune femme serait enceinte d'un autre que lui. J'imaginai la tête de Joseph, le jour où il apprit que Marie attendait un bébé sans avoir fait appel à son concours. De quoi tomber de la charpente ! Le contexte n'était, heureusement, plus le même. Dans son infinie sagesse, le Seigneur m'avait donné la semence qui allait mieux faire passer la pilule.

Toutes les semaines, le comte de Varnaz présidait le conseil d'administration du CBL. En ce jeudi matin, je me présentai à l'un des huissiers de la banque mère pour lui demander une entrevue avec le P.-D.G.

— On ne peut pas le déranger, monsieur, m'informa la sentinelle qui possédait un accent bernois aussi fort que son ventre.

— A défaut, répliquai-je, je me contenterai d'un de ses collaborateurs.

Les banques suisses sont les plus discrètes des machines à sous mais, si vous avez la moindre pièce à mettre dans la fente, il y a toujours un appareil qui vous tend sa manette.

— Vous êtes français, monsieur ? demanda l'huissier qui n'attendait pas ma réponse. Je m'en rends compte à votre accent. Dans ce cas, suivez-moi.

Il me conduisit dans un bureau du deuxième étage qui avait plutôt l'air d'un box. Avant de m'abandonner, il me dit, d'un air complice :

— Là, vous serez tranquille. Quelqu'un va venir.

C'était une petite pièce, sans aucune fioriture. Une table et deux fauteuils simples composaient son mobilier. Un sous-main et un appareil téléphonique étaient les seuls accessoires. Après cinq minutes d'attente, un homme entra. Il s'inclina poliment et prit place face à moi.

— Que désirez-vous, monsieur ? fit-il d'une voix sans relief.

— Je me présente. Je suis...

Il m'interrompit d'un sourire accompagné d'un geste de la main.

— Nous verrons cela plus tard, monsieur. Etant donné que vous êtes étranger à notre pays, l'objet de votre visite nous intéresse plus que votre identité. Selon les circonstances, nous nous présenterons peut-être.

Merveilleuse Suisse ! Le succès de sa neutralité tient certainement à sa prudence. Le type qui se trouvait devant moi était l'exemple même de la sobriété dans le fond et dans la forme. Sa froideur de bon ton se mariait parfaitement avec un visage aussi anonyme qu'un bon du Trésor.

— Je voudrais avoir un rendez-vous avec le comte de Varnaz.

— Vous êtes client de notre banque ?

— Non, répondis-je. C'est pour une affaire assez particulière que j'aimerais rencontrer le président.

— C'est pour un dépôt ? demanda-t-il, intéressé.

— En quelque sorte, oui.

Il avança ses bras sur le sous-main comme s'il allait déjà recueillir une brassée de pognon. Le mot magique venait d'être prononcé. J'avais, devant moi, un homme qui s'était subitement transformé en médecin du portefeuille. Malheureusement pour lui, je ne désirais pas me mettre entre les mains d'un interne. Je voulais voir le professeur.

— Voulez-vous rendre compte de ma visite à M. de Varnaz ? dis-je, bien décidé à ne pas perdre mon temps avec un subalterne. Je viens de très loin pour lui proposer une affaire de la plus haute importance qui ne peut être traitée qu'à son niveau. Mon nom est Pierre Attier. Je suis descendu à l'hôtel Hilton où il pourra me joindre jour et nuit.

Je me levai pour clore l'entretien. L'homme me reconduisit jusqu'à l'ascenseur.

— Le président vous connaît ? demanda-t-il.

— Non. C'est à sa femme que j'ai laissé mes références.

Avant de refermer la porte de l'ascenseur, j'eus le temps de voir deux sourcils qui venaient de prendre la forme d'un point d'interrogation.

Pendant quarante-huit heures, j'attendis le fameux coup de téléphone. Le temps me parut long.

Bien entendu, j'aurais pu précipiter les choses et me matérialiser tout à coup devant le président du Crédit bancaire du Léman. Deux raisons m'en empêchaient. D'abord, à cause du choc émotionnel, le comte n'aurait pas été un interlocuteur valable et je ne tenais pas à brusquer celui qui allait devoir être notre allié. Dieu avait un service à lui demander. Il aurait été très maladroit de commencer par un faux pas. Ensuite, dans une banque, la moindre anomalie peut déclencher le système d'alarme et je n'avais pas envie d'ameuter la police.

Je prenais mon mal en patience en pensant qu'une attente de quelques jours n'était rien en regard de l'éternité. L'éprouvette se trouvait toujours au fond du frigo et le grand palace proposait les avantages dont peut profiter la condition humaine. Un soir de cafard, je voulus renouer avec mes anciens plaisirs en m'offrant un Davidoff et une fine Napoléon. Mon corps éthéré faillit prendre feu au contact de ces deux poisons. Je m'écroulai entre les fauteuils du bar de l'hôtel. La fumée du cigare me sortait par les oreilles pendant que l'alcool dégoulinait de mes narines. Je fus relevé par le barman et reconduit dans mes appartements comme un ivrogne. En revanche, je pris un plaisir fou devant une table de roulette qui me permit de reconstituer mon capital. Celui-ci avait passablement fondu, attaqué par les notes faramineuses que le concierge me remettait en fin de semaine. Dès que j'avais besoin d'argent, je me rendais au casino faisant partie du bâtiment de l'hôtel. Les coudes sur le tapis vert, j'attendais l'inspiration du Très-Haut. La voix du Seigneur m'indiquait les numéros à jouer. Ils sortaient, invariablement, sous les yeux étonnés des excités du cylindre. Toutes mes combinaisons étaient gagnantes. De temps en temps, je m'efforçais de perdre en jouant contre Dieu qui —

si je l'avais écouté jusqu'au bout — aurait mené le casino à la faillite.

Le téléphone sonna enfin. Le comte de Varnaz était à l'autre bout de la ligne.

— Monsieur Attier ? Il paraît que vous voulez me rencontrer personnellement ?

— C'est très urgent, répondis-je, décidé à ferrer tout de suite pour ne pas laisser s'échapper mon poisson. Mme de Varnaz vous a certainement parlé de moi.

— Il s'agit d'une affaire bancaire ?

— L'argent n'est pas concerné. Je désire néanmoins faire un placement à long terme d'une importance considérable.

Il y eut un court silence. Une curiosité polie se mêla à la question du comte.

— Puis-je connaître la nature de vos valeurs ?

— Ce sont des valeurs surnaturelles, monsieur de Varnaz.

— En quoi ma femme est-elle concernée par votre... proposition ?

— Elle sera la dépositaire du bien que vous devrez gérer.

La pensée que le P.-D.G. du CBL me prît pour un fantaisiste m'effleura un instant. J'avais oublié qu'un banquier sérieux doit autant fermer ses coffres que s'ouvrir aux idées qui les remplissent. Il me proposa un rendez-vous et, deux heures plus tard, j'entrais dans son bureau.

Philippe de Varnaz était loin d'être un petit Suisse. Grand et bronzé, âgé d'une cinquantaine d'années, il avait l'occiput étincelant des chauves de longue date. Les reflets du soleil, entrant par la fenêtre, produisaient des lueurs qui dansaient sur sa piste crânienne. Ses traits réguliers et sa mise impeccable donnaient un excellent aperçu de la propreté de sa patrie. Il me fit asseoir dans un profond fauteuil dont le cuir luisait autant que son front.

— Ma femme m'a effectivement parlé de vous, me dit-il, sans préambule. Elle semble vous connaître mais ne vous situe pas bien. Un ami de sa famille, peut-être ?

— Non, précisai-je, mais j'espère devenir celui de la vôtre.

Le comte eut un geste d'impatience. Il était temps d'entrer dans le vif du sujet avant que sa porte ne se refermât. Prenant mon courage à deux mains, j'abandonnai mes énigmes pour jouer franc jeu.

— Vous avez entendu parler de l'archange Gabriel ?

— Euh... oui, répondit le président, surpris. Quel rapport avec votre visite ?

— Je suis son successeur. Votre femme va avoir un bébé.

Il examina attentivement un poil qui poussait sur la première phalange de son index et, sans lever les yeux, il me dit :

— Monsieur, vous allez sortir d'ici. Je n'ai pas de temps à perdre.

Sa réaction était normale. Il me fallait être plus persuasif avant qu'il ne me fît expulser.

— Mme de Varnaz n'est pas encore enceinte mais j'ai ce qu'il faut pour qu'elle le soit, dis-je.

Peut-être m'étais-je mal exprimé ? J'en fus persuadé quand une cave à cigares m'atteignit en plein sur le nez. Décidément, les havanes ne me valaient rien. Avant d'avoir eu le temps de quitter mon fauteuil, le comte était sur moi. M'empoignant par la cravate, il m'adossa contre un énorme coffre-fort. Son poing se leva. Je disparus avant qu'il ne s'abattît sur mon appendice qui n'avait plus rien de nasal. Le président, emporté par l'élan, se fracassa la main contre la porte blindée du coffre-fort. Il poussa une tyrolienne à faire tourner le lait de toutes les vaches de son pays.

Instinctivement, je repris corps pour lui balancer une mandale défensive mais je me retrouvai dans un noir total. Très loin, j'entendis le hurlement d'un Tarzan en pleine déprime. Affolé par cette obscurité inattendue, je fis des gestes désordonnés stoppés par quatre murs qui me retenaient prisonnier. Maudissant les ingénieurs du Ciel qui me faisaient commettre de telles erreurs, je me mis à appeler au secours. Avec cette fâcheuse habitude de me matérialiser n'importe où, je n'aurais pas été surpris de me trouver dans une bétonnière ou un sani-broyeur. Je tâtai autour de moi. D'après les parois qui m'entouraient, je disposais d'environ un mètre cube d'espace vital. Pas de doute : à cause de mes conneries répétées, Dieu m'avait mis au placard !

Le silence était revenu. Polarisant toutes les forces de mon être, je tentai de m'extirper de cette cage. Rien n'y fit. Il me fallait, sans doute, attendre que mes piles spirituelles se rechargent pour repasser les murailles. Lorsque j'étais petit, j'ai toujours eu peur du cagibi, ce réduit mystérieux dont ma grand-mère me menaçait pour contrer mes caprices. Je fondais en larmes à la vue de ce trou noir caché par une porte grinçante. Oubliant qui j'étais, laissant mon auréole au vestiaire et retrouvant ma douce frayeur enfantine, je m'entendis dire à ma mémé :

— Je veux sortir. Je le referai plus...

Quelques déclics inquiétants, un rai de lumière vertical et une porte s'ouvrit. A dix centimètres de moi, le visage ébahi du comte de Varnaz s'encadra dans un rectangle clair.

— Co... comment êtes-vous entré dans mon coffre-fort ?

— Co... comment ? C'est votre coffre-fort ? répondis-je, effaré.

Il me regarda comme s'il avait trouvé un morpion dans la salade.

— Je vais vous expliquer, dis-je le plus doucement possible, pour ne pas l'énerver.

Il empoigna le pied d'une lampe de bureau. A tout hasard et avant de sortir du coffre, je pris un lingot d'or sur une de ses étagères. J'étais bien disposé à lui envoyer son métal à migraine dans la tirelire en cas de rébellion.

— Lâchez ça ! cria-t-il. Ça ne m'appartient pas !

L'intégrité professionnelle a toujours forcé mon admiration. Le P.-D.G. du CBL n'acceptait de recevoir sur la tête que des objets personnels. Si, en temps de guerre, les soldats pouvaient en faire autant, ils se battraient à coups de paquets de Troupes et de capotes anglaises.

— Je ne vous veux aucun mal, monsieur de Varnaz. Je ne suis plus un être humain et vous n'avez donc rien à craindre. Je me suis réfugié dans votre coffre pour éviter les coups.

En disant ces mots, j'eus une pensée émue pour l'archange Gabriel qui avait dû avoir bien du mal à persuader Joseph. Il ne serait pas impossible que ce dernier lui eût flanqué son rabot en pleine figure pendant qu'il baratinait sa femme. Peut-être aurais-je dû m'infiltrer également dans le sommeil du comte pour préparer le terrain ? Honteux, je pensai soudain que la violence n'était pas l'arme des saints. Je lâchai le lingot qui tomba par terre.

— Comment avez-vous fait pour entrer là-dedans ? répéta le comte de Varnaz, pétrifié.

— Je me présente : saint Pierrot. Ou Pierre Attier,

si vous préférez. Je suis l'envoyé spécial de Dieu sur la Terre et je dois vous annoncer que votre épouse sera enceinte dans peu de temps.

— De qui ? hurla le comte.

— Du Père Eternel, l'informai-je.

— Qui est-ce ? demanda-t-il dans une incompréhension compréhensible.

A la vue de cet homme dérouté par l'insolite qui venait de fracturer sa vie, je ressentis de la pitié. Il posa la lampe sur le cendrier et s'effondra dans le fauteuil des visiteurs. Je pris place sur le sien. Les rôles étaient renversés.

— Philippe de Varnaz, votre nom va rayonner en lettres d'or sur le fronton de la Maison du Seigneur. Vous serez l'Intelligence discrète, la Main qui guidera l'Enfant, l'Amour sans intérêt. France a été élue pour donner le jour à la fille de Dieu.

Le comte me regardait, probablement sans me voir. Il me dit, d'une voix atone :

— Je suis croyant mais je ne vous crois pas. Vous êtes un fou. Sortez !

Quelqu'un frappa à la porte du bureau et entra sans attendre. C'était l'homme qui m'avait reçu la première fois à la banque.

— Que se passe-t-il, président ? Je vous ai entendu crier.

Il ne me vit pas car j'avais déjà disparu dans l'invisible.

Il faut s'être trouvé, au moins une fois, dans les couloirs de l'au-delà pour savoir à quel point il est difficile de s'y diriger. L'obscurité totale et l'absence de panneaux indicateurs font ressembler les lieux supraterrestres à la station Châtelet un jour de panne de courant. Il y a autant de monde que dans le métro aux heures de pointe. Les âmes des nouveaux morts et celles des futurs nés se croisent comme des régiments de fourmis marchant en sens inverse. Il y a parfois des bousculades, des collisions, des bagarres. C'est une véritable gare de triage où chacun cherche son wagon dans la confusion générale et en se foutant éperdument de son voisin.

On peut penser que je n'avais rien à faire en cet endroit mais chacun de mes déplacements éclair m'astreignait à transiter par l'au-delà. Lorsque je quittais un lieu pour en gagner un autre, je devais obligatoirement passer par le centre d'orientation. Les formalités duraient à peine un centième de seconde. Si mes voyages étaient mal organisés, sous l'empire de la peur ou de l'impatience par exemple, je me retrouvais dans les toilettes d'un Chinois ou enfermé dans un coffre-fort. Pour ne pas renouveler ces fautes, cette fois-ci je pris le bon chemin en m'évanouissant du CBL. Il n'était pas question d'apparaître, par erreur, sous la douche de la comtesse de Varnaz.

Je pris donc le temps de réfléchir. En 1966, l'AFP m'avait envoyé à Florence pour photographier les ravages causés par une grave inondation. Sans ce cataclysme, je n'aurais jamais vu les toiles de maîtres exposées au musée des Offices. *L'Annonciation* de Léonard de Vinci me revint en mémoire. La Vierge est assise, adossée à un mur de pierre, faisant de la tapisserie dans son jardin. Au loin, entre des arbres sombres et quelque peu gothiques, on aperçoit un paysage marin embrumé avec des montagnes escarpées qui rappellent celles des Alpes suisses. L'archange Gabriel est agenouillé sur la pelouse, expliquant la raison de sa visite. Marie le regarde avec un étonnement facile à comprendre.

M'inspirant de ce célèbre modèle, je fis mon

apparition dans le jardin du château de Varnaz. La disposition des personnages fut, à peu près, la même que celle du tableau. A cette différence près : la comtesse était en maillot de bain et passait du vernis sur les ongles de ses pieds. Quant à moi, je pris forme sur le plongeoir de la piscine.

Mme de Varnaz poussa un petit cri. Moi aussi car je ne m'attendais pas au rebond produit par la planche à ressort. A quelques centimètres près, mes projets tombaient à l'eau.

— Je suis Pierre Attier, dis-je en rétablissant mon équilibre. Nous nous sommes rencontrés dans vos rêves.

— Je vous reconnais, murmura France avec douceur.

Un intense soulagement m'envahit. Grâce à mes travaux d'approche, Dieu avait pris possession de son âme. La comtesse, sereine, déposa son flacon de vernis sur une serviette de bain et m'adressa un sourire angélique.

— Vous n'êtes pas surprise ? lui demandai-je.

— Inconsciemment, je vous attendais, répondit-elle. J'ai crié parce que j'ai eu peur que vous ne tombiez dans la piscine. Ne restez pas sur le plongeoir, on ne sait jamais.

Ma position inconfortable donnait raison à sa crainte. Vêtu de mon complet bleu marine, j'étais à genoux sur la planche. A quatre pattes, j'avançai doucement vers la berge dallée et pris place sur une chaise relaxe que France me désigna.

— Asseyez-vous. Une tasse de thé ?

Quelle différence avec l'accueil de son mari ! Je regrettais beaucoup de ne pas l'avoir suggestionné. Il aurait seulement fallu une petite incision dans l'esprit du comte pour y greffer mes intentions et je n'aurais pas reçu une boîte de cigares sur le nez.

Bien décidé à profiter de mon avantage, j'attaquai sec :

— France, vous avez eu le temps de réfléchir. Vos songes vous ont tout appris. Le monde se noie et, avant qu'il ne coule, Dieu va tenter de le sauver encore une fois. Acceptez-vous d'être la bouée de sauvetage qu'il veut lancer à la mer ?

Mme de Varnaz se passa la main sur le ventre. Son regard extatique était dirigé vers la crête des montagnes qui se profilaient sur le ciel lumineux de cette fin de journée. Je ne fus pas certain que c'est à moi qu'elle répondit.

— Je vous remercie de me donner cet enfant car, sans vous, je ne l'aurais jamais eu.

Un arc-en-ciel se dessina aussitôt sur le Léman. La jeune femme oublia ma présence, se leva et descendit les marches du jardin qui conduisaient vers le lac. Attirée par cet arc qui ressemblait à deux bras ouverts, elle tendit les siens vers lui. Je regagnai discrètement mes frontières lointaines pour laisser la petite France, seule, avec le père de sa fille.

Demander au directeur d'une succursale du Crédit lyonnais, de la Société générale ou d'une autre banque française de venir parler affaires au bistrot du coin serait une aberration. En Suisse, les bars des grands hôtels sont remplis de banquiers qui vont au-devant du client. Sur un simple coup de téléphone, on peut avoir un spécialiste de la finance sur le plateau du petit déjeuner, entre le pot de crème et la bouchée au chocolat. Pour piquer le fric des autres, il faut avoir un minimum de politesse. Il ne suffit pas, comme en France, de placarder des affiches en disant : « Votre argent m'intéresse. »

Philippe de Varnaz possédait toutes les qualités nécessaires aux grands virtuoses de la science économique. Issue des amours d'un chien de chasse et d'une machine à calculer, sa riche nature l'avait débarrassé d'un préjugé qui aurait pu lui coûter cher. C'est pour toutes ces raisons qu'il se trouvait face à moi, le sourire commercial aux lèvres, dans mon appartement de l'hôtel Hilton.

— L'affaire est importante, dit-il. Je ne peux pas engager la responsabilité de mon conseil d'administration dans une telle opération.

— C'est celle du Saint-Esprit, tentai-je. Les garanties ne peuvent être meilleures, ne l'oubliez pas.

— J'en conviens, monsieur Pierrot, j'en conviens.

— Appelez-moi saint Pierrot, nous ne sommes pas à Pigalle !

Il s'excusa. Depuis notre premier contact, l'homme était différent. Le mysticisme de France de Varnaz avait eu raison de son incrédulité bien naturelle. Un ami de la famille, archevêque réputé, avait su trouver les mots pour expliquer au comte qu'il ne risquait pas grand-chose en tentant l'expérience. Je n'étais pas loin de penser que Dieu avait dû me donner un coup de main en influençant son employé car, en matière de miracles, les hommes d'Eglise sont toujours les plus méfiants. Un autre avantage avait joué en ma faveur : Philippe de Varnaz avait trente ans de plus que sa femme et ne pouvait pas avoir d'enfant à cause d'un accident de chasse.

— Il est tout de même nécessaire, repris-je, que votre banque soutienne financièrement les efforts d'un nouveau Messie qui, en l'occurrence, sera du sexe féminin. Christine aura besoin d'une campagne importante pour convaincre les hommes de son essence divine. Et Dieu sait si les femmes d'exception coûtent cher.

De Varnaz attendit un peu avant de répondre :

— Si la banque du Vatican s'allie à la nôtre, il y a plus de chances pour convaincre mes partenaires.

— Surtout pas ! protestai-je vivement. Depuis longtemps les fonds de la banque du Vatican n'apparaissent pas comme très catholiques. Les capitaux laïques accréditeront la thèse du désintéressement de l'Eglise en matière de publicité. L'action de votre fille n'en sera que plus libre.

— Quel sera le profit du CBL ? demanda son président. Si nous aidons les hommes à devenir meilleurs, l'argent perdra beaucoup de sa valeur. Ce sont les marchands du temple qui nous font vivre.

J'ouvris le réfrigérateur, négligeant cette dernière phrase.

— Merci, pas pour moi, fit le comte.

— Ça n'est pas pour vous, monsieur de Varnaz. C'est pour votre femme, dis-je en lui tendant la Thermos où hibernait la Divine Enfant.

Philippe de Varnaz prit l'objet comme on reçoit un cadeau inattendu.

— Merci. Qu'est-ce que c'est ?

— L'intelligence séminale, le germe d'amour créé par le Grand Géniteur pour que la bonne parole soit plus accessible aux incrédules.

Le président examina l'emballage avec méfiance. Il le tourna et le retourna dans ses mains sans avoir l'air d'accepter totalement mes renseignements. Au fond de moi-même, je comprenais ses doutes.

— Qu'est-ce qui me prouve son authenticité ?

— Votre foi, répondis-je.

Il poussa un profond soupir et ferma les yeux. Par discrétion, je le laissai seul dans le salon. Le front appuyé contre la fenêtre de ma chambre, sans les voir, je regardais les mouettes du lac. Une seule attira mon attention. Celle qui m'avait montré le chemin. Elle se posa sur le mur de ma terrasse, tenant un brin d'herbe dans son bec. Le printemps venait d'arriver sur la Terre et la petite mouette blanche construisait le nid de ses enfants avec des rameaux d'olivier.

La naissance de Christine fut préparée avec le plus grand soin. Le comte Philippe de Varnaz en fit son affaire personnelle. Le bon sens lui avait finalement conseillé de ne pas programmer les desseins de Dieu sur les ordinateurs de la banque et de rester un classique père de famille. Sa propre fortune était assez grande pour faire face aux dépenses qu'allait entraîner l'avenir de « sa » fille. Il fut même très heureux à la pensée que des fonds privés pussent contribuer à l'amélioration de la race humaine.

France de Varnaz fut inséminée dans une clinique discrète de Kreuzlingen, sur le lac de Constance, par des médecins qui ne posèrent aucune question aux futurs parents. En tout, quatre personnes étaient au courant du profond bouleversement que le monde allait connaître : le comte et la comtesse, l'archevêque et moi-même. Encore fallait-il que je me classe parmi les personnes physiques.

La future maman supporta sa grossesse dans une euphorie totale et se prêta à tous les examens et à toutes les échographies. De l'embryon au bébé, en passant par le fœtus, aucune anomalie n'apparut dans la constitution de l'héritière de Dieu. La supériorité de l'enfant n'était pas décelable aux rayons X.

Christine naquit le 25 décembre 2000 à minuit. Cette nuit-là, le monde célébrait l'anniversaire d'une autre naissance et des millions de petites crèches faisaient briller les yeux des gosses. Entre l'âne et le bœuf, dans la froidure des églises, un fils de pauvres se rappelait à leur souvenir en offrant son cœur pour les réchauffer. Cette nuit-là, la neige tomba sur le lac de Constance. J'étais le seul à savoir que Dieu, penché à la fenêtre de son Paradis, lançait des confetti blancs pour fêter l'avènement.

Par discrétion, je m'étais réfugié dans un bistrot non loin de la clinique. J'avais le trac ! Ne faisant pas partie de la famille, je ne m'étais pas reconnu le droit d'assister à l'accouchement et c'est dans un verre de Fendant du Valais que je tentais de noyer mon angoisse. Ne pouvant boire ce vin qu'avec mon regard, fasciné par les bulles dorées, je revis la naissance de mes enfants au milieu de ces petites sphères qui éclataient comme heureuses d'avoir vécu. Je me souvins de tous ces cendriers que j'avais remplis en attendant la bonne nouvelle et des cris d'horreur que mes rejetons avaient poussés en découvrant la vie. Etait-il possible que Dieu le Père ressentît les mêmes impressions dans les couloirs du Paradis ? Etait-il en train de fumer des volcans en écrasant ses mégots sur la terre ?

— On vous demande au téléphone, fit le patron du café en mettant fin à mes réflexions.

Je me ruai sur le poste posé au bout du comptoir. C'était Philippe de Varnaz.

— Monsieur saint Pierrot, dit-il, l'enfant est au monde et la mère se porte bien. Je compte sur vous pour faire état de ma bonne volonté à qui de droit.

Une bouffée d'orgueil m'envahit. J'allais pouvoir remonter Là-Haut avec le sentiment du devoir accompli et une énorme envie de vacances éternelles.

— Félicitations au papa, répondis-je machinalement.

Un silence vexé fit suite à cette gaffe monumentale et la voix du comte remonta du trou dans lequel je l'avais plongée.

— Je n'apprécie pas votre humour. Toute référence à mon infortune conjugale peut faire baisser les cours de la bourse. Un banquier cocu, c'est un coffre-fort sans verrou.

Après quelques excuses, je crus bon de rassurer le pauvre homme riche :

— Pensez à Joseph, monsieur le comte. Sa première réaction fut de répudier Marie mais il accepta, tout de même, la femme et l'enfant. Je n'ai pas entendu dire que son métier en avait souffert.

— Les charpentiers ont l'habitude des tuiles. Pas les financiers !

Un déclic. Philippe de Varnaz venait de mettre fin à nos relations. Forcément, il allait devoir s'habituer à sa nouvelle situation. Dans le fond, on ne lui demandait pas autre chose que d'élever la fille de Dieu dans la plus pure tradition chrétienne. Ce qui, lorsqu'on réfléchit bien, semble assez logique quand il s'agit de la sœur de Jésus. En paiement de ses services, le comte avait déjà une place réservée dans les tribunes célestes et l'assurance d'une retraite des cadres sans précédent dans le domaine des hauts salaires. Mes avantages étaient beaucoup moins importants que les siens. Et pourtant ! Il avait fallu que je bosse encore après ma mort, que je me retape un tour de manège à la foire d'empoigne, que j'aille tirer le diable par la queue avant de me retrouver dans ce bistrot sans pouvoir trinquer à la santé de la petite Christine qui allait pourtant en avoir bien besoin.

La neige ne tombait plus. A travers les vitres, je vis une étoile qui me faisait de l'œil. « J'arrive », lui dis-je, en pensant au temps où je ne pouvais pas résister aux charmes des belles de nuit. Une fois de plus, ma mission était terminée et le vent poussa un soupir à ma place. La porte du café s'ouvrit, sous l'effet du courant d'air, dévoilant trois Rolls qui se garaient silencieusement le long du trottoir.

Deux Arabes et un Africain descendirent des superbes Silver Shadow et entrèrent dans le bistrot.

— Nous sommes bien à Kreuzlingen ? demanda le Noir après avoir commandé un café de la même couleur.

Le patron le rassura. L'un des Arabes sortit un papier de sa djellaba.

— Comte de Varnaz, lut-il, vous connaissez ?

— Oui, répondis-je en m'avançant vers les trois hommes. C'est à quel sujet ?

Et voilà ! Un grain de sable s'était glissé dans les rouages que j'avais été chargé de huiler avec ma burette sacerdotale. Une fuite s'était certainement produite au niveau de la soudure car ces étrangers n'auraient jamais dû chercher Philippe de Varnaz en cet endroit.

— C'est personnel ! coupa sèchement le Noir. Où se trouve la maternité du Berger ?

— A deux cents mètres sur le trottoir de gauche, dit le patron avec empressement.

Cet ahuri venait de leur donner la clef de mon secret dans un paquet-sourire ! Je tentai de limiter les dégâts :

— Je suis le secrétaire du comte de Varnaz. Puis-je faire quelque chose pour vous ?

Je n'avais pas terminé ma phrase que les trois types étaient déjà dehors. Ils s'engouffrèrent dans leurs Rolls respectives et la caravane fit un démarrage foudroyant, laissant une partie de ses pneus dans le caniveau. J'eus le temps d'apercevoir un conducteur basané au volant de chaque voiture.

En courant, j'avalai les deux cents mètres qui me séparaient de la maternité. Au milieu de ma course, je vis les chauffeurs qui entraient dans la clinique, chargés de grosses malles orientales. Le Noir et les deux Arabes poussaient leurs esclaves à grand renfort d'éclats de voix et de claques dans le dos. Je les rejoignis dans le hall, devant le comptoir de la réception.

Quelques infirmiers essayaient de calmer les trois hommes qui parlaient tous ensemble, chacun dans sa langue maternelle. Un incroyable charabia résonna sur les carreaux blancs de la clinique, prit son élan dans le couloir central et alla réveiller vingt-cinq bébés qui se mirent à hurler au secours. Le comte de Varnaz sortit de la chambre n° 1.

— Qu'est-ce que c'est que ce bordel ? cria-t-il en retrouvant son accent de capitaine de chasseurs alpins.

Outré qu'un futur saint eût un langage aussi vert, je commis l'erreur de dévoiler son identité :

— Oh, monsieur le comte !

Ces mots donnèrent le départ de la seconde étape. Noir, Arabes, porteurs et bagages se ruèrent dans le couloir et envahirent la chambre de la comtesse. En une fraction de seconde, je me dématérialisai près du comptoir pour réapparaître devant le berceau de Christine, prêt à la défendre au péril de ma mort. France de Varnaz poussa un petit cri de frayeur tandis que son mari s'acharnait sur la sonnette d'urgence.

— Que voulez-vous ? demandai-je aux trois énergumènes.

— Nous venons adorer l'Enfant Reine, dirent-ils en chœur et en tombant à genoux.

Dieu était donc incorrigible ? Allait-il recommencer ses tours de presti ? Ne savait-il pas que les rois mages d'aujourd'hui suivent beaucoup plus les cotations de Wall Street que les étoiles ?

— Qui vous a prévenus ? questionna de Varnaz.

— Nous avons vu votre archevêque au Conseil économique de Genève, répondit le Noir.

— Non, rectifia un Arabe impatienté, il veut dire œcuménique, pas économique...

Ainsi, la fuite venait de l'archevêché ! Lorsque le deuxième Arabe claqua des doigts, les malles s'ouvrirent et des millions de dollars apparurent dans l'une d'elles. Les deux autres contenaient des diamants et des lingots d'or. L'encens et la myrrhe avaient perdu leurs parfums dans la nuit des temps.

— Qu'est-ce que ça veut dire ? fit le comte qui n'avait jamais vu autant d'argent liquide, habitué à gérer les fortunes sur des ordinateurs.

— Ce sont nos présents au Crédit bancaire du Léman, répondit le chœur oriental. Nous voulons contribuer au rapprochement des Eglises.

Je m'étais discrètement éloigné dans un coin de la chambre. Mon regard était rivé à celui de l'enfant qui semblait un peu triste. La fille de Dieu était évidemment superbe dans son petit lit de satin immaculé. A côté d'elle, le trésor des trois malles jetait des feux étincelants qui faisaient un dais de lumière au-dessus du berceau. Contrairement au Christ, Christine n'était pas sur la paille.

— Je vous remercie, messieurs, dit Philippe de Varnaz après avoir fait une prière pour remercier le Seigneur. Ma femme a besoin de repos.

France, insensible aux événements, était en communication avec son véritable époux. Les yeux clos, elle lui racontait son bonheur et ses craintes.

Les visiteurs se dirigèrent vers la porte après avoir salué la Sainte Famille. Il ne me restait plus qu'à prendre congé de la Terre et des hommes. Je fis un clin d'œil au bébé. Ses petits doigts remuèrent imperceptiblement pour tracer un signe de croix que je fus le seul à voir. Avant de plonger définitivement dans l'invisible, j'entendis l'un des rois mages qui s'adressait au banquier.

— Nous sommes à l'hôtel Président, à Genève. Soyez aimable de nous faire connaître nos numéros de comptes...

12

Comme il se devait, Christine eut une enfance exemplaire. Elle fut éduquée au château de Varnaz par les meilleurs précepteurs qui vinrent d'Angleterre, d'Italie, d'Allemagne, du Japon et d'Espagne. Outre le français, à seize ans, elle parlait couramment les langues de ces cinq pays. Un an plus tard, elle devint championne de ski et de natation. Elle donna son premier récital de guitare classique à dix-huit ans et obtint un premier prix de Rome au piano. Les grands magazines internationaux publièrent sa photographie et de nombreux articles la consacrèrent comme étant l'enfant la plus douée de son siècle. Avec plusieurs années d'avance sur ses camarades de promotion, elle rafla toutes les premières places en sciences humaines, politiques et économiques. Pendant ce temps, rien de surnaturel ne s'était produit. Dieu avait sans doute préféré ne pas faire peur aux hommes avant que sa fille ne fût bien armée pour les combattre. Lorsqu'on part en voyage, il est préférable d'avoir de solides bagages. Dans le cas contraire, leurs poignées vous restent dans la main et le train est raté.

En ces années 2020, la Terre avait été partagée en trois. L'URSS, l'Amérique et la Chine possédaient chacune un tiers du gâteau et se surveillaient mutuellement à travers les viseurs de leurs effroyables armements. Les cellules de la pauvre Europe n'ayant pu établir leur jonction, les Russes s'étaient décidés à mettre de l'ordre dans tout ça. Ils avaient tout de même eu la délicatesse d'attendre que le tunnel sous la Manche fût enfin construit pour que leurs fonctionnaires pussent aller à Londres en voiture. Seule la Suisse avait gardé sa neutralité. Son secret bancaire était devenu plus puissant que toutes les bombes nucléaires réunies, et les trois pays qui dirigeaient le monde avaient planqué leur pognon sous les pâturages. Les vaches broutaient paisiblement une herbe qui poussait sur des abris en or massif et leurs tétines ressemblaient à des pendentifs de douairières.

Chaque jour, on craignait un conflit mondial. Il y avait pourtant peu de chances que cela se produisît car les trois Grands étaient assis sur la même poudrière. Aucun d'entre eux n'osait faire des mouvements trop brusques sous peine de se faire éclater le fondement avec sa propre dynamite. Malgré cette assurance-vie à capital non récupérable, les hommes regrettaient inconsciemment les bonnes petites guerres de grand-papa. Celles où les meurtres militaires étaient récompensés par un Etat magnanime qui vous donnait la gérance d'un bureau de tabac contre un bras manquant. Où était-il, le bon temps de 1870, de 1914, de 1939 ? Trois guerres en soixante-neuf ans est une moyenne honorable pour un pays pacifique comme la France ! Pendant que les vieux finissaient de reconstruire leurs maisons, les jeunes partaient démolir celles des autres, la fleur au fusil. Ah ! il était difficile de s'ennuyer à la belle époque du Lebel réformé modèle 14 !

En ce moment, plus que jamais, les habitants de la planète étaient atteints de folie et, dans les pays dits « en paix », les guerres tribales faisaient leur réapparition. Malgré les répressions gouvernementales, le terrorisme n'avait jamais été aussi présent. Les gens se battaient entre immeubles, quartiers, arrondissements. La tolérance avait été rayée du dictionnaire et la communication ne se pratiquait plus que pour appeler le médecin et SOS Amitié. L'argent ne se gagnait plus, il se volait à coups d'entourloupes, d'escroqueries et d'abus de confiance. Bref, il y avait de l'eau polluée dans les tuyaux à gaz !

Aujourd'hui, Christine venait d'avoir vingt ans. Un soleil radieux faisait fondre les berges glacées du lac Léman. Cette matinée de Noël recouvrait d'azur la neige des montagnes et Genève dormait encore. Sur le pont du Mont-Blanc, une jeune fille, vêtue de bleu, lançait des miettes de pain aux cygnes qui glissaient en la saluant du col. Quelques mouettes, descendant en piqué, happaient les bribes de cette nourriture qui tombait du ciel.

Comme la plupart des rues de Genève en cette heure matinale d'un jour férié, le pont était presque désert. Seul un enfant déguisé s'avançait vers la jeune fille. Une mouette blanche, perchée sur le sigle du Crédit bancaire du Léman, prit son envol et vint se poser sur le parapet entre les deux mains de Christine. Une bille d'acier atteignit l'oiseau en pleine tête. Foudroyé, il tomba à l'eau. C'est alors que Christine vit l'enfant déguisé avec son cadeau de Noël : une panoplie de diablotin. Il regarda la jeune fille en riant, fit demi-tour et partit après avoir rangé un lance-pierres dans sa poche.

Christine leva les yeux vers le seul nuage qui tachait le ciel, juste à l'aplomb du grand jet d'eau qui venait de jaillir du lac.

— Père, je suis prête, dit-elle.

The Bees of God[1] donnèrent leur premier concert au Victoria Hall de Genève. Treize filles superbes, roulées comme des déesses, venaient de jouer, chanter et danser devant un public qui n'en finissait plus d'applaudir. Au centre d'une jungle de micros et de projecteurs, douze panthères blondes, moulées dans des collants de métal noir, saluaient les spectateurs. A genoux sur l'avant-scène, elles tendaient leurs mains vers eux pour leur offrir une musique qui ne venait plus des synthétiseurs. Christine se tenait, debout, derrière ses Abeilles. Comme une longue sirène dont le corps était pris dans une seconde peau d'acier, elle semblait sortir de l'eau. Des gouttes de sueur ruisselaient sur son visage et plaquaient les boucles noires de ses cheveux.

Le spectacle était terminé. Les gens restaient cloués sur leurs fauteuils, drogués par les lasers et les décibels, devant ces jeunes femelles sauvages qui chantaient l'Amour. Quatre heures de musique physique avaient aidé le discours à devenir plaisir. Christine et ses douze apôtres disparurent derrière le rideau qui venait de tomber définitivement.

Le succès des *Bees* était dû, en partie, au Crédit bancaire du Léman qui avait financé les opérations de lancement. Le comte de Varnaz avait créé de toutes pièces une puissante station de radio dont l'antenne était placée au sommet du Jura suisse. Sa grande portée et son indépendance politique en faisaient le poste le plus écouté de ce qui avait été

1. Les Abeilles de Dieu.

l'Europe. Philippe de Varnaz avait également acheté une firme de disques et une centrale de distribution qui avait ses ramifications dans le monde entier. En peu de temps, toutes les chansons et les clips des *Bees of God* devinrent des tubes internationaux.

D'abord, Christine avait chanté seule en s'accompagnant au piano ou à la guitare. Son style eut une telle force de persuasion que douze jeunes filles vinrent des quatre coins du monde opprimé pour former les Abeilles de Dieu. Le phénomène Beatles était nettement dépassé et la vente des vidéodisques et des cassettes à projection spatiale se comptait par centaines de millions. Jamais une artiste n'avait fait une telle unanimité parmi les hommes. Ils ne comprenaient pas tous ce qu'il fallait entendre entre les paroles de Christine, mais ils recevaient avec jouissance des ondes bénéfiques qui leur nettoyaient le cœur.

Le CBL devint la banque la plus importante de Suisse. D'autres établissements privés la rejoignirent et, bientôt, le comte de Varnaz fut à la tête d'un consortium sans égal dans la finance. L'argent investi dans le management des *Bees* lui revenait, multiplié par un énorme coefficient. Naïvement, il téléphona plusieurs fois à l'hôtel Hilton pour remercier celui qu'il avait pris pour un fou et qui se faisait appeler saint Pierrot. On lui fit toujours la même réponse : « Ce monsieur est parti sans laisser d'adresse. »

France ne quittait plus le château de Varnaz. Elle passait son temps en prière, glorifiant Celui à qui elle avait offert son ventre et écoutant les chansons de sa fille. Pour faire la différence, elle passait de temps en temps des vieux disques à saphir qui lui venaient de ses grands-parents. Lorsque Dalida chantait *Bambino,* elle était prise d'un fou rire nerveux et Sylvie Vartan faisait aboyer tous les chiens du quartier. Un jour, elle trouva sous la pile des anciens microsillons le « 45 tours » d'un comique dont elle n'avait jamais entendu parler. La pochette représentait un visage qui semblait avoir été coincé dans le mécanisme de l'appareil photographique. Ce canard déplumé s'était appelé Sim, il y avait plus de soixante ans.

The Bees of God partirent en tournée le lendemain de leurs débuts au Victoria Hall. Paris les attendait à leur descente d'avion. Christine apparut à la porte du Jet privé qui portait son nom et salua la foule de journalistes et de curieux en tendant les bras vers eux.

— Je viens vers vous avec des chansons d'espoir. Apprenez l'harmonie pour m'accompagner et soyez les musiciens du ciel.

— A poil ! répondit l'un des imbéciles qui font parfois partie d'un orchestre de tarés.

Christine regarda le soliste avec pitié et dit :

— Que votre volonté soit faite.

D'un coup sec, elle tira sur une languette au niveau du col de sa tunique blanche. Le vêtement tomba à terre, dévoilant son corps entièrement nu. Il y eut un silence stupéfait devant la beauté pure de cette femme qui souriait. Sa voix descendit de la passerelle pour frapper de plein fouet le virtuose débile qui était devenu muet.

— Mon Père m'a faite ainsi. Je n'ai pas honte de son idée.

Les flashes des photographes se déclenchèrent tous en même temps mais les Abeilles de Christine furent plus rapides. Il leur fallut deux secondes pour sortir de l'avion et faire un mur devant elle.

Le grand Opéra de la place de la Bastille se révéla beaucoup trop petit pour accueillir les milliers de Parisiens qui voulaient entendre les *Bees*. Elles donnèrent vingt récitals de quatre heures en l'espace de dix jours. Ignorant la fatigue, Christine les faisait répéter, jusqu'à l'aube, pour mettre en musique les nouveaux textes qu'elle ne cessait d'écrire. Le soir même, les chansons étaient livrées aux fans. Sur un tapis de velours noir, une immense croix d'or était projetée en relief. Elle dansait au rythme des pulsations produites par les sons multiphoniques. Devant cette croix mouvante, douze Abeilles blondes entouraient la fille de Dieu qui suppliait son Père d'entendre la sono.

L'avant-veille de son départ pour Londres, Christine prit la décision de chanter gratuitement pour les pauvres. Cela concernait donc la population entière de la France depuis qu'elle s'était fait envahir par les communistes de l'Est. Le spectacle fut retransmis du point central géographique que représentait une grande prairie aux environs de Montluçon. Grâce à un système de relais par satellite, les sons et les images purent être diffusés par projection en relief dans l'exosphère. A environ mille kilomètres de hauteur, apparut un rectangle de deux cents kilomètres sur cent, visible par tous les Français qui n'eurent qu'à lever les yeux. Les organisateurs de la tournée attaquèrent les *Bees* en justice et Christine fut condamnée à payer le manque à gagner dont avaient été victimes les agents artistiques et directeurs de salles faisant partie du circuit prévu.

L'accueil du Paladium de Londres se trouva perturbé par la contre-publicité que l'événement produisit. Les Anglais ne se précipitèrent pas au guichet pour payer leurs places, pensant avoir également droit au spectacle gratuit. La première représentation fut un fiasco.

Christine recommença l'expérience qui provoqua l'arrivée du comte de Varnaz et du conseil d'administration du CBL. Deux évêques venus du Vatican arrivèrent en même temps. Christine et ses Abeilles furent convoquées à ce tribunal dont la séance eut lieu, à huis clos, dans une suite d'un grand hôtel de Piccadilly. L'un des évêques attaqua, crosse en avant :

— Ma fille, il faut vous reprendre. Si le silence est d'or, n'oubliez pas que la parole est d'argent. Surtout si elle est bonne. Rappelez-vous qu'avec ces messieurs, ici présents, nous avons financé votre ascension...

Christine était restée debout. Les *Bees* formaient un arc de cercle derrière elle et se tenaient par la main.

— Monseigneur, répondit-elle, mon frère a payé de sa vie une ascension qui a permis de bâtir vos cathédrales.

Le deuxième évêque vint au secours de son confrère :

— Toute construction coûte cher et votre parenté avec Jésus n'est pas encore prouvée.

— C'est vrai, surenchérit un des actionnaires, le CBL a cru en vous avant tout le monde et nous avons misé sur vos valeurs artistiques. Nous ne voulons pas être ruinés par vos valeurs spirituelles.

Philippe de Varnaz s'interposa :

— Chris, il y a vingt ans, la foi de ta mère a eu raison de mes doutes. Personnellement, je suis sûr que tu n'es pas ma fille et je n'exclus pas la venue d'un second Messie sur la Terre. Il te faut seulement savoir que les banques ne peuvent s'occuper du bonheur des hommes quand cela ne leur rapporte rien.

— Doit-on payer pour apprendre à devenir meilleur ? demanda Christine, en souriant.

Personne ne répondit à sa question. Un évêque lâcha enfin les mots clefs :

— Si vous êtes la fille de Dieu, prouvez-le !

Les *Bees* reculèrent jusqu'au fond du salon pour s'adosser au mur. Les yeux verts de Christine balayèrent les assises où se tenaient des juges en attente.

— Vous avez fait de moi une idole, dit-elle. Je ne peux donc vous offrir qu'un numéro de music-hall.

Comme des cariatides, six filles levèrent leurs bras pour toucher le bas d'un long tableau horizontal qu'elles décrochèrent du mur. Pendant qu'elles s'avançaient vers le milieu de la pièce, les six autres *Bees* se mirent en position transversale pour former une croix vivante. Dès qu'elles furent toutes immobiles, le tableau prit feu.

Il avait représenté l'œuvre d'un peintre futuriste : un serpent à tête d'homme était enroulé sur une branche d'arbre d'environ quatre mètres de longueur. Il tendait un globe terrestre au-dessus d'une forêt de mains qui se dressaient vers lui avec avidité.

Les deux évêques furent les premiers à se précipiter sur les extincteurs.

Dès lors, les *Bees of God* chantèrent gratuitement. Ne faisant plus de recettes au cours de ses tournées dans le monde, Christine avait exigé du comte de Varnaz une totale indépendance financière. A titre de dédommagement, la banque conservait le produit de la vente des disques et des cassettes. Le nouveau contrat prévoyait seulement le remboursement des frais de voyage et l'entretien du Jet, des instruments et des costumes. Christine consacrait entièrement ses fabuleux droits d'auteur à la création de fondations humanitaires qui portaient le nom des Abeilles de Dieu.

Les treize filles vivaient en communauté de façon très modeste, ayant pour seule fortune la beauté de leurs corps et de leurs âmes. En revanche, leurs spectacles grandioses utilisaient toutes les ressources de la technique et de l'art scénique. Dans chaque pays, des spécialistes de tous ordres se mettaient spontanément à leur disposition pour que les concerts ne souffrent d'aucune défaillance. Au fil des jours et des mois, les adeptes des *Bees* furent de plus en plus nombreux. Le cœur des hommes commençait à redécouvrir l'amour fraternel.

Les shows télévisés eurent une grande influence sur les spectateurs qui les virent en Mondiovision. Du pôle Nord au pôle Sud, des millions de gens simples entendirent parler de Dieu pour la première fois. Lorsque Christine s'isolait afin de lui rendre compte de sa mission, elle avait une pensée émue pour son frère qui marchait à pied sur les chemins de Galilée. Si Jésus avait eu les médias à sa disposition, que serait-il advenu de lui ?

Au château de Varnaz, France attendait les coups de téléphone de sa fille avec impatience. Mère avant tout, son avenir l'inquiétait et le danger des voyages était toujours présent dans ses pensées. Leurs conversations ressemblaient à celles des mères et des filles du monde entier.

— Ah ! c'est toi, ma Cricri. Pourquoi ne m'as-tu pas téléphoné plus tôt ?

— Je n'ai pas pu, maman. La tour de contrôle de Montréal ne m'a pas donné l'autorisation d'atterrir. J'ai dû tourner pendant une heure au-dessus de l'aéroport.

— Tu devrais engager un pilote. Ces engins me font peur. Tu n'as pas pris froid, au moins ? Il faut te méfier de l'air conditionné...

— Tu sais bien que la haute altitude me préserve des maladies. Comment va papa ?

— Lequel ?

— Celui qui m'a élevée.

— Il va bien mais il se fait aussi du souci pour toi depuis que tu as refusé son aide.

— Cela doit être ainsi, maman. Une jeune fille au pair regagne souvent son pays d'origine.

— Prends bien soin de toi, Cricri, et ne fais pas trop confiance à ton entourage.

Tard dans la nuit, après les concerts, Christine et ses Abeilles se retrouvaient dans le calme de la campagne lorsque le spectacle avait été donné en plein air. Dès le départ du dernier camion de matériel, elles s'éloignaient de la vaste prairie pour trouver la solitude dans un bosquet. Là, Christine s'asseyait sur la mousse, entourée par douze ombres blanches et protégée par les arbres qui ne laissaient plus entrer que des rayons de lune.

Parfois, elle aimait prendre des bains de foule. A peine avait-elle plaqué son dernier accord qu'elle descendait du podium pour se mêler à ses fans. Il se produisait toujours d'énormes bousculades, les admirateurs voulant la toucher ou, parfois même, lui arracher ses vêtements pour les garder en reliques. Malheureusement, cette pratique était dangereuse. Christine avait dépassé les limites du showbiz et les idées qu'elle mettait en musique ne plaisaient pas à tout le monde. Les *Bees* chantaient à l'unisson mais les fausses notes venaient d'ailleurs.

Certains partis conservateurs ne tardèrent pas à considérer Christine comme une agitatrice en puissance, car quelques ténors de la politique commençaient à s'enrouer dans les courants d'air qu'elle produisait. Sans parler des articles virulents d'une presse susceptible, il y avait souvent des remous dans la salle.

Un soir, au moment où Christine saluait le public, une pierre fut lancée dans sa direction. Avant qu'elle n'atteignît son but, deux *Bees* croisèrent leurs guitares entre le projectile et le visage de Christine. Leurs réflexes avaient été tellement rapides que la pierre rebondit sur l'un des instruments qui se transforma en raquette. Un revers, digne des meilleurs moments de la coupe Davis, renvoya la pierre vers son lanceur qui la reçut en plein front. Le type s'écroula.

Christine le fit amener dans la caravane qui lui servait de loge. Pendant qu'elle le soignait, dehors la bagarre faisait rage. Les perturbateurs venaient de se faire prendre à partie par un groupe de jeunes et la discussion s'était transformée en pugilat. Les chaises pliantes éclatèrent sur des crânes étonnés et les parapluies perdirent leurs manches dans un orage imprévu. Les douze filles sautèrent dans ce bouillon d'inculture en se lançant, du haut du podium, avec leurs guitares transformées en moulinets. Douze massues de métal firent le vide autour d'elles, marquant les points par d'harmonieux coups de gong qui auraient fait pâlir d'envie le carillonneur de Bruges. Les Abeilles de Dieu s'étaient transformées en guêpes pour défendre leur Reine.

Dans un coin, protégé par un platane, un vieillard applaudissait en poussant des cris pour encourager les combattants. Tout à coup, n'y tenant plus, il desserra les freins qui maintenaient la chaise roulante sur laquelle il était assis. Une déclivité lui permit de s'élancer vers une dizaine de catcheurs enchevêtrés les uns dans les autres. Avec un « Oh yé ! » victorieux, il dévala la pente pour aller se planter au cœur de la mêlée. Les roues de l'engin firent office de débroussailleuse et la douleur permit à chacun des sportifs de localiser ses propres membres.

Le vieillard continua son chemin sur sa lancée et ne s'arrêta qu'en percutant la caravane de Christine. Catapulté de sa chaise roulante, il frappa à la porte avec sa tête.

— Entrez ! fit Christine qui venait de terminer le pansement du lanceur de pierre.

La porte s'ouvrit toute seule, débarrassée de sa serrure de sûreté Trigano, et laissa apparaître un cow-boy presque centenaire, à plat ventre sur le linoléum.

— Oh yé ! continuait-il de crier. Ça me rappelle le bon temps !

Christine l'aida à se relever. Hilare, il s'affala sur la banquette, à côté du premier blessé. Le choc lui avait enfoncé son chapeau texan jusqu'aux oreilles. Une bosse, en pleine crise de croissance, ne voulait plus lâcher le couvre-chef et il fallut employer la méthode du dévissage pour dégager l'occiput du vieillard.

— Salut ! dit-il. Quelle ambiance ! Petite, ton spectacle m'a fait rajeunir de soixante ans !

Le bonhomme était un personnage étonnant. Vêtu d'un jean délavé et d'un blouson de cuir noir, il portait un large ceinturon dont la boucle argentée représentait un aigle en plein vol. Une grosse chaîne d'or lui barrait la poitrine et ses bottes à hauts talons faisaient penser aux ranchs du Tennessee.

— Tu connais Nashville ?

— Non, répondit Christine, amusée par ce rocker qui sentait la naphtaline. Vous êtes américain ?

Les petits yeux bleu pâle s'allumèrent comme deux projecteurs dans un visage qui n'était plus qu'une pelote de rides.

— Je ne suis pas yankee, mignonne, mais je connais bien l'Amérique. J'allais souvent à Nashville avec les copains. Là-bas, le son est meilleur. Ecoute...

Il empoigna la guitare de Christine, se leva et cala son corps entre l'armoire et le lavabo de la caravane. D'une voix cassée, mais étrangement jeune, il chanta sur des accords furieux en oubliant son arthrose. A la fin de la chanson, il tomba à genoux en poussant un cri.

— Ouaouh !

— Vous vous êtes fait mal ? s'écria Christine en se précipitant vers lui.

— Non, répondit le vieillard, c'était mon style.

— Vous étiez chanteur ?

— Oui. On m'appelait Johnny Halliday.

Pendant trois années, les *Bees of God* parcoururent un monde divisé. D'un côté, il y avait les adeptes sans condition, croyant à la présence d'une rédemptrice envoyée par Dieu, et, de l'autre, les ennemis de la doctrine qu'elle prêchait. Avec des variantes, l'histoire du Christ s'était reproduite grâce à la solidité de la bêtise humaine. Deux mille ans après, les enfants de Caïphe et de Ponce Pilate continuaient de condamner et de se laver les mains.

Sentant monter contre elle une hostilité croissante, Christine mit les bouchées doubles et sa mission ne lui laissa plus aucun répit. Les *Bees* apprirent à piloter le Jet pour la relayer pendant qu'elle se reposait et prenait quelque nourriture à l'intérieur de l'avion. Elles ne restaient au sol que le temps d'un concert, de faire le plein des réservoirs et la vérification des réacteurs, puis elles s'envolaient à nouveau vers un autre pays. Plusieurs incidents éclatèrent au cours des spectacles. Il y eut des blessés et du matériel saccagé. Quelques aéroports leur refusèrent même l'autorisation de se poser pour éviter des manifestations qui s'étaient déjà produites sur d'autres pistes d'atterrissage.

Petit à petit, le champ d'action de Christine se rétrécissait. Les patrons du monde sentirent qu'il fallait écarter le danger que représentait la fraternité et politisèrent rapidement l'œuvre des *Bees*. Bientôt, des milliards de moutons à deux pattes se mirent à hurler avec les loups. En Suisse, France de Varnaz priait un ciel qui ne répondait plus.

Un soir, Christine téléphona à sa mère. D'une voix un peu lasse, elle l'informa de son retour pour quelques jours de retraite au château de Montreux. France remercia Dieu de lui rendre sa fille, le temps d'un baiser. Christine s'envola, seule, laissant ses Abeilles dans une ruche amie.

France et Philippe de Varnaz étaient dans leur jardin lorsque le Jet apparut au-dessus du Léman. Ils le virent faire un demi-tour pour se présenter devant la piste de l'aéroport de Genève. C'est alors que la bombe explosa dans la soute à bagages, pulvérisant l'avion. Dans la pluie d'acier qui tomba sur le lac, un minuscule morceau d'or fut poussé par le vent en direction du château de Varnaz. Quand elle vit le petit point brillant descendre vers elle, France tendit ses mains pour le recueillir. Malgré les larmes qui troublaient son regard, elle reconnut le bracelet qu'elle avait offert à sa fille le jour de ses vingt ans. La plaque, arrachée, ne laissait lire que la moitié de son prénom : Christ...

Au même instant, sur le pont du Mont-Blanc, un mauvais petit diable visait les mouettes avec un lance-pierres. Lorsqu'il vit tomber l'avion, il eut un sourire satisfait, jeta son arme dans l'eau et disparut.

13

On a déjà parlé de la colère de Dieu mais celle-ci fut épouvantablement calme. J'étais en sa compagnie, dans la grande salle des ordinateurs, quand nous vîmes exploser l'avion de Christine sur un écran de contrôle. Dans la seconde qui suivit l'accident, la fille du Seigneur se présenta à la porte du Paradis et demanda le service des urgences. Il y avait de quoi ! Son âme était en lambeaux et, par les trous béants de ses blessures d'amour-propre, elle perdait ses illusions. Saint Pierre la conduisit vers nous en lui soutenant le moral. Dès son arrivée, elle se jeta aux pieds de l'Eternel.

— Père, je vous en supplie, ne me faites pas ressusciter ! Au nom de Vous, je ne veux pas retourner chez les hommes !

Quand il vit l'état dans lequel se trouvait Christine, Dieu devint d'abord tout pâle et dit, d'une voix aussi blanche que la couleur de son visage :

— Ils sont donc incurables ?

— Je le crains, fis-je imprudemment. Il doit y avoir un défaut quelque part...

D'un signe de la main, saint Pierre me conseilla de ne pas faire état de mes sentiments personnels devant le Patron. Il avait raison car Dieu se retourna vers nous deux.

— Qui a dit ça ? demanda-t-il, glacial.

Je ne répondis pas tout de suite, conscient de m'être mêlé de ce qui ne me regardait pas.

— C'est lui, répondit saint Pierre en tripotant son trousseau de clefs.

Dieu le foudroya du regard.

— Nom de Moi, je sais bien que c'est lui ! Vous oubliez qui je suis ?

Le Saint Concierge bredouilla des excuses et sortit sur la pointe des pieds. Je n'étais pas mécontent qu'un cadre se fît remettre à sa place par le Directeur. Après tout, il venait de me dénoncer et la réprimande me semblait méritée. Deux anges brancardiers entrèrent dans la salle.

— C'est le SAMU, dirent-ils d'un ton professionnel.

— Emmenez-la, murmura Dieu, et mettez son âme sous perfusion.

Ils emmenèrent Christine, me laissant seul devant un père accablé par le destin.

Selon toute évidence, un croyant normalement constitué doit ressentir de l'amour et du respect pour ce qui représente l'objet de sa foi. Il ne doit avoir aucun doute sur l'infaillibilité de Celui qu'il a choisi d'adorer en excluant la logique qui détruit le rêve. J'avoue — à ma grande honte — que l'impuissance du Tout-Puissant me laissait perplexe. En plus des deux grands sentiments cités plus haut, je sentis monter en moi comme des bouffées de chaleur, faites de tendresse et de compassion. Comment ne pas plaindre l'inventeur d'un système qui dérape et dont la clientèle moleste les dépanneurs ?

L'Eternel accrocha une pancarte « *Please no disturb* » à la poignée de la porte qu'il ferma à double tour. Nous étions seuls, Lui et moi, au milieu de la grande salle des ordinateurs. Il planta son regard d'acier dans mes yeux de pâte molle et sa voix grave me prouva que la situation l'était encore plus.

— Selon vous, quel est ce défaut ?

Comment pouvais-je répondre à une question aussi directe ? Je n'étais pas l'ingénieur mais un ancien homme de peine qui, durant toute sa vie, avait transporté le poids de ses péchés d'une année à l'autre. Dieu devina mon embarras.

— Les véritables solutions viennent parfois du bas de l'échelle, continua-t-il. Dans les grandes entreprises, il y a toujours des boîtes à idées près des vestiaires. Vous avez occupé deux emplois différents dans mon usine de la Terre et vous avez fait de l'espionnage industriel chez mon concurrent le plus dangereux. Ai-je une mauvaise gestion ?

L'humilité du Seigneur me touchait au plus haut point. En prenant toutes les précautions dues à son égard, je lui expliquai que de nombreux sauveurs s'étaient penchés sur le cas de Lip, de la manufacture de Saint-Etienne, de Creusot-Loire, sans pouvoir trouver de solution à leurs maux.

— ... je ne pense pas, continuai-je avec la plus grande des politesses, qu'il suffise de conseiller les hommes pour qu'ils deviennent plus sages. Votre empire comprend des milliards d'employés de races, de couleurs, de religions et de philosophies différentes. Chacun d'eux est persuadé qu'il détient la vérité et, comme il ne parle pas la même langue que son frère, il fait parler le canon. Seigneur, comment voulez-vous qu'ils vous entendent alors qu'ils ne se comprennent pas ?

Dieu laissa passer un long moment avant de me répondre. J'étais stupéfait de mon audace. De quel droit avais-je pu lui parler ainsi ? Un tremblement subit se déclencha en moi, soulignant l'importance de ma crainte et me faisant redouter les représailles méritées. Le crépitement des machines et le ronflement des ordinateurs ajoutèrent à mon angoisse. Une terreur sans nom m'envahit lorsque je vis que Dieu s'était changé en statue de marbre. Un mètre, à peine, me séparait de cet immense bloc de pierre froid et insensible qu'un geste, incontrôlé, me fit toucher du doigt. C'est alors qu'à l'emplacement du cœur, sous le drap pétrifié de la robe, je sentis un battement lourd qui se fit bientôt entendre. Il s'amplifia au point de devenir insupportable, frappant les murs de la salle dans un tourbillon sonore qui me rappelait les hurlements de la vie. Dieu était devenu minéral pour mieux contenir sa colère. Des étincelles jaillirent et toutes les régies de contrôle prirent feu en même temps. Des flammes sans chaleur faisaient fondre les écrans et les consoles. La salle ne fut plus qu'une mare de métal liquide, absorbée par le sol qui s'ouvrait pour la boire. L'intensité du battement diminua et les coups semblèrent regagner l'intérieur de la statue. Bientôt ils s'éteignirent complètement.

Adossé au mur, incapable de bouger, j'avais dévoré ce spectacle terrifiant. Un silence total me plongea dans l'incompréhension. Je n'avais pas peur, j'étais anéanti. Autour de moi, plus rien n'existait ! Un espace vide au centre duquel se dressait l'image solidifiée d'un père qui s'était supprimé.

La pensée que j'étais brusquement devenu orphelin me fit réagir. C'était impossible. Dieu n'avait pu mettre fin à ses siècles dans un moment dépressif, car le suicide faisait partie de ses interdictions formelles. Je m'approchai de cette figure tombale qui était restée debout et, à genoux devant elle, je récitai la prière de mon enfance. Celle que ma mère m'avait apprise et que je disais avant de m'endormir pour mériter le bonbon du soir, ce merveilleux caramel qui me paraissait plus accessible que le Paradis.

— Notre Père qui êtes aux cieux, que Votre nom soit sanctifié, que Votre règne arrive, que Votre volonté soit faite...

Un craquement fendit la barbe du Seigneur et un gros morceau de marbre tomba à terre. Stoppé dans mon élan lyrique, je regardai, béat, le visage et le corps de la statue se couvrir de fissures. Instinctivement, je poursuivis la prière :

— ... Donnez-nous aujourd'hui notre pain quotidien. Pardonnez-nous nos offenses...

Je fus à nouveau interrompu par une autre série de craquements qui brisèrent le tout d'un seul coup. Comme une coquille d'œuf, la statue s'ouvrit de toutes parts et je vis naître un Dieu neuf, imberbe, au visage d'adolescent. Il m'offrit un sourire éclatant et dit d'une voix pleine d'espoir :

— Je vais détruire la Terre !

La moto filait à deux cents sur la dixième piste de l'autoroute du Nord. Les neuf autres, réservées aux véhicules rapides, étaient encombrées d'énormes engins de transport en commun et de voitures particulières. Ces bolides se doublaient en produisant un souffle qui manquait, à chaque fois, de me désarçonner du tan-sad. La joue appuyée contre le blouson de cuir du pilote et les mains jointes sur la boucle de sa ceinture, je me maintenais, tant bien que mal, sur mon siège. Une fois encore, je me retrouvais sur la Terre avec un corps emprunté au rayon des accessoires. En choisissant mon costume de chair, j'avais moins pensé à sa fiabilité qu'à son esthétique et les soubresauts de la moto me faisaient regretter de ne pas avoir pris des fesses plus solides. Bien sûr, mon physique était superbe mais, dans ce cas, aucun arrière-train ne résiste à cent mille kilomètres sur les routes du globe.

— Ça va ? hurla Dieu pour couvrir les bruits de la circulation.

Il lâcha le guidon et se retourna pour mieux prendre de mes nouvelles.

— Attention ! criai-je en voyant l'arrière d'un camion qui grossissait dangereusement.

— Vous n'avez pas confiance en moi ?

La gaffe ! Une de plus. Mais que peut-on faire contre cet instinct de conservation qui vous pousse à agripper le bras du curé qui vous donne l'extrême-onction ? Ma sainte condition ne m'empêchait pas d'avoir la trouille, même si le chauffeur conduisait comme un dieu.

Je n'en pouvais plus. Tout à son idée de détruire la Terre, le Créateur m'avait entraîné dans une folle aventure qui allait avoir raison de ma raison. A la fin de sa colère froide, il s'était transformé en un jeune homme athlétique plein de fougue et de passion et m'avait demandé de le rejoindre sur le balcon du Paradis. Nous nous étions penchés, tous les deux, pour regarder la vieille planète qui semblait ne plus tourner rond et, d'un seul coup, il m'avait fait basculer dans le vide.

C'est un gros nuage qui amortit le choc. Ainsi qu'un sauteur à la perche, je tombai sur le dos au milieu des bourrelets d'ouate blanche. Au moment où je regardais en l'air pour mesurer le record battu, Dieu s'affala à mes côtés en riant comme un fou.

— On va s'éclater, fit-il en me donnant une bourrade sur les omoplates. Je vous invite à la plus belle partie de pétanque du monde. Ah ! ils ont truqué leur boule au mercure ? Je vais faire un carreau qui mettra fin à la dernière manche. J'ai horreur qu'on triche au jeu !

Le nuage descendait à une vitesse folle. Calé entre deux rotondités, j'observais ce Père qui avait l'âge de mon fils. J'ai toujours pensé que Dieu était joueur et qu'il avait lancé la Terre comme une bille sur un plateau de roulette. Malheureusement pour nous, pauvres clients du casino, Satan était devenu chef croupier après avoir bricolé le cylindre en sa faveur.

Une brusque décélération me fit piquer du nez dans le coussin de vapeur d'eau tandis que la pointe d'un rocher crevait le nuage en son centre. Il était, maintenant, complètement immobile, embroché sur un pic de granit qui avait arrêté notre chute. Le Seigneur me rassura :

— C'est le sommet de l'Everest, l'endroit le plus proche de chez moi. Venez, un peu de marche nous fera du bien.

Nous n'avons pas rencontré grand monde en descendant les premiers kilomètres et je fus rempli d'admiration pour Hillary qui, le premier, avait su mettre cette montagne dans sa poche. L'expression « Que Dieu vous accompagne » prenait pour moi toute sa valeur. Enjambant les crevasses comme des gazelles, frôlant les pitons de nos pieds légers, faisant de gracieuses figures sur les glaciers, nous avons joué à la marelle pour atteindre les contreforts de l'Himalaya. Un peu essoufflé, l'Auteur de ces merveilles m'invita à m'asseoir sur un rocher.

— Vous ne sentez rien ? me demanda-t-il, un peu inquiet.

Je humai l'air glacé. Mes poumons de location ne me firent aucun reproche. Dieu enchaîna :

— Je ne supporte pas le gaz carbonique.

Devant nous, les hauts plateaux tibétains s'étendaient à perte de vue. Un bond de cent kilomètres en direction de Lhassa nous amena devant un ermitage accroché à flanc de montagne. La porte vermoulue s'ouvrit toute seule, découvrant un vieux lama en contemplation qui nous accueillit sans bouger.

— Je t'attendais, Seigneur. Quel est cet étranger ? demanda-t-il.

Dieu me présenta comme son assistant momentané. J'appris que le moine était son correspondant depuis plus de cent ans mais qu'il songeait à donner sa démission devant l'absence de contact avec le Ciel.

— Pourquoi as-tu laissé mes appels sans réponse ?

— Trop de travail, fit Dieu. Je pensais que les hommes étaient adultes.

— Comment va Bouddha ?

— Bien. Il ne souffre plus.

— Tant mieux. Que puis-je faire pour toi ?

Le Seigneur me prit par les épaules et me poussa devant le lama.

— Je vais faire le tour de la planète avec saint Pierrot qui la connaît bien. Nous allons choisir l'endroit propice à l'action que j'ai décidé d'entreprendre pour purifier l'Univers. Je vais détruire la Terre.

Le vieux sage resta un moment sans répondre, puis, d'une voix tranquille, il dit :

— C'est la meilleure de tes idées.

— Merci. Pour cela, je vais devoir me comporter comme un homme car je ne veux pas qu'on prenne Dieu pour un terroriste. Je n'ai emporté aucun de mes attributs divins si ce n'est quelques avantages qui rendront le voyage moins pénible.

— Pourquoi as-tu changé ton apparence à ce

point ? Ton ancienne allure était plus respectable. Que peut-on faire d'un père qui n'a pas vingt ans ?

C'était vrai. Le Maître avait l'air d'un apprenti. C'était un jeune comme on en voit mille sur les trottoirs des grandes villes. Le regard insolent, rouleur d'épaules mais d'une indéniable beauté. Il se planta face au lama pour répondre à sa question :

— Je veux oublier mon âge incalculable. Pour brûler ce que j'ai adoré, il me faut l'aide de la jeunesse. Les vieux sont trop conservateurs.

A Lhassa, un ami de l'ermite nous procura deux passeports et la grosse moto sur laquelle nous venions de faire le tour du monde.

Dans quelques instants, j'allais revoir Paris.

Nous entrâmes dans la capitale par la porte de la Chapelle. Dieu en fut extrêmement touché. Après tant d'années, je ne reconnus pas les boulevards périphériques qui comportaient plusieurs étages sur lesquels étaient installées de nombreuses stations de secours aux blessés. Une impensable circulation créait des accidents suivis d'insultes et de bagarres. Les automobilistes n'utilisaient plus les injures que j'avais connues au temps de mon vivant. Vulgarisés par un emploi abusif, les mots connard, con, enfoiré, et j'en passe, étaient tombés en désuétude. Pour faire comprendre son mépris à l'adversaire, il ne restait plus qu'à l'assommer ou l'abattre à coups de revolver selon l'étendue des dégâts matériels.

Lorsque l'embouteillage devenait trop important, une trappe s'ouvrait dans la chaussée. Voitures et conducteurs tombaient dans un couloir de récupération et étaient dirigés, respectivement, vers des tôleries-instantanées et des hôpitaux-minute. Les grandes compagnies pétrolifères qui, vers la fin du

XXe siècle, avaient habitué le client à se servir lui-même étaient devenues propriétaires de cimetières privés. Implantés le long du périphérique, à intervalles réguliers, ils offraient des sépultures aux victimes de la route. Ce nouveau self-service avait été créé pour le bien-être de la circulation urbaine, et la rapidité des inhumations diminuait les encombrements de façon appréciable. Les passagers valides enterraient eux-mêmes leurs morts et passaient devant une caisse pour payer une concession qui ne pouvait pas dépasser la durée d'un mois.

Grâce à notre moto, nous pûmes nous faufiler entre ces centaines de véhicules et gagner le centre de Paris. Comme dans toutes les villes que nous avions visitées, je savais que notre première halte serait la cathédrale. Dieu tenait beaucoup à visiter les endroits où les hommes se réunissaient pour lui rendre hommage. Avec un coup de chance nous arrivions quelquefois pendant l'office. Le Seigneur restait discrètement près de la porte afin de ne déranger personne. Malgré son apparence qui le faisait ressembler au commun des mortels, j'ai toujours eu peur que quelqu'un ne le reconnût et ne donnât l'alarme en pleine messe. Une fois, j'avais emmené ma femme dans un cinéma de quartier pour voir le dernier film de Belmondo. L'acteur est entré pendant la séance pour prendre la température de son succès populaire et, à la faveur d'un plan plus éclairé que les autres, il fut reconnu par sa voisine de fauteuil. Le film devint rapidement incompréhensible par la faute des chasseurs d'autographes.

Mais ma crainte était sans fondement. Personne ne pouvait reconnaître Dieu sous les traits de ce jeune motard habillé de cuir, tenant respectueusement son casque à la main. S'il restait à l'écart, c'était par humilité devant ces gens qui avaient l'air de lui faire encore confiance. Souvent, il ne me sembla pas d'accord avec le sermon de certains curés. Lorsque ceux-ci se servaient de son nom en glissant vers la finance ou la politique, il quittait l'église en claquant la porte. Je le rattrapais toujours au moment où la moto bondissait vers une course folle qui lui calmait les nerfs.

En passant devant l'Hôtel-Dieu, il se retourna vers moi.

— Nous retiendrons une chambre ici, dit-il.

Quelques instants plus tard, nous étions à l'intérieur de Notre-Dame. En ce milieu d'après-midi du mois d'août, la ferveur était partie en congés payés. Il régnait une chaleur torride sur Paris et les rares fidèles que nous rencontrâmes dans la nef paraissaient plus sensibles à la fraîcheur qu'au recueillement. La vieille Dame abritait, sous sa robe de pierre, des poussins d'été qui ne venaient pas forcément pour faire bénir leurs plumes. En voyant un groupe de touristes japonais, Dieu me demanda :

— Vous croyez qu'ils viennent pour moi ?

Un flash répondit à ma place. Les Nippons se photographiaient entre eux en souriant aux anges. Ils mitraillaient tout ce qui se trouvait à portée de leurs objectifs et le hasard mit le Seigneur dans la ligne de mire. Avec un réflexe de garde du corps, je me précipitai sur l'appareil avec l'idée de récupérer la pellicule. Dieu stoppa mon élan.

— Laissez, me dit-il. Ces braves gens n'ont pas fini d'étonner le monde.

Le guide tapa dans ses mains pour regrouper le contenu de son autocar et le calme revint dans l'église. J'ai toujours aimé le lourd silence des cathédrales, celui qui vous accompagne comme un partenaire intelligent respectant votre solitude. A part ceux de la nature, de la musique et de l'amour, les bruits sont souvent bêtes et ne sont là que pour rappeler l'imperfection des inventions humaines. Il n'y a plus de calme complet. Outre la ville, il n'est rien de plus bruyant que la campagne sillonnée par une motoculture pétaradante. J'ai très souvent regretté les paradis de mes dix ans qui n'en finissent plus de mourir, empoisonnés par un pétrole qui rend le blé plus beau et le pain plus mauvais.

Dieu me fit signe de le suivre. Il s'arrêta devant la statue de sainte Thérèse pour arranger un bouquet de roses et, d'un coup de sa paire de gants, dépoussiéra les pieds de la petite carmélite. Un peu plus loin, il moucha quelques cierges et les ralluma pour mieux éclairer une modeste chapelle. Lorsqu'il descendit de la chaise qu'il avait empruntée pour redresser un tableau, une vieille femme l'attendait à quelques mètres. Malgré son visage anonyme elle était reconnaissable : une bigote faisant partie des trouillards égoïstes qui prennent leur religion pour une assurance multirisques.

— Vous vous croyez chez vous, jeune homme ? demanda-t-elle à Dieu.

— De moins en moins, répondit l'Eternel.

A notre sortie de l'église, un clochard nous tendit son béret crasseux. Un litre de rêve à douze degrés dépassait de la poche d'une veste sinistrée par le bitume des trottoirs et dont les trous laissaient échapper des vapeurs de misère.

— A votre bon cœur, fit-il dans un hoquet vineux.

— Donnez de l'argent à ce brave homme, dit le Seigneur. Il est dans mes vignes et je veux qu'il soit heureux.

Je sentis naître une liasse de billets de banque au creux de la poche de mon blouson. Avec Dieu, il n'y avait aucun problème financier et son génie créateur nous avait permis de faire le tour du monde dans des conditions de confort exceptionnel. Sa volonté était le meilleur des comptes bancaires. Il me suffisait de mettre la main à la poche pour encaisser les sommes nécessaires à nos besoins terrestres.

Dix mille nouveaux francs tombèrent dans le béret du mendiant. Etonné par le chiffre, je crus bon de l'énoncer à haute voix.

— Un million de centimes, dis-je à la manière de Pierre Bellemare sur Europe 1. C'est beaucoup !

— Plus les francs sont lourds, plus le cœur est léger, précisa le Seigneur.

Le clochard était fasciné par les coupures qui tapissaient le fond de son couvre-chef. Des tonneaux de pinard se mirent à danser dans sa tête sur des glouglous et des déflagrations de bouchons. Il se voyait déjà Grand Echanson de la Cloche, donnant des réceptions sous les ponts de Paris, recevant les ministres de la purée et les rois de la mouise. Il offrait des camemberts sublimes aux belles du caniveau qui, comme eux, s'abandonnaient en délivrant des parfums de même essence. L'imagination en fête, le clochard me remercia :

— Merci, monsieur. Le bon Dieu vous le rendra.

Alors Dieu reprit l'argent et le fourra dans ma poche en disant :

— Que Sa volonté soit faite !

Cent mille kilomètres de déception étaient affichés au compteur de la moto qui nous avait supportés sur les routes du monde. Au cours de ce voyage d'études, nous pûmes constater que les voies du Seigneur devenaient de plus en plus impraticables. Bourrés de sens uniques, giratoires, interdits, pleins de nids de poules et de cassis, barrés par la police, les péages, les travaux, les grévistes, contrôlés par les radars et fréquentés par les fous, les chemins du Paradis ne menaient plus au ciel.

— Je comprends pourquoi ils auront du mal à me rejoindre, fit Dieu en regardant les fourmis verticales qui s'échappaient de la bouche du métro Opéra.

Nous étions installés à la terrasse du Café de la Paix qui avait su résister aux agressions des décorateurs du XXIe siècle. L'établissement était intact. Les ronds poisseux des coca de ma jeunesse étaient encore sur les mêmes tables de marbre et quelques dames assises vendaient encore de l'amour à l'étalage. Je fus heureux de voir que les commerces de base et les boissons simples avaient su garder leurs vérités premières. Il en était tout autrement pour les pauvres citadins qui grouillaient devant nous, complètement nucléarisés dans la moindre de leur énergie. Le mois d'août tirant à sa fin, les vacanciers qui revenaient des bords de mer redonnaient à Paris l'animation qui lui était propre. Une radioactivité intense régnait déjà dans les rues. Les aoûtiens, qui s'étaient baignés au milieu des déchets nucléaires en jouant au water-polo avec des bidons inconnus, présentaient un bronzage à faire pâlir d'envie le plus noir des Sénégalais. En plus de la pigmentation d'une peau qui ne devait rien au carotène, ils avaient la faculté de s'éclairer en ignorant les services de l'EDF. Les plus veinards pouvaient faire fonctionner leurs appareils électroménagers en se branchant directement la prise dans les endroits de leur choix. Les membres du corps enseignant, qui bénéficiaient de deux mois de vacances, étaient rechargés à bloc dès leur retour en ville. Il fallait seulement faire attention aux courts-circuits quand on se serrait la main.

Le Seigneur cessa d'observer les gens qui sortaient du métro.

— Je vous offre une tournée de rossignol ? me demanda-t-il.

Je refusai, par politesse. Nous avions déjà consommé trois minutes de merle et quatre de pinson. Ignorant mes paroles, il glissa une pièce dans le juke-box et me tendit un écouteur. Le chant d'un rossignol synthétique couvrit les bruits de la circulation.

Il n'existait plus un seul oiseau sur Terre. Depuis longtemps, ils avaient cessé de lutter pour vivre des rares insectes que les pesticides avaient épargnés. Les écologistes, pressentant l'holocauste, enregistrèrent les derniers spécimens et il était possible d'acheter quelques trilles pour s'adoucir les tympans. Dans les oiselleries, on ne trouvait plus que des oiseaux empaillés et des disques de roucoulades.

Le rossignol poussa sa dernière note. Après avoir raccroché nos écouteurs au petit juke-box vissé sur un bord de la table, Dieu paya les consommations. Il laissa la monnaie dans la soucoupe et me dit, d'une voix un peu lasse :

— Nous n'aurons plus besoin d'argent. Le voyage est terminé et j'ai envie de rentrer chez moi. Je vous remercie, saint Pierrot, pour m'avoir montré cette Terre que j'avais oubliée. Les hommes sont beaucoup plus faibles que méchants et je dois les empêcher de dévaster leur navire avant que Satan ne le reprenne à bas prix. Ma décision est prise : le bâtiment sera sabordé en trois endroits différents afin qu'il coule au fond de l'univers et que jamais il ne soit retrouvé.

La moto nous fut volée pendant notre halte au Café de la Paix. Dieu déposa son casque et ses gants sur le trottoir, à l'endroit où nous avions laissé notre engin sur sa béquille.

— Ils ont oublié les accessoires, dit-il. Posez votre

casque à côté du mien. La route que nous allons prendre est moins dangereuse que la leur car on ne se cogne jamais la tête contre un nuage.

C'est à pied que nous nous dirigeâmes vers la place de la Concorde par le boulevard des Capucines. De l'autre côté du pont, l'Assemblée nationale était beaucoup plus noire que de mon temps. Repeinte à l'oxyde de carbone, elle avait découragé les ravaleurs de façades qui la laissaient couver ses lois comme une vieille mère poule fatiguée.

Nous longeâmes la Seine par sa rive gauche. Quelques optimistes trempaient du fil dans une soupe où flottaient des emballages en plastique et qui moussait lentement le long des carcasses de bateaux-mouches paralysés depuis des lustres. Dès sa naissance au plateau de Langres, le fleuve s'épaississait au contact des villes. Gavée par les usines et les citadins, la pauvre Seine essoufflée traversait Paris en s'appuyant contre des berges qui ne la reconnaissaient pas. Pour elle, le temps des chansons était mort, noyé dans les détergents. La muse aux boucles fanées ne se jetait plus dans la Manche qu'avec des idées de suicide.

— Voici donc mes pauvres pêcheurs, murmura Dieu en regardant un petit vieux qui venait de lancer sa ligne dans l'eau.

Le bouchon tomba entre un seau hygiénique et une boîte qui, de conserve, dérivaient vers la Normandie. Il y eut, aussitôt, une touche franche qui me laissa pantois. Pendant ma première vie, j'avais pratiqué ce sport qui m'avait tant défatigué des turbulences de la société et je connaissais bien le bonheur ressenti dès le plongeon de la plume. « La pêche, c'est le baccarat du pauvre », me disait un ami qui n'avait pas son pareil pour ferrer le gardon. Comment pouvait-on encore prendre du poisson dans cette panade où même les microbes devaient avoir du mal à nager ? Cela tenait du miracle.

Lorsque ce dernier mot me vint à l'esprit, je regardai Dieu avec méfiance. Etait-il en train de récidiver ? Le pêcheur est un être simple mais orgueilleux. Il n'aime pas que quelqu'un accroche la plus petite ablette à son hameçon dans le but de lui faire plaisir. Les pêches miraculeuses font un tort considérable à son amour-propre.

Le Seigneur, devinant ma pensée, me fit un signe qui voulait prouver son innocence. A l'instant même, je vis une superbe brème qui se balançait au bout de la ligne. Le petit vieux la décrocha et, après l'avoir photographiée, il la remit à l'eau. Encore plus étonné, je lui demandai des explications. C'est en roulant une cigarette qu'il me les donna :

— Mon pauvre monsieur, il y a belle lurette que les poissons n'existent plus ! Ceux qu'on prend dans la Seine appartiennent au syndicat d'initiative et ils sont en métal. C'est une pile autorechargeable qui les fait nager et leur comportement est régi par un mini-ordinateur individuel. Selon leurs espèces, les réglages sont différents mais ils réagissent comme de véritables poissons vivants. On les appâte avec des leurres codés qui conviennent à leurs clefs personnelles. L'ancienne pêche est reproduite dans tous ses détails mais le poisson appartient à la ville de Paris. On le photographie avant de le remettre à l'eau pour prouver qu'on n'est pas bredouille.

— Vous en prenez beaucoup ? demandai-je.

— Ça dépend... Aujourd'hui, faut pas se plaindre.

Il se pencha sur le bord du quai et remonta une bourriche qui pendait au bout d'une ficelle. Au fond du panier, il y avait une dizaine de photos représentant des gardons, deux anguilles, trois tanches et une carpe.

— Celle-là, elle m'a donné du mal, dit-il avec fierté. J'en ai rarement pris d'aussi belles. Une carpe de quatre livres qui fait quarante centimètres.

— Vous l'avez pesée avant de la rejeter ?

— Pas du tout. Le poids et les dimensions sont inscrits sur le dos des poissons.

Il glissa la photo de sa dernière prise dans l'ouverture du filet qu'il redescendit dans l'eau.

— C'est ma femme qui va être contente, fit-il.

C'était un gentil petit vieux qui vivait ses ultimes années avec des rêves de jeunesse.

Jusqu'à la tour Eiffel, Dieu ne m'adressa pas la parole. Je savais qu'il était triste de refermer définitivement la porte de sa vieille propriété qui tombait en ruine. Du dernier étage de la tour, Paris n'était plus visible. Un brouillard acide couvrait les toits de la capitale. Nous étions seuls sur la plate-forme balayée par un vent qui venait pleurer contre les poutrelles de fer.

D'un geste, Dieu me donna l'ordre de monter sur le parapet. Nous nous y trouvâmes, face à face, comme deux funambules en équilibre au-dessus d'une foule qui ne nous voyait pas. L'Eternel regarda Paris une dernière fois et la voix divine rompit enfin le silence qu'elle s'était imposé.

— J'ai réfléchi. Je ne vais pas détruire la Terre car les hommes sont pleins de ressources...

La surprise me fit faire un faux mouvement et je basculai dans le vide. Avant de commencer ma chute ascensionnelle, j'entendis la fin de la phrase :

— ... Ils s'en chargeront eux-mêmes.

Le retour au Ciel s'effectua sans encombre. Mon nouveau reportage eut un succès retentissant et le tirage de *Paradis-Soir* battit son propre record. Saint Matthieu me félicita et vanta mes qualités professionnelles dans un éditorial qui fit sensation et rendit jaloux les plus célèbres de mes collègues. Beaucoup d'entre eux pensaient que j'avais intrigué pour voyager à la droite de Dieu mais aucun ne se doutait que mon billet m'avait été compté au plein tarif.

Il est vrai que le Créateur s'était pris d'amitié pour moi. Les tenants du pouvoir éprouvent souvent le besoin d'avoir un confident sincère et dénué d'intérêt. Je n'avais bénéficié que d'heureux concours de circonstances, propices à un épanouissement social qui vous fait éviter les escaliers de service. On est plus vite en haut de l'immeuble quand on prend l'ascenseur.

Ce fut certainement la raison qui poussa Dieu à me fréquenter de façon plus régulière. Il voulut connaître ma femme et certains membres de ma famille que j'avais retrouvés par hasard dans les rues du Paradis. Cela me plaçait vis-à-vis des miens. Notamment aux yeux de quelques cousins qui m'avaient toujours pris pour un joyeux sauteur, incapable de m'élever. En quelque sorte, j'étais devenu une espèce de conseiller aux affaires terriennes.

Chaque jour que Dieu faisait, j'allais passer de longs moments en sa compagnie, devant le grand écran panoramique qu'il avait fait installer dans son bureau pour assister à la destruction de ma planète maternelle. Le Seigneur était dans un poste de pilotage et, à l'aide d'instruments compliqués, il fouillait la Terre dans ses moindres détails. De fabuleux objectifs nous faisaient entrer dans l'intimité des hommes. Grâce à eux, nous fûmes les témoins des efforts qu'ils déployèrent pour démolir leur maison. Les événements se déroulèrent comme un film d'épouvante et l'action débuta simultanément en trois points différents ainsi que Dieu l'avait prédit.

Aux sommets du triangle, trois présidents persuadés de détenir la clef du bonheur. Trois fous, mandatés par l'ignorance des peuples et cachés derrière le masque du désintéressement. Sur la surface du polygone, des milliards de braves ignorants, évoluant au milieu d'un champ de tir avec leur brosse à dents et leur papier-cul. Dans le secret de ces trois miradors présidentiels, trois joueurs de Monopoly : un Américain, un Russe, un Chinois. Sur la table de jeu, des milliards de pions dans l'attente d'un unique propriétaire.

Les plans qui se succédèrent ne nous permirent pas de voir qui avait triché. Le rythme du film était trop rapide. Les trois adversaires se levèrent en même temps dans un accès de folie furieuse et plongèrent leurs griffes dans les bords du tapis vert. Tirant chacun de leur côté, ils déchirèrent les forêts, les prairies, les mers, les montagnes, les villes.

Dieu appuyait sur cent boutons à la fois. Ses caméras enregistraient la phase finale de l'histoire qu'il avait inventée. Malheureusement, il venait de rendre sa carte de metteur en scène et il se contentait de filmer des acteurs qui ne se contrôlaient plus.

Sous le grand écran, des dizaines de moniteurs nous montraient les blessures de la Terre. Le vieux professionnel qui était au fond de moi remonta à la surface et se mit à choisir les plus belles images. Outrepassant mes attributions de simple script, je pris la direction du montage instantané. Je hurlais le numéro des caméras et Dieu imprimait la fin d'un monde sur bande magnétique.

Où se trouve-t-il, ce plaisir sans lequel la vie ne serait qu'une attente ennuyeuse ? Où est-elle donc, cette jouissance qui nous fait désirer d'autres lendemains ? Le bonheur ne peut pas être une fin car il se tue toujours contre la ligne d'arrivée et les gens heureux sont ceux qui recommencent après avoir terminé. Saint-Exupéry disait qu'une ville construite était une ville morte, faisant ainsi penser que, pour créer, il fallait parfois anéantir.

Que j'aimais ces nettoyages de printemps faits par ma mère dans notre vieil appartement. Que j'aimais le sacrifice des vieilles affaires qui redonnait de l'oxygène aux tiroirs du buffet et qui transformait le grenier en salle de danse. Plus tard, j'ai détruit des amours usées pour faire de la place dans mon cœur comme mon père arrachait les vieux papiers peints pour que les murs connaissent de nouvelles peintures. Combien de fois suis-je reparti de zéro pour que mon avenir connaisse une nouvelle jeunesse...

Envahie par les océans qui noyaient les vieilles montagnes en faisant apparaître des pics ignorés, labourée par la foudre qui ouvrait des sillons pour engloutir les villes, la Terre était en train de secouer ses puces. Lorsqu'elle retomba, épuisée, le soleil apparut pour sécher ses pleurs. Femme jusqu'au bout des ongles, elle se blottit dans la chaleur de ses rayons et recommença à tourner autour de lui pour avoir de nouveaux enfants.

L'Eternel n'était plus à mes côtés. Envoûté par les événements, je n'avais pas remarqué son départ. Il y avait, sur la table de contrôle, un papier qui expliquait son absence : « Je suis parti aux champignons. »

Mon regard revint sur l'écran et, en gros plan, je vis la main de Dieu qui ramassait les amanites atomiques.

14

Qui ne se souvient pas de ces senteurs d'après l'orage, lorsque la campagne retombe, lassée d'avoir lutté contre le vent et la pluie ? Si les odeurs que la fatigue engendre sont toujours nobles, celles de la Terre sont reines. Un sous-bois mouillé, une plage battue par la marée, une plaine fouettée par le mistral font naître des parfums sans cesse renouvelés. Peut-être faut-il que le combat existe pour mieux faire comprendre la valeur de la paix. Cette paix qui sent le frais et qui fait pousser des fleurs sur les toits des bunkers.

Ma planète mutilée avait encore le courage d'offrir des parfums à ses anciens locataires. Laissée pour morte pendant des siècles, elle reprenait goût à la vie en envoyant des odeurs d'herbes sauvages vers le Ciel.

— Jamais la Terre n'a senti aussi bon depuis qu'elle n'est plus habitée, fit Dieu en se penchant sur son balcon.

Lorsqu'elle avait été assommée par ses enfants, la Terre était entrée dans un long coma dont elle commençait à peine à sortir. La peau brûlée au sixième degré, elle continua à tourner autour du Soleil dans un état de mort clinique. Seul, le docteur Temps parvint à lui faire un nouveau visage. Débarrassée de son eczéma radioactif, c'était, maintenant, une jolie boule verdoyante aux allures de jeune fille.

En regardant Dieu subjugué par cette adolescente qui dansait sous la Lune avec des roses dans les cheveux, je me demandais s'il n'était pas tombé amoureux d'elle.

— Elle est encore possédée par le démon, dit-il avec regret.

La remarque était judicieuse. La Terre n'avait été détruite qu'en surface, et Satan, bien à l'abri dans ses caves, devait avoir procédé à des travaux d'agrandissement pour accueillir des millions de nouveaux pensionnaires. Grâce au dérèglement de la machine humaine, il avait gagné le jack-pot et j'imaginais assez bien sa joie au moment du déclic. Quel plaisir en voyant toutes ces âmes tomber en cascade dans un panier chauffé à blanc !

— Pourquoi ne pas tirer sur l'Enfer ? osai-je demander. Votre armement ne demande qu'à être utilisé.

Dieu se passa la main dans la barbe. En démêlant ses poils, il répondit avec une lenteur qui augmenta la sagesse de ses paroles :

— Je ne veux pas bombarder la ville pour atteindre un habitant.

— Il n'y a plus personne, la ville est morte !

— Tant que je serai Dieu, rien ne peut mourir. N'entendez-vous pas le bruit de la vie qui reprend ? Ne voyez-vous pas les jeunes pousses qui sortent du sol pour se dresser vers moi ? Puis-je supprimer les enfants sous prétexte qu'ils deviendront adultes ?

Avec une logique dont je n'étais pas certain, j'insistai :

— Il n'y a plus un seul homme sur la Terre et votre puissance est assez grande pour éliminer Satan.

Le Seigneur me prit par les épaules comme il le faisait de temps en temps depuis que j'avais été son compagnon de voyage. J'étais très heureux d'être devenu son confident. On comprendra aisément ma fierté devant la rareté du fait.

— Le démon est partout dans l'Univers, poursuivit Dieu. Il ne me servirait à rien d'effacer la Terre si la faute n'est pas sous ma gomme. D'autres moyens sont à ma disposition.

— La guerre froide pour éteindre l'incendie ?

— Oui. Saint Pierrot, vous m'avez compris.

C'était beaucoup dire. Comment comprendre Dieu, même quand on le fréquente ? Avait-il vraiment envie de se priver d'un ennemi qui lui donnait sa raison d'être ou n'était-il pas assez puissant pour l'écraser ? Cette dernière éventualité glaça mes jeunes ailes qui commençaient à pointer sur mes omoplates. Elle remettait en cause la suprême divinité de l'Eternel et je ne voulus pas croire à cela. Dieu me rassura sans le vouloir :

— J'ai attendu jusqu'au dernier moment pour occire mon vieil adversaire et, devant l'étendue des dégâts qu'il commet, je ne peux plus reculer. Il a rasé toutes mes planètes. Chaque jour que je fais, une explosion a lieu dans mon domaine. Les rares lieux habités ne sont plus que des champs de bataille et, si je n'y mets pas bon ordre, les huissiers de Satan poseront les scellés sur ma porte.

Il me sembla entendre soudain un signal d'alarme au fond de moi-même. L'idée de m'enfuir n'importe où me vint à l'esprit lorsque je vis, dans un rêve éveillé, Marchoukrev qui venait vers moi en brandissant une pancarte. Une inscription apparaissait en lettres rouges : « AU BOULOT ! » Saint Pierre était derrière lui, me tendant un cigare et un verre de cognac. Saint Matthieu vendait la dernière édition de *Paradis-Soir* en criant les titres de la une : « NOUVELLE MISSION POUR SAINT PIERROT », « LE BOUR-

REAU DU DIABLE EST NOMMÉ », « PRIONS POUR LE SAINT KAMIKAZE. » Autour d'eux, mes parents, ma femme, mes enfants, mes amis agitaient des mouchoirs en pleurant sur mon sort, et le capitaine Shkrr, transformé en condor, me donnait des coups de bec sur la tête.

La voix du Seigneur chassa mon cauchemar. Je revis enfin le Maître à travers la buée de mon imagination trop fertile et il me consola :

— Ne vous inquiétez pas. Vous ne serez pas choisi car je mettrai moi-même le point final à mon œuvre. Il serait maladroit de vous renvoyer vers Satan car, en Enfer, vous êtes grillé.

Sur cette bonne plaisanterie, il éclata d'un rire qui fit trembler la terrasse sur laquelle nous nous trouvions. Un bien-être général m'envahit à l'idée de ne pas quitter ce nid douillet que j'avais gagné à la sueur de mon âme. Dieu était penché sur la lunette à pied qui plongeait vers en bas.

— Regardez, dit-il en me laissant la place. La Terre se réveille.

A travers l'objectif, je vis des océans, des montagnes et des continents que je ne connaissais pas. Le grand chambardement avait tout bouleversé. Au milieu de cette géographie inconnue, je cherchai en vain la France mais mon bel hexagone n'était plus là. Les autres pays avaient changé de formes et s'étaient coulés les uns dans les autres, pour mélanger leurs essences et leurs caractères. Les mers généreuses s'étaient transformées en lagunes et irriguaient des terres nouvelles qui verdissaient de plaisir à leur contact. Les reliefs montagneux avaient échangé leurs pics menaçants contre des courbes douces couvertes de pâturages. L'ancienne planète des hommes m'apparut comme un immense parc agencé par une nature qui aurait pris des cours de dessin.

Je décollai mon œil de la lunette et demandai à Dieu :

— Vous y êtes pour quelque chose ?

— Si peu, dit-il. Avez-vous déjà vu ces plaines de Beauce que les paysans brûlent après la récolte pour que le prochain blé soit meilleur ? J'ai simplement permis aux cultivateurs de la Terre de mettre le feu à la paille qui blessait leurs pieds.

— Qu'allez-vous faire de tout cela ?

C'est en descendant les marches du promontoire que Dieu me dévoila une partie de ses projets :

— Je vais tout reprendre de zéro. L'expérience me confirme que j'aurais dû mettre plus de sept jours pour fabriquer une chose aussi compliquée. C'est un peu juste, j'en conviens. Je vais garder les structures du premier édifice et ne rien changer dans la disposition des éléments de l'Univers. Je vais laisser s'éteindre les planètes mineures pour ne conserver qu'une seule espèce de créatures dirigeantes : la condition humaine.

— Vous ne craignez pas que le processus de dégradation recommence ?

— Non. Le passé n'est qu'un brouillon qui servira le présent. Je ne laisserai pas l'homme s'enliser dans les marais car les bourbiers n'existeront plus. Bien que le temps me soit inconnu, la souffrance de mes enfants m'a peut-être fait vieillir et je n'ai plus envie de mettre un piège devant leurs premiers pas.

A mon tour, je pris Dieu par les épaules sans aucune gêne. Si j'avais gardé mon père jusqu'au grand âge, je l'aurais tenu de cette façon, serré contre moi pour l'aider à marcher vers son fauteuil.

— Je vous aime ainsi, mon Dieu, dis-je.

Il cessa subitement de parler. Nous étions au début d'un mail bordé par les arbres de vie qui, sur Terre, ne poussent que dans la Bible. Après avoir marché en silence, Dieu s'arrêta pour ramasser un fruit qui venait de tomber devant nous. Il me le donna en disant :

— Voilà la nourriture que j'avais prévue pour tes frères. Mange, mon fils. Bien que tu n'en aies plus besoin, tu vas connaître ce qui aurait pu perpétuer la vie et l'innocence.

Le fruit n'avait aucun parfum. Néanmoins, une sensation de fraîcheur me pénétra.

— Il aurait fallu s'y habituer, concéda Dieu. J'admets que mes intentions n'ont pas toujours été bien comprises. Peut-être ai-je eu tort de vouloir que les meilleures choses soient insipides et que le plaisir soit condamnable.

Si près du Père, je n'eus aucun complexe à lui parler de cette pomme défendue dont un quartier nous est resté en travers de la gorge. Il m'interrompit dès les premiers mots :

— Je n'y suis pour rien. Je n'ai jamais planté d'arbre de mort ni créé deux ignorants responsables de tous vos maux. En revanche, cette hypothèse farfelue n'est pas dénuée de bon sens et je vais la reprendre à mon compte.

J'avais du mal à comprendre. Dieu mit fin à mon interrogation.

— Si l'homme a fait les plans du Paradis terrestre, je vais m'en inspirer pour le construire.

Une campagne vantant le confort des « Jardins de l'Eden » submergea entièrement le royaume éternel. Les publicitaires du Très-Haut firent preuve d'une imagination débordante et, des spots radio-télé aux affiches murales, ils utilisèrent tous les moyens pour faire savoir que le Paradis allait s'agrandir. S'inspirant des villes nouvelles qui avaient souvent décongestionné les capitales, le

Grand Architecte proposa un Pardy II à quelques siècles-lumière du domaine des saints. Les bienheureux en furent ravis car ils n'auraient plus à craindre les désavantages de la surpopulation.

De luxueuses brochures expliquèrent que le genre humain allait bénéficier d'un nouveau conditionnement qui lui éviterait de s'altérer au contact de la vie. Une vie qui n'aurait plus à se méfier de la mort.

Il y eut, bien entendu, des opposants au projet. Des démographes bileux dirent que, si la Terre était peuplée de gens qui ne devaient jamais mourir, elle serait bientôt vouée à l'encombrement si leur reproduction n'était pas contrôlée. Ils parlèrent de contraception et de régulation des naissances. Dieu s'opposa à ces idées qu'il avait combattues depuis toujours et inventa la planète évolutive. Si la famille devait s'agrandir, la maison s'élargirait et, de pièce en pièce, elle rejoindrait enfin celle du Père.

Bien au chaud dans ma retraite, je ressentais tout de même une légère inquiétude. Que devenait Satan dans tout cela ? Le Malfaisant était-il prisonnier dans les entrailles du globe, la queue coincée entre deux roches en fusion ?

La douceur de ne plus vivre me fit vite oublier ces préoccupations. J'étais entouré par mes innombrables descendants qui — pour la plupart — avaient dû passer par le Purgatoire pour payer leur ticket d'entrée. N'ayant plus aucune notion du temps, le fait d'avoir pu saluer mes arrière-arrière-arrière-arrière-arrière-arrière-petits-enfants m'avait fait comprendre que ma mort ne datait pas d'hier. Au clan des Attier s'était joint celui des Lachaume qui ne me gardait aucune rancune pour les mauvaises actions que j'avais commises contre eux durant ma deuxième vie. Mes véritables parents devinrent même très amis avec eux. Mon père et ma mère s'étaient pris d'affection pour Albert et Paulette Lachaume. Au début, ils eurent évidemment un peu de mal à les convaincre que j'avais été un enfant exemplaire mais la logique l'emporta : sans moi, les Lachaume auraient sans doute atteint le Ciel avec une corde à nœuds au lieu de prendre un escalier roulant.

Je fus également touché de revoir Paty et les loubards qui avaient bénéficié d'une remise de peine pour services rendus. Après une brève et difficile existence dans la délinquance, après une pénible convalescence au Purgatoire, ils étaient arrivés ici avec le billet de faveur que je leur avais signé sur Terre.

Bref, nous formions une petite communauté au centre de laquelle ma femme et moi étions heureux. Chacun de nous avait payé son droit d'entrée. Des liens inconnus nous unissaient sans nous obliger et nos pensées s'invitaient sans avoir besoin de se recevoir.

Un jour, Shkrr interrompit ma méditation. Le bel archange se posa comme d'habitude sur la barre d'appui de ma fenêtre.

— Dieu vous demande, me dit-il. Suivez-moi.

Sans plus attendre, il décolla à la verticale, me laissant comme un gosse qui voit son ballon s'envoler.

— Servez-vous de vos ailes ! cria le capitaine en faisant un demi-tour.

Je me souvins subitement de ces excroissances qui m'étaient venues sur les omoplates et que j'avais prises pour une maladie honteuse. Le médesaint m'avait rassuré dès le premier examen. Il s'agissait simplement d'un privilège accordé à ceux qui voyageaient pour la bonne cause. Compte tenu de mes nombreux déplacements et de leurs bons résultats, j'étais possesseur d'un moyen de propulsion dont je n'avais jamais osé me servir.

Durant ma vie professionnelle, je m'étais toujours méfié des récompenses. Les médailles et les décorations ne donnent souvent droit qu'à une place assise dans le métro. Encore faut-il les utiliser aux heures de pointe car, si le wagon est vide, la croix de guerre ne sert à rien. C'est pour cette raison qu'avec ma paire d'ailes j'avais bien peur de l'avoir dans le dos une fois de plus.

— Allez-y, n'ayez pas peur ! hurla Shkrr en faisant un looping à titre d'exemple.

Peur de quoi ? Cet archange n'était qu'un oiseau prétentieux à qui j'allais donner une leçon. Je me lançai dans le vide pour me ratatiner le fuselage dans un massif d'hortensias. Le capitaine vint à mon secours.

— Accrochez-vous à ma ceinture, dit-il. Je vais vous apprendre à voler.

Peu de temps plus tard, nous avions atteint notre vitesse de croisière qui devait frôler Mach 100. Grâce à mon professeur, il ne m'avait pas fallu longtemps pour savoir me servir de mes ailes et je volais à ses côtés, entièrement maître de mon appareillage.

— Où allons-nous ? demandai-je à mon chef d'escadrille.

— Nous descendons sur Terre. Dieu vous y attend.

La nouvelle me fit sursauter, ce qui provoqua en moi une brusque décélération. En l'espace d'une seconde, je me retrouvai en retard de deux mille kilomètres par rapport à la position de l'archange. Après avoir réduit sa vitesse, il m'attendit poliment à l'ombre d'une étoile.

Je ne pus soutirer aucun autre renseignement

pendant le reste du voyage. Shkrr garda un silence total. Aux abords de la planète, nous faillîmes entrer en collision avec un engin placé sur orbite et qui continuait à tourner malgré le profond bouleversement de son environnement. Lancé avant le superboum, l'objet avait échappé au cataclysme. A l'intérieur, se trouvait peut-être le squelette d'un pilote, emprisonné dans un scaphandre flottant.

Il n'y avait plus un seul nuage autour de la Terre et le Ciel pur la protégeait comme un écrin de soie bleue. Aucune dépression ne venait des Açores, cette fabrique d'humidité responsable de tant d'étés pourris. Une superbe boule aux couleurs harmonieuses s'offrit à mes yeux et, plus nous avancions vers elle, plus les détails m'apparaissaient comme autant de merveilles. Nous ralentîmes notre allure pour mieux admirer les paysages qui défilaient sous nos ailes et, comme deux planeurs blancs, nous nous sommes promenés dans les creux et sur les vallons. Il n'y avait plus aucune construction humaine mais des lacs, des forêts, des rivières, des champs de fleurs à perte de vue.

— Nous allons atterrir, m'informa Shkrr en piquant du nez vers une clairière.

C'est alors que j'aperçus un petit point qui semblait se mouvoir au centre du plateau vers lequel nous nous dirigions. Au fur et à mesure de notre approche, la silhouette d'un homme se dessina. Quelques instants avant de toucher le sol, je vis un athlète, torse nu, en train de manœuvrer une sorte de bétonnière dans laquelle il enfournait des pelletées de terre. Son visage étant dans l'ombre de la machine, je demandai à Shkrr :

— Qui est-ce ?

— Dieu, répondit l'archange.

Un hoquet de surprise me fit rater l'atterrissage.

Je rebondis de quelques mètres en l'air pour aller m'écraser à plat ventre derrière un abri de chantier. C'est Dieu Lui-même qui me releva.

Qu'il était beau, ce vieillard colossal au corps de jeune homme. De longs cheveux neigeux tombaient sur ses épaules cuivrées et son visage avait repris les traits du Seigneur de mon enfance. Une grande barbe blanche cachait une partie de sa poitrine nue pour finir, en pointe, à la hauteur d'un ceinturon à boucle d'or. Seulement vêtu d'un jean, il ressemblait à ces vieux chênes du Far West qui ont bâti l'Amérique avec leurs mains. Comme un poulet, il m'empoigna par les ailes et je me retrouvai debout devant Lui.

— Bienvenue au Paradis terrestre, me dit-il. J'ai encore besoin de vous pour fixer les images d'une nouvelle Genèse car je ne veux plus qu'elle soit déformée par les traducteurs.

Je possédais toujours, caché au fond de l'âme, cet appareil microscopique qui m'avait permis de photographier l'Enfer. Un déclic spontané se fit entendre.

— Non, fit l'Eternel, on ne filme pas l'auteur du scénario mais les acteurs qui vont raconter l'histoire.

— Où sont-ils ? demandai-je, surpris de ne voir personne d'autre que nous deux.

En effet, le capitaine Shkrr n'était plus qu'une minuscule tache qui s'effaçait d'elle-même en s'éloignant vers les hauteurs d'où nous étions venus.

— Les acteurs sont dans la bétonnière, précisa le Seigneur. Ils n'attendent que moi pour entrer en scène.

Dieu se retourna pour faire face au gros réservoir qui tournait en ronronnant. Avec le manche de sa pelle, il frappa les trois coups contre le métal et la bétonnière se renversa, libérant un gros tas de terre fine. L'instrument s'arrêta de fonctionner. Je n'entendis plus que le chant des oiseaux et le bruit d'un ruisseau qui courait dans la clairière. D'un geste, le Seigneur fit disparaître les outils qui nous entouraient ainsi que la bétonnière qui accompagna l'abri de chantier dans le néant.

— La matière n'est qu'illusion, dit-il. Ici, il n'y aura plus que la vie à l'état pur. Pour qu'elle prenne sa véritable signification, je vais vraiment inventer Adam et Eve.

Et je vis faire le Maître. Afin de rétablir un équilibre et pour qu'on ne l'accusât pas d'avoir des préférences, il créa d'abord la Femme. Avec une partie de la terre qu'il avait préparée, il modela le merveilleux corps féminin. Travaillant de mémoire, il commettait parfois quelques erreurs que je m'empressais de corriger par de prudents conseils. Il s'agissait, uniquement, de fautes dues à un manque d'information. C'est ainsi que je fis légèrement arrondir les épaules et remonter les seins que le Seigneur moula avec une attention particulière. Je lui conseillai également de descendre les hanches qu'il avait situées un peu trop à la hauteur du ventre et de mettre un peu plus de finesse dans les attaches. Lorsqu'il entra dans les détails, il me demanda de me retourner. Je le fis volontiers en espérant qu'Adam ne serait pas déçu.

Eve apparut enfin dans sa splendeur unique. Superbe femelle aux rondeurs exquises, elle était parfaitement à mon goût qui ne me servait plus à rien. Sans doute avais-je influencé le Créateur à partir d'un critère personnel auquel il se rallia dès la touche finale. Il faisait confiance à mon jugement, compte tenu d'une pratique ancienne encore présente dans mes souvenirs. J'en avais connu de ces

Eves de tous les coins du monde ! Chacune d'elles possédait des formes différentes mais aucune ne réunissait les éléments qui font la perfection. En voyant la femme idéale naître devant moi, je me sentis possesseur d'un gros lot qu'il m'était interdit de toucher. Tant pis. Il arrive que nos propres canons de la beauté soient mis à feu par d'autres artilleurs.

D'un baiser sur le front, Dieu donna la vie à la Femme. Sa terre se transforma en une chair fraîche qui prit connaissance du mouvement, et la parole fut.

— Auriez-vous un miroir ? demanda Eve.

D'où viennent ces informations que les filles possèdent sans jamais les avoir reçues ? Le ruisseau n'était pas loin et son chuintement ressemblait à une réponse.

— Excusez-moi, messieurs, dit-elle, je vais faire une petite retouche.

Nous la vîmes s'éloigner. Les ondulations de son corps prouvaient que tout était en ordre de marche et le Seigneur fut satisfait quand elle se mira dans l'eau.

— Je crois que ça n'est pas mal, fit-il, rêveur.

La deuxième partie de son œuvre fut menée avec autant de soins que la première, bien que la fabrication d'Adam me parût moins compliquée. Il fallut un peu plus de matière pour les muscles et l'ossature, mais l'intérieur ne demanda pas un agencement trop complexe. De temps en temps, le Créateur me regardait comme s'il cherchait mon approbation. Malheureusement, les formes masculines n'avaient pas attiré mon attention outre mesure, sauf au régiment où la vue de mes semblables m'avait donné le sens du ridicule. Une partie du corps d'Adam laissa Dieu dans un visible embarras.

C'est à ce moment qu'Eve nous rejoignit et fit la moue en voyant des volumes qu'elle n'approuvait pas. Lorsque les différentes proportions furent équilibrées, la jeune femme retrouva son sourire. L'homme était parfait. Malgré la froideur de la matière qui le constituait, il donnait une impression de force et de tendresse. Eve s'avança vers cette chose immobile et, se hissant sur la pointe de ses pieds nus, elle l'embrassa sur les lèvres. Adam se remplit de chaleur et répondit au baiser de sa femme en la serrant dans ses bras.

Sans dire un mot, Dieu m'entraîna sous les arbres qui bordaient la clairière. Quand nous fûmes à l'abri, il s'assit sur la mousse et m'invita à en faire autant.

— Laissons-les faire connaissance, fit-il, doucement. La Lune sera le seul témoin de leur mariage.

Cette nuit-là, je ne pris aucune photo. Jusqu'au matin, j'avais écouté le Père qui venait de mettre le point final à la fin du dernier chapitre. Il avait fait une Terre nouvelle pour la donner en cadeau à deux êtres qui allaient peut-être encore la casser. Tout cela me semblait bien inutile. Au lever du soleil, j'étais un saint malheureux.

— Vous avez douté de Moi, saint Pierrot, dit le Seigneur. Toute la nuit, vous avez grincé des ailes !

Je ne répondis pas. Je ne savais plus quoi penser. Mon esprit n'était plus qu'un objectif à focale variable et mes lentilles devaient être fêlées. C'est ce que je crus tout à fait quand je vis Adam et Eve qui dormaient encore au centre de la clairière. Enlacés, innocents et tranquilles, ils ignoraient l'ombre maléfique qui les recouvrait. Un pommier avait poussé pendant leur nuit de noces et étendait ses branches au-dessus de leurs têtes !

— Non ! hurlai-je. Vous ne pouvez permettre ça,

mon Dieu ! Vous avez promis qu'il n'y aurait plus de pièges !

— Taisez-vous, vous allez tout faire rater, dit-il dans un souffle, à mon oreille.

Oubliant tout respect, je tentai de me délivrer de la main de Dieu qui enserrait mon bras. Il fallait que je prévienne ces pauvres ignorants qui cuvaient leur amour sous des fruits explosifs. En criant le plus fort possible, j'espérais réveiller les amants en danger.

— Attention ! Le petit déjeuner est empoisonné !

— Pour la dernière fois, je vous ordonne de vous taire, martela le Seigneur.

Je parvins à me dégager de son étreinte. D'un coup sec, je libérai mon bras prisonnier et, m'élançant vers Adam et Eve, je fis quelques mètres en courant.

— Halte, ou je tire !

Je m'arrêtai pile, cloué sur place par cette menace tellement illogique. Dieu était derrière moi, tenant une carabine 22 long rifle braquée sur mon dos.

— Au moindre geste, je fais feu sur votre âme et je l'expédie aux Enfers ! Avancez doucement jusqu'à moi sans faire de bruit.

J'en avais connu, des déceptions, dans ma chienne de vie. Mais d'aussi grandes : jamais ! J'ai parfois rêvé que je rentrais chez moi pour trouver ma sainte femme au lit avec les Compagnons de la chanson ou que mon adorable petite chatte se transformait en panthère noire pour dévorer mes enfants dans leurs berceaux. Mais voir l'Eternel me braquer avec une pétoire : jamais ! Il était là, comme un cow-boy qui se retourne contre son associé.

— Ne croyez pas, me dit-il, que vous ne risquez plus la mort. Celle que je peux vous infliger serait pire que la première. Dans le canon de ce fusil, il y a la balle de match, celle qui décide du jeu. Je ne vous demande qu'une chose, laissez-moi faire.

Comme un automate, je fis demi-tour. Adam et Eve dormaient toujours sous l'arbre qui nourrissait leur perte. Dieu me fit coucher par terre. Je n'étais plus qu'un chien docile aux pieds d'un braconnier.

Nous attendîmes toute la matinée derrière un buisson et, vers midi, les amants se réveillèrent. Ils se regardèrent longtemps, debout l'un contre l'autre, échangeant leurs fluides dans cette secrète alchimie qui s'appelle l'Amour. Ces deux êtres, dont la morale n'était pas encore souillée, nous offrirent le plus beau tableau vivant du monde. Pour la première fois et sans aucun sentiment de culpabilité, je pris conscience de la pureté des gestes qui donnent la vie. A travers le feuillage vert, j'assistai à une messe rose où le corps et le sang n'étaient plus offerts en sacrifice.

Je revins sur Terre en même temps qu'Adam et Eve qui venaient de connaître le septième ciel. Le Seigneur était toujours à mes côtés, serrant la 22 long rifle. Je ne comprenais pas pourquoi les rôles étaient inversés. L'arme est une invention de l'homme, et l'amour, celle de Dieu. Pour quelles raisons les facteurs avaient-ils changé de place ?

La solution du problème rampa sur une basse branche du pommier. Un cobra de quatre mètres tenait une superbe pomme rouge dans sa gueule.

— Enfin, le voilà, murmura Dieu en poussant un soupir.

Une joie immense m'envahit. En l'espace d'une seconde, je compris que le décor avait été planté pour attirer Satan qui — lui non plus — ne pouvait pas résister à la tentation. Jamais hallali ne me parut aussi beau. Du fond de son trou, le prédateur avait flairé le leurre et il était là, prêt à fondre sur une proie qui allait provoquer sa perte.

Le cou dressé, supportant sa majestueuse tête de pharaon, le cobra entama la danse de la séduction. Eve le regardait, fascinée par la beauté de cette laideur. Avec un balancement latéral, il glissa doucement sur la branche, déroulant son corps perdu dans les entrelacs de l'arbre. La femme et le serpent étaient seuls au monde. Le plaisir de l'interdit les réunissait déjà car, au pied du pommier, le mari s'était rendormi.

Alors, avec un geste d'officiant, Dieu leva sa carabine et, à travers la lunette, son regard fouilla lentement dans le feuillage. Lorsque la tête du cobra vint se placer au centre de la mire, l'intersection de la croix était juste entre ses deux yeux. Le doigt du Seigneur appuya sur la détente et Satan mourut, crucifié par un coup de feu qui était le dernier du monde. Des centaines d'oiseaux vinrent se percher sur les branches pour siffler un alléluia à la gloire du tireur qui venait de supprimer la chasse.

Eve ramassa la pomme qui venait de tomber, en croqua un morceau et la tendit à Adam. Dieu me rassura :

— Ne craignez rien, le ver n'est plus dans le fruit.

Il rejoignit ses deux enfants qui ne semblaient conserver aucun souvenir de ce qui s'était passé en vertu d'un vieux principe qui veut que les amoureux soient seuls au monde. Le serpent, brisé sur le sol, gisait à quelques mètres d'eux. Devant cette image unique, ma caméra ronronnait de bonheur à la pensée que le diable venait d'être la victime de sa propre invention.

Le Seigneur lança sa carabine sur le corps du cobra.

— L'arme et le venin vont disparaître à tout

jamais, dit-il. Le combat de l'Homme et de la Bête était le seul valable car Dieu et Satan ne pouvaient pas s'atteindre. Je suis heureux qu'en Moi ce soit l'Homme qui ait gagné...

Le serpent et la 22 long rifle disparurent en même temps, ne laissant aucune trace sur l'herbe fraîche. Dieu continua :

— Tu peux prendre ta femme dans tes bras, Adam. Elle ne te sera jamais plus infidèle...

Eve se blottit contre la poitrine de son mari et tous deux écoutèrent le Seigneur qui parla jusqu'à la tombée de la nuit. Il leur raconta le monde dans lequel ils allaient vivre éternellement sans haine ni crainte. J'écoutai les paroles de mon Maître avec ravissement et le regret d'être né au milieu des échafaudages qui me sont si souvent tombés sur la figure. Le programme de Dieu prouvait que, maintenant, la maison était solide :

— Eve, tu n'auras plus jamais peur. Adam n'aura plus besoin de te protéger car le danger est mort. Tes fils s'aimeront et iront chercher leurs épouses à l'autre bout de la Terre où je vais créer vos doubles pour éviter l'inceste. Je les ferai noirs pour que vos enfants aient une couleur unique. Vous ne saurez rien des défauts qui ont conduit l'humanité à sa perte. Il n'y aura plus ces péchés avilissants qui mènent à la décadence en prenant des goûts défendus et qui fatiguent l'âme pour la faire mourir plus vite. Vous n'entendrez plus jamais parler de guerre car la propriété sera abolie. Le partage n'existera plus car tout appartiendra à chacun et personne n'aura besoin d'attaquer pour se défendre. La peur sera morte avec la menace. Le sens de la famille s'étendra à tous les habitants du nouvel Eden car les groupements affectifs auront disparu avec l'amour préférentiel. L'intelligence sera générale, et l'égalité, définitive. L'esprit de compétition n'aura plus de raison d'être parce que la réussite sera le seul fait de naître pour toujours. Le travail ne sera plus le prix du repos et l'or ne sera plus présent que sur les fruits qui prendront sa couleur. Votre vie sera douce, calme et sans condition. Elle aura, enfin, la qualité d'une essence rare donnant à l'être la preuve de son existence indestructible.

Insensiblement, Dieu et moi étions devenus invisibles. Notre ascension vers l'au-delà venait de commencer et, avant de quitter définitivement la Terre, je pus voir Adam s'adosser au pommier. Il jeta le trognon de la pomme qu'il venait de manger et, l'air un peu triste, le regard perdu vers l'horizon, il dit :

— Tout ça, c'est bien beau, mais, maintenant, qu'est-ce qu'on va s'emmerder !

Littérature extrait du catalogue

Cette collection est d'abord marquée par sa diversité : classiques, grands romans contemporains ou même des livres d'auteurs réputés plus difficiles, comme Borges, Soupault, Goes. En fait, c'est tout le roman qui est proposé ici, Henri Troyat, Bernard Clavel, Guy des Cars, Alain Robbe-Grillet, mais aussi des écrivains étrangers tels que Moravia, Colleen McCullough ou Konsalik.

Les classiques tels que Stendhal, Maupassant, Flaubert, Zola, Balzac, etc. sont publiés en texte intégral au prix le plus bas de toute l'édition. Chaque volume est complété par un cahier photos illustrant la biographie de l'auteur.

AKÉ LOBA	*Kocoumbo, l'étudiant noir 1511****
ALLEY Robert	*La mort aux enchères 1461***
ANDREWS Virginia C.	*Fleurs captives :*
	*- Fleurs captives 1165*****
	*- Pétales au vent 1237*****
	*- Bouquet d'épines 1350*****
	*- Les racines du passé 1818*****
	*Ma douce Audrina 1578*****
APOLLINAIRE Guillaume	*Les onze mille verges 704**
	*Les exploits d'un jeune don Juan 875**
AUEL Jean M.	*Ayla, l'enfant de la terre 1383*****
AVRIL Nicole	*Monsieur de Lyon 1049****
	*La disgrâce 1344****
	*Jeanne 1879****
	*L'été de la Saint-Valentin 2038** (août 86)*
BACH Richard	*Jonathan Livingston le goéland 1562* illustré*
BALZAC Honoré de	*Le père Goriot 1988***
BARBER Noël	*Tanamera 1804**** & 1805*****
BAUDELAIRE Charles	*Les fleurs du mal 1939***
BAUM Frank L.	*Le magicien d'Oz 1652***
BELMONT Véra	*Rouge Baiser 2014*** (juin 86)*
BORGES & BIOY CASARES	*Nouveaux contes de Bustos Domecq 1908****
BORY Jean-Louis	*Mon village à l'heure allemande 81****
BOVE Emmanuel	*Mes amis 1973****
BRADFORD Sarah	*Grace 2002*****